O Antigo Segredo da Flor da Vida

DRUNVALO MELCHIZEDEK

O Antigo Segredo da Flor da Vida

VOLUME 2

Tradução
Henrique A. R. Monteiro

Revisão Técnica
Eloisa Zarzur Cury
Maria Luiza Abdalla Renzo

Editora Pensamento
SÃO PAULO

Título original: *The Ancient Secret of the Flower of Life – vol. 2*

Publicado originalmente em inglês por Light Technology Publishing.

Texto de acordo com as novas regras ortográficas da língua portuguesa.

1ª edição 2010.

5ª reimpressão 2018.

Revisão Técnica: Eloisa Zarzur Cury e Maria Luiza Abdalla Renzo, facilitadoras Flower of Life / A Flor da Vida, graduadas pela Flower of Life Research e por Drunvalo Melchizedek.
(site: www.flordavida.com.br / e-mail: flordavida@uol.com.br)

Dados Internacionais de Catalogação na Publicação (CIP)
(Câmara Brasileira do Livro, SP, Brasil)

Melchizedek, Drunvalo
O antigo segredo da Flor da Vida, volume 2 / Drunvalo Melchizedek ; tradução Henrique A. R. Monteiro ; revisão técnica Eloisa Zarzur Cury, Maria Luiza Abdalla Renzo. — São Paulo : Pensamento, 2010.

Título original: The ancient secret of the Flower of Life.

ISBN 978-85-315-1628-3

1. Consciência 2. Geometria 3. Meditação 4. Movimento da Nova Era 5. Teosofia I. Cury, Eloisa Zarzur. II. Renzo, Maria Luiza Abdalla. III. Título.

10-00582 CDD-299.934

Índices para catálogo sistemático:
1. Flor da vida : Teosofia : Religião 299.934

Direitos de tradução para o Brasil
adquiridos com exclusividade pela
EDITORA PENSAMENTO-CULTRIX LTDA.
que se reserva a propriedade literária desta tradução.
Rua Dr. Mário Vicente, 368 — 04270-000 — São Paulo, SP
Fone: (11) 2066-9000 — Fax: (11) 2066-9008
E-mail: atendimento@editorapensamento.com.br
http://www.editorapensamento.com.br
Foi feito o depósito legal.

Cânone de Leonardo da Vinci
com as geometrias sagradas da Flor da Vida.

DEDICATÓRIA

Este livro, o volume 2, é dedicado à criança dentro de vocês
e a todas as novas crianças que estão aparecendo sobre a face da Terra
para levar-nos para o nosso lar dentro da luz superior.

NOTA AO LEITOR

O Curso Flor da Vida foi apresentado internacionalmente por Drunvalo de 1985 a 1994. Este livro se baseia na transcrição da terceira versão oficial do Curso Flor da Vida em fitas de vídeo, o qual foi apresentado em Fairfield, Iowa (EUA), em outubro de 1993. Cada capítulo deste livro corresponde mais ou menos à numeração da fita de vídeo do curso. Entretanto, mudamos esse formato na transcrição quando necessário, para tornar a compreensão mais clara. Assim, alteramos os parágrafos e as frases e ocasionalmente até mesmo partes inteiras para os lugares que consideramos ideais, de modo que vocês, leitores, possam acompanhar os pensamentos com o máximo de facilidade.

Observem que acrescentamos **atualizações** ao longo de todo o livro, as quais aparecem em **negrito.** Essas atualizações normalmente começam em um novo parágrafo, imediatamente em seguida das informações antigas. Considerando que foram apresentadas muitas informações no seminário, dividimos os assuntos em dois volumes, cada um dos quais com o seu próprio sumário. Este segundo volume começa no capítulo nove (os oito primeiros encontram-se no primeiro volume).

SUMÁRIO

INTRODUÇÃO

Encontramo-nos de novo, para explorar juntos a vastidão de quem somos, e novamente refletir sobre o mesmo antigo segredo de que a vida é um mistério lindo que nos leva para onde imaginarmos.

O volume 2 contém as instruções para a meditação que me foram originalmente ensinadas pelos anjos, para entrar no estado de consciência chamado Mer-Ka-Ba — em termos modernos, chamado o corpo de luz humano. O nosso corpo de luz guarda a possibilidade para o potencial humano de transcender em uma nova tradução do universo que consideramos muito familiar. Dentro de um estado de consciência específico, todas as coisas podem começar de novo, e a vida muda de uma maneira que parece milagrosa.

Essas palavras falam mais de recordação do que de aprendizado ou ensinamento. Vocês já sabem o que está nestas páginas, porque isso está inscrito em todas as células do seu corpo, mas também está oculto no fundo do seu coração e da sua mente, onde tudo o que é realmente necessário é apenas um simples empurrãozinho.

Com o amor que sinto por vocês e pela vida em todos os lugares, ofereço estas imagens e esta visão a vocês, para que venham a ser úteis; para que os aproximem ainda mais da compreensão pessoal de que o Grande Espírito está íntima e carinhosamente ligado à sua essência; e com os votos de que estas palavras sejam o catalisador que abra o caminho para vocês na direção dos mundos superiores.

Vocês e eu vivemos em um momento de grande importância na história da Terra. O mundo está se metamorfoseando radicalmente enquanto os computadores e os humanos entram em uma relação simbiótica, oferecendo à Mãe Terra dois modos de ver e interpretar os eventos mundiais. Ela está usando essa nova visão para alterar e abrir os caminhos para os mundos superiores de luz de um modo que até mesmo uma criança possa entender. A nossa Mãe nos ama muito.

Nós, os seus filhos, caminhamos agora entre os dois mundos, a nossa vida cotidiana comum e um mundo que ultrapassa os sonhos até mesmo dos nossos ancestrais mais velhos. Com o amor da nossa Mãe e a ajuda do nosso Pai, encontraremos um caminho para curar o coração das pessoas e transformar este mundo para que volte ao estado de consciência de unidade outra vez.

Que vocês possam desfrutar o que estão prestes a ler e que isso seja verdadeiramente uma bênção na sua vida.

Em amor e serviço,

Drunvalo

NOVE

O Espírito e a Geometria Sagrada

O Terceiro Sistema Informacional no Fruto da Vida

O que vocês estão prestes a ler é um assunto fora da compreensão da maior parte do pensamento humano. Peço que leiam com um pouco de fé e que cuidadosamente comecem a ver de uma maneira diferente. Isso pode não fazer sentido enquanto vocês não estiverem completamente mergulhados no assunto. Isso gira em torno da ideia de que *toda consciência,* incluindo a humana, *é unicamente baseada na geometria sagrada.* Por causa disso podemos começar a ver e compreender de onde viemos, onde estamos agora e para onde estamos indo.

Lembrem-se de que o Fruto da Vida é a base de todos os treze sistemas informacionais, e que é pela superposição das linhas retas masculinas de um modo especial aos círculos femininos do Fruto da Vida que esses sistemas são criados. Nos primeiros oito capítulos estudamos dois desses sistemas. O primeiro sistema criou o Cubo de Metatron, que gerou os cinco sólidos platônicos. Essas formas criaram a estrutura ao longo de todo o universo.

O segundo sistema, de que tratamos ligeiramente, foi criado pelas linhas retas provenientes do centro do Fruto da Vida *e* pelos círculos concêntricos, criando assim o gráfico polar. Isso por sua vez criou a estrela tetraédrica inscrita em uma esfera, que é a base de como a vibração, o som, a harmonia, a música e a matéria estão inter-relacionados em toda a criação.

Os Círculos e Quadrados da Consciência Humana

Trataremos desse terceiro sistema informacional indiretamente. A fonte, o Fruto da Vida, irá revelar-se à medida que prosseguirmos. Chamaremos a esse novo sistema de *círculos e quadrados da consciência humana.* É o que os chineses chamaram de circularizar o quadrado e quadratura do círculo.

De acordo com Thoth, todos os níveis de consciência do universo são integrados por uma única imagem da geometria sagrada. Ela é a chave para o tempo, o espaço e a dimensão, assim como para a própria consciência. Thoth também disse que até mesmo as emoções e os pensamentos baseiam-se na geometria sagrada, mas esse assunto terá de esperar até mais adiante neste livro.

Para cada nível de consciência existe uma geometria associada que define completamente como esse nível de consciência específico interpretará a Realidade única. Cada nível é uma imagem ou lente geométrica através da qual o espírito olha para ver a Realidade única, resultando em uma experiência completamente única. Até mesmo a hierarquia espiritual do universo é geométrica na sua estrutura, copiando a natureza.

De acordo com Thoth, há nove bolas de cristal embaixo da Esfinge, uma dentro da outra. Os arqueólogos e os médiuns estiveram em busca dessas bolas de cristal por muito tempo — essa é uma lenda antiga. Diz-se que essas bolas de cristal se acham de alguma forma ligadas à consciência da Terra e aos três níveis de consciência pelos quais os humanos estão passando atualmente.

Diversos buscadores procuraram as nove esferas, gastando muito tempo e dinheiro nisso, mas, de acordo com Thoth, não precisamos das bolas de cristal; basta desenhar nove círculos concêntricos, que serão igualmente tão reveladores quanto as próprias bolas. Se eles soubessem que buscavam a geometria e a consciência, e não necessariamente um objeto, chegariam ao conhecimento com muito mais facilidade.

De acordo com Thoth, se vocês se aproximassem de um planeta que nunca viram antes e quisessem conhecer os vários níveis de consciência existentes nesse planeta, deveriam tomar alguns dos seres habitantes nesse planeta e medi-los, supondo que pudessem prendê-los por tempo suficiente. A partir dessa medidas, poderiam determinar as proporções entre os quadrados e círculos sagrados ligadas ao corpo deles, e com essas informações determinar o seu exato nível de consciência.

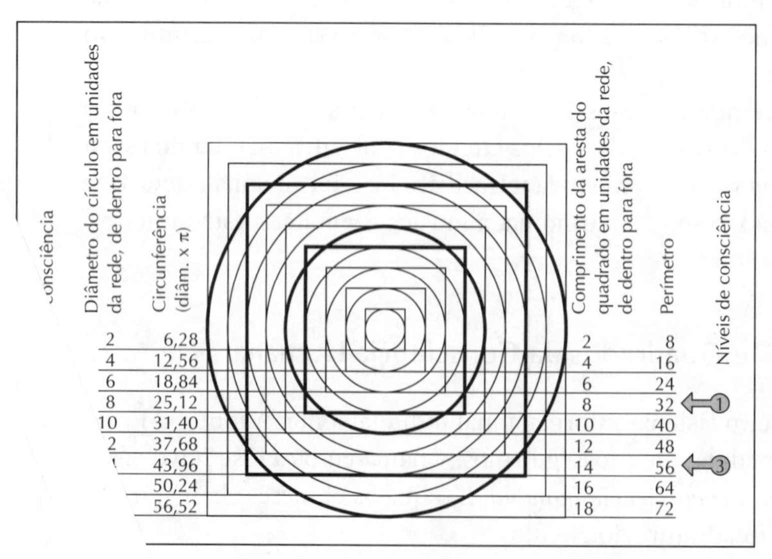

Ilustração 9-1. Círculos e quadrados concêntricos. Os círculos e quadrados mais escuros são os pares que se aproximam da razão Phi. Eles também indicam o primeiro e o terceiro nível de consciência humana. (Uma unidade da rede equivale a um *raio* do círculo central ou *à metade do lado* do quadrado que o envolve. Pode-se notar que o diâmetro do círculo central e uma aresta do quadrado que o envolve são do mesmo comprimento.)

Outras proporções, sempre derivadas do cubo, são usadas para determinar os níveis de consciência em outras formas de vida além da humana, tais como animais, insetos e extraterrestres, mas, no caso dos humanos, é a do círculo em relação ao quadrado. Observando se o quadrado que se encaixa ao redor do corpo é maior ou menor que o círculo que se encaixa ao redor do corpo, e exatamente por quanto, vocês podem determinar como eles traduzem a Realidade e exatamente em que nível de consciência se encontram. Há modos mais rápidos, na verdade, mas esse é fundamental para a própria existência.

Thoth disse para desenhar nove círculos concêntricos e colocar um quadrado ao redor de cada um, de modo que ele se encaixe perfeitamente (um lado do quadrado e o diâmetro do círculo interno serão iguais), como na Ilustração 9-1. Dessa maneira, vocês têm energias masculina e feminina iguais. Então vejam como os quadrados interagem com os círculos — como a energia masculina interage com a energia feminina. A chave, de acordo com Thoth, é até que ponto o perímetro do quadrado e a circunferência do círculo aproximam-se da razão Phi. Essa é a chave da vida humana.

Encontrando as Razões Phi Quase Perfeitas

Observando-se o quadrado mais interno, nenhum círculo o cruza; o mesmo se aplica ao segundo quadrado. O terceiro quadrado começa a penetrar no quarto círculo, embora obviamente essa não seja uma razão Phi. Entretanto, o quarto quadrado penetra no quinto círculo no que *parece* ser uma razão Phi quase perfeita. Depois desaparece a razão Phi novamente no quinto e sexto quadrados. Então, inesperadamente, o sétimo quadrado penetra no nono círculo novamente no que *parece* ser uma razão Phi quase perfeita — não *um* círculo além, como foi no quarto quadrado e no quinto círculo, mas *dois* círculos além. E esse é ainda mais próximo da Proporção Áurea — a razão Phi de 1,6180339... —, do que o primeiro.

Esse é o começo de uma progressão geométrica que continuaria eternamente, uma progressão em que nós humanos somos apenas o segundo passo possível. (E nos consideramos com tanta pretensão!) Usando a vida inteira de um humano como o padrão de medida, na história humana estamos agora no nível de consciência representado pelo desenvolvimento do zigoto humano logo depois da formação da primeira célula. A vida no universo está além de qualquer coisa que possamos imaginar; ainda assim somos uma semente que contém tanto o início quanto o fim.

Voltando à prática, vocês podem medir essas coisas sem um padrão de medida, considerando o raio do círculo mais interno como uma unidade; assim, o primeiro círculo e o primeiro quadrado têm 2 raios de largura. (Essa unidade constitui uma malha implícita.) E quando vocês ampliam o quarto quadrado, ele terá 8 raios de lado. Para saber quantos raios existem ao redor de todos os quatro lados do quadrado, vocês simplesmente multiplicam por 4 para ver que 32 raios compõem o perímetro do quarto quadrado. Precisamos conhecer o perímetro porque, quando ele equivale à circunferência do círculo ou se aproxima desse valor, temos a razão Phi. (Verifiquem o capítulo 7.)

Queremos ver se a circunferência do quinto círculo é igual (ou próxima) ao perímetro do quarto quadrado (32 raios), portanto calculamos a sua circunferência multiplicando o seu diâmetro por pi (3,14). Uma vez que há 10 unidades (raios) na largura do quinto círculo, se vocês o multiplicarem por pi (3,14), a circunferência equivale a 31,40 raios. O perímetro do quadrado é exatamente 32, portanto eles estão muito próximos; o círculo é ligeiramente menor. De acordo com Thoth, isso representa a primeira vez que a consciência humana se torna autoconsciente.

Agora, vamos calcular o mesmo para o sétimo quadrado e o nono círculo. Há 14 raios cruzando o sétimo quadrado; multiplicando pelos 4 lados obtemos 56 raios para o perímetro do sétimo quadrado. O nono círculo tem um diâmetro de 18 raios, e esse número vezes pi dá 56,52. Neste caso, o círculo é ligeiramente maior, ao passo que antes foi ligeiramente menor. Se continuarem a fazer círculos além dos nove originais, verão o mesmo padrão: ligeiramente maior, ligeiramente menor, ligeiramente maior, ligeiramente menor — aproximando-se cada vez mais da perfeição que observamos na aproximação da sequência de Fibonacci da razão Phi (vejam o capítulo 8).

O Primeiro e o Terceiro Níveis de Consciência

Na Ilustração 9-2 observamos o próprio início da consciência nesses primeiros dois lugares da razão Phi. Isso indica que a consciência provavelmente continuará a expandir-se para sempre e aproximar-se da perfeição da razão Phi ou da Proporção Áurea. Assim, o quarto quadrado relativo ao quinto círculo e o sétimo quadrado relativo ao nono círculo formam razões Phi quase perfeitas. Estas acabam sendo, de acordo com Thoth, o primeiro e o terceiro níveis de consciência. Elas estão muito, muito próximas de ser consciências harmônicas, o que faz delas autoconscientes. Lembram-se da concha do náutilo (página 210, do volume 1)? No começo, ela nem chegava perto de ser harmônica, em comparação com vários passos adiante no caminho geométrico. Acontece o mesmo aqui. Mas o que aconteceu ao segundo nível da consciência humana?

De acordo com Thoth, ninguém jamais descobriu como ir do primei-

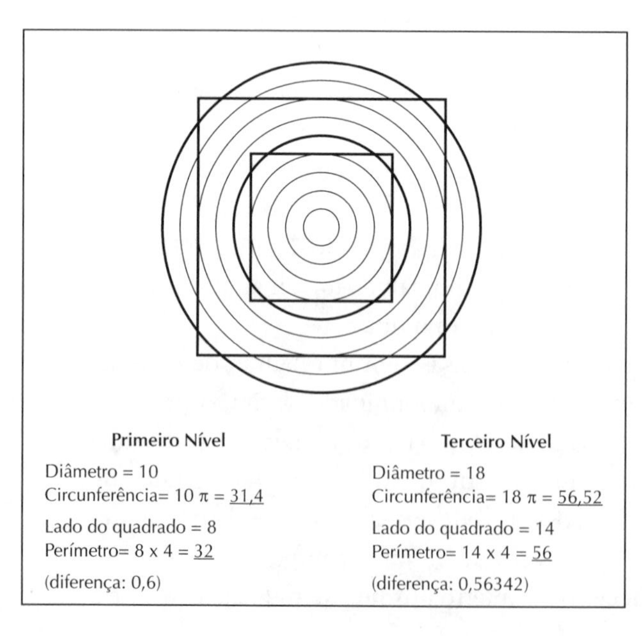

Ilustração 9-2. O primeiro e o terceiro níveis de consciência humana, razões Phi quase perfeitas.

ro nível, que é onde se encontram os aborígines, diretamente para o terceiro nível, que é a consciência crística ou da unidade. Precisaríamos ter um degrau ou uma ponte entre as duas — que somos nós, o segundo nível. A pergunta agora é: onde se encontra o nosso nível de consciência nesse desenho?

Localizando o Segundo Nível

Há dois lugares onde nós (a humanidade comum) poderíamos estar nesse sistema de círculos e quadrados: no quinto ou no sexto quadrado relativo a algum outro círculo. Há apenas dois quadrados entre o primeiro e o terceiro nível na Ilustração 9-1. Do meu ponto de vista, não sabia que diferença faria em que quadrado nos encontramos, e Thoth não me contou. Ele simplesmente disse: "É o quinto quadrado relativo ao sexto círculo", sem explicar por quê. Portanto, por dois ou três anos fiquei imaginando por que era o quinto quadrado relativo ao sexto círculo, e não o sexto quadrado relativo ao sétimo círculo. Ainda assim ele não me contou. Ele simplesmente disse: "Descubra". Levei muito tempo para entender por quê. Quando finalmente descobri por que, Thoth simplesmente inclinou a cabeça, dando a entender que eu estava certo. Eis aqui os três níveis de consciência com os outros quadrados inarmônicos removidos (vejam a Ilustração 9-3).

Se dermos um giro de 45 graus no quadrado (vejam a Ilustração 9-4), tornando-o como um losango, o propósito secreto da nossa existência se torna evidente. Nessa perspectiva, o quinto quadrado girado aproxima-se muito da posição do sétimo quadrado. Não é perfeito porque nós mesmos não somos harmônicos, e não temos um amor crístico perfeito, mas mostramos o caminho para a consciência crística pelo nosso amor humano. E além disso, ainda estamos ligados ao primeiro nível porque a nossa geometria toca perfeitamente o

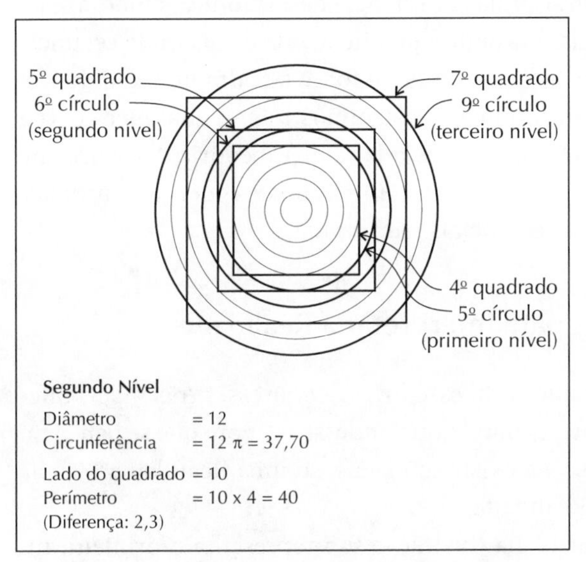

Ilustração 9-3. Os três níveis geométricos da consciência humana na Terra: quadrado 4 e círculo 5 = primeiro nível (dos aborígines); quadrado 5 e círculo 6 = segundo nível (atual); e quadrado 7 e círculo 9 = terceiro nível (crístico).

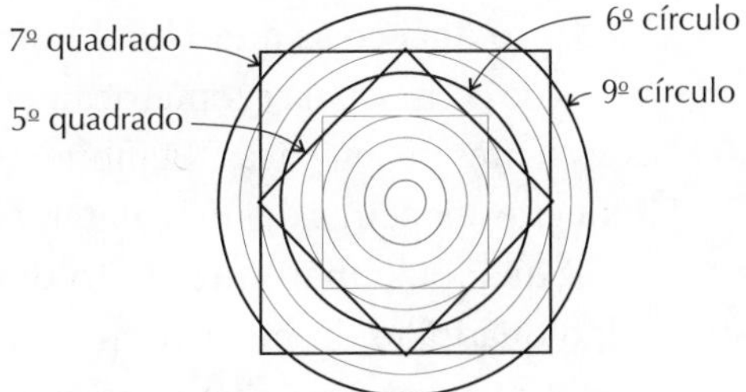

Ilustração 9-4. Um giro de 45 graus no quadrado do segundo nível faz uma ponte entre o segundo e terceiro níveis da consciência.

quarto círculo do primeiro nível de consciência. Contemos a consciência aborígine perfeitamente, e contemos imperfeitamente o amor crístico. Isso é o que somos — uma ponte de ligação.

Essa é a chave que permite compreender por que a consciência humana se encontra nessa relação geométrica particular e por que ela é necessária. Sem a nossa atual maneira de ver a Realidade única, o primeiro nível de consciência nunca seria capaz de evoluir para a luz superior. Somos como uma pedra no meio de um riacho. Alguém salta sobre ela, mas imediatamente continua para o outro lado.

Conforme vocês verão mais adiante neste capítulo, essa perspectiva de losango é a chave para o nosso segundo nível de consciência. Vocês verão isso na Grande Pirâmide e também em outras obras que lhes mostrarei. O quadrado com o losango dentro é muito importante para a humanidade. Buckminster Fuller também o considerava importante. Essa forma, quando em terceira dimensão, é chamada de *cuboctaedro*. Bucky deu-lhe um nome especial: o *vetor de equilíbrio*. Bucky observou que o cuboctaedro tem a capacidade impressionante, por meio da rotação, de transformar-se em todos os cinco sólidos platônicos, dando uma indicação da sua posição da maior importância na geometria sagrada. Por que ele é importante para a humanidade? Porque o quadrado com o losango dentro está ligado a uma das razões básicas da existência humana — a função de passar de consciência aborígine, o primeiro nível de consciência, para a consciência crística, o terceiro nível.

Ao medir as geometrias humanas usando esse sistema, nós humanos estamos fora por cerca de 3,5 raios. Não estamos nem mesmo perto de sermos harmônicos. (Podem tomar essa medida, se quiserem.) Somos uma consciência desarmônica, embora sejamos necessários para completar a vida. Portanto, quando a vida chega onde estamos, ela entra e sai o mais rápido possível, como se saltasse sobre a pedra no meio do rio. Por quê? Porque, quando somos desarmônicos, destruímos toda e qualquer coisa a nossa volta. Se ficássemos por muito tempo, a nossa falta de sabedoria destruiria até nós mesmos. Se observarem o meio ambiente do mundo e as nossas guerras contínuas, poderão entender. Ainda assim, somos essenciais para a vida.

Lentes Geométricas para Interpretar a Realidade

A próxima coisa que Thoth quis que eu fizesse foi observar esses três níveis diferentes de consciência geometricamente, de modo que pudesse ver com que se pareciam essas lentes geométricas. Lembrem-se, só existe um Deus, só uma Realidade. Mas há inúmeras maneiras de interpretar a Realidade.

O quadrado mais interno (o quarto) na Ilustração 9-5 representa o primeiro nível; o quadrado do meio (o quinto), o segundo nível; e o mais externo (o sétimo), o terceiro nível. Vou chamar o quadrado mais interno de 8 por 10, significando que ele tem oito raios de lado e o seu círculo relativo (o quinto) tem um diâmetro de dez. O quadrado do meio tem 10 de lado e o sexto círculo 12, assim vou chamá-lo de 10 por 12. Esse é o segundo nível, ou intermediário, no qual existimos atualmente. Para

Ilustração 9-5. Os três níveis da consciência humana em termos de unidades ou raios nos seus pares de círculos e quadrados.

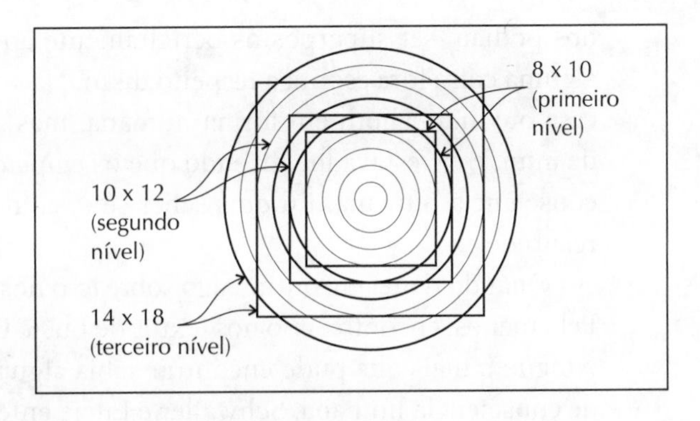

o nível de consciência crística, há 14 raios através do quadrado (o sétimo) e 18 raios através do nono círculo, portanto vamos chamá-lo de 14 por 18. Assim, temos um 8 por 10, um 10 por 12 e um 14 por 18.

Agora, sempre há uma razão para tudo na geometria sagrada. Nada — absolutamente nada — acontece sem uma razão. Vocês podem perguntar-se: por que, de todo o espectro das possibilidades, a consciência autoconsciente começou quando o quarto quadrado entrou em harmonia com o quinto círculo?

Sobrepondo o Fruto da Vida

Para entender por que, vamos tentar sobrepor o Fruto da Vida a esse desenho do primeiro nível de consciência (vejam a Ilustração 9-6). Observem isso! Ele se encaixa perfeitamente no quarto quadrado e no quinto círculo, ou 8 por 10! Esse círculo central é o mesmo círculo central do desenho anterior, uma vez que se encontram aqui todos os cinco círculos concêntricos. Esse desenho mostra apenas o quarto quadrado, o qual forma uma razão Phi quase perfeita com o quinto círculo, conforme vimos anteriormente.

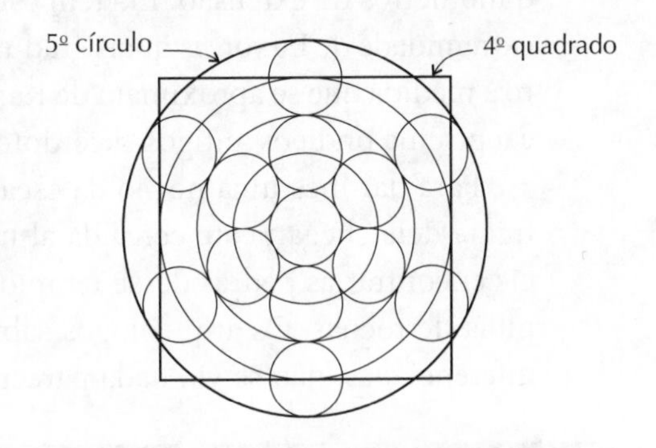

Ilustração 9-6. O Fruto da Vida sobreposto ao primeiro nível de consciência.

Vocês veem a perfeição da vida? O padrão do Fruto da Vida estava escondido por trás desse padrão o tempo todo; eles estão superpostos com precisão, um sobre o outro. No modo de considerar do hemisfério direito do cérebro é assim que se explica por que a consciência se tornou autoconsciente pela primeira vez entre o quatro e o quinto círculo — porque essa imagem sagrada estava oculta por trás dessa parte do padrão. O Fruto da Vida foi terminado naquele momento exato, e a razão Phi apareceu pela primeira vez. Quando a razão Phi apareceu, foi a primeira vez que a consciência realmente teve um meio para manifestar-se.

O Gênio de Lucie

Existe mais uma informação antes de entrarmos naquelas três imagens diferentes da consciência. Quando descobri que os círculos e quadrados concêntricos desenhados podiam ser superpostos perfeitamente ao padrão do Fruto da Vida, quis ver se alguma coisa fora escrita a respeito disso. Na ocasião, estava sentado na sala da minha casa ouvindo Thoth em forma humana, mas a quem ninguém mais podia ver além de mim, e ele estava me dizendo que os egípcios perceberam três níveis diferentes de consciência humana. Eu quis saber se essa ideia existia na história egípcia além do relato dele.

Quando tentei encontrar algo sobre isso nos textos, para minha surpresa, consegui. Pelo menos, encontrei isso nos textos de Lucie Lamy, a enteada de Schwaller de Lubicz. Ninguém mais que pude encontrar sabia alguma coisa sobre essa ideia de três níveis de consciência humana. Schwaller e Lucie entendiam profundamente sobre a relação do Egito com a geometria sagrada. A maioria dos egiptólogos não compreendia *absolutamente nada* sobre isso até recentemente. Segundo as minhas estimativas, depois de estudar a obra de Lucie, ela é uma das pessoas mais importantes que já trataram da geometria sagrada. Fiquei completamente impressionado com a sua obra. Sempre quis conhecê-la, mas nunca consegui. Ela morreu alguns anos atrás, acho que em 1989 no máximo, em Abidos, no Egito. Quero lhes mostrar algo sobre Lucie Lamy para que possam avaliar a pessoa excelente que ela foi.

Este pequeno templo (vejam a Ilustração 9-7) está dentro do complexo templário de Karnak. Karnak está ligado ao Templo de Luxor por uma alameda larga de uns 3 quilômetros de extensão. Ela tem esfinges com cabeça humana de ambos os lados na extremidade de Luxor, as quais gradualmente se tornam esfinges com cabeça de carneiro à medida que se aproximam de Karnak. O complexo templário de Karnak é imenso, e a piscina onde os antigos sacerdotes se lavavam impressiona só pelo tamanho.

Para dar-lhes uma noção da escala desse pequeno templo, uma pessoa em pé na frente dele chegaria até cerca da altura do peitoril enviesado da janela. Antes de Lucie encontrar as pedras desse templo, elas literalmente não passavam de uma grande pilha de rochas. Os arqueólogos sabiam que faziam parte do conjunto porque eram diferenciadas; não se via nada parecido ao redor delas. Mas eles não sabiam qual era a aparência daquela construção, então deixaram as pedras formando uma grande pilha, na esperança de que algum dia alguém descobrisse. Então eles encontraram outra grande pilha de pedras diferenciadas. De novo, não faziam a menor ideia do que poderiam formar. O que fazer com um monte de pedras quebradas? É difícil dizer como era o prédio original, certo?

Ilustração 9-7. Visão lateral do templo em Karnak que Lucie reconstituiu.

Mas Lucie olhou aquelas pedras, tirou algumas medidas,

depois voltou para casa e desenhou a planta que resultaria exatamente na construção vista nessa fotografia. Ela disse: "Esta vai ser a aparência final dele". E quando o reconstruíram, cada uma das pedras se encaixou e formou o que veem aqui! Ela conhecia a geometria sagrada e fez a planta examinando as pedras e medindo-as. Ela reconstruiu outro edifício de maneira semelhante. Acho isso realmente excepcional. Quanto mais eu estudo essa mulher, mais fico impressionado com ela.

A Escada de Lucie

Antes de morrer, Lucie resumiu em um desenho toda a sua compreensão do conhecimento egípcio desses três níveis de consciência. Declarou que essa era a chave para a compreensão dos níveis de consciência no Egito. Portanto, tentei analisar o que ela queria dizer com o seu desenho sobre o assunto.

Este é o desenho dela (Ilustração 9-8). Eu o redesenhei nessa foto ao lado (Ilustração 9-9) e depois acrescentei o círculo exterior em linha interrompida de modo a poder mostrar a vocês mais um detalhe. Não foi copiado claramente e precisaria ser refeito.

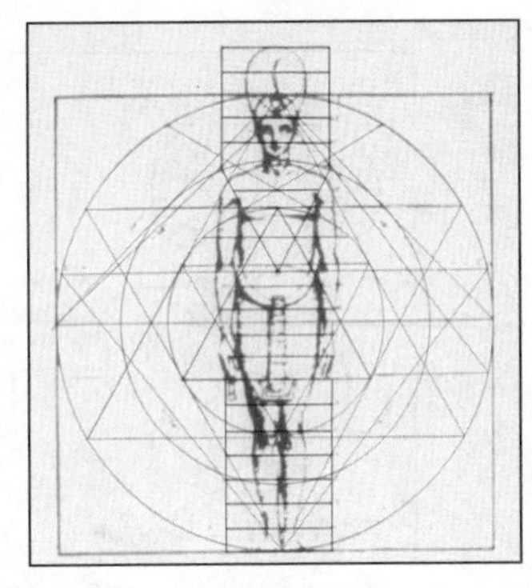

Ilustração 9-8. Desenho original de Lucie Lamy.

A primeira coisa que observei quanto ao desenho dela foi que havia uma Estrela de Davi dentro de uma Estrela de Davi e um círculo no meio. (Já vimos isso antes no Fruto da Vida [vejam a página 212] e o veremos de novo em breve.) Além disso, vê-se uma escada subindo no meio, de zero a 19 degraus dentro do quadrado, depois com mais dois outros degraus acima, num total de 21.

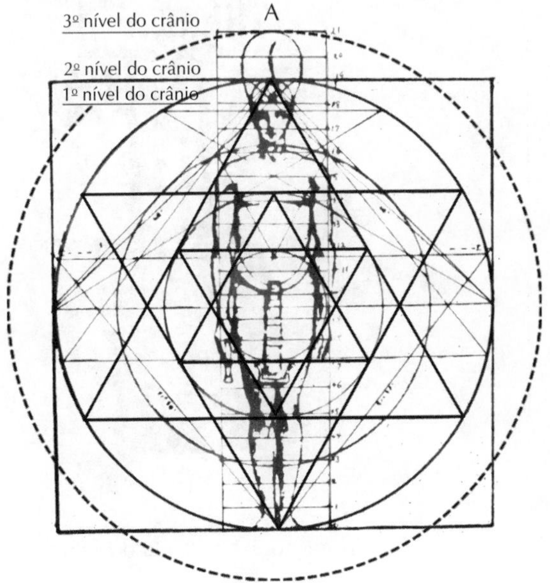

Ilustração 9-9. Desenho de Lucie com um novo círculo exterior no alto da cabeça do terceiro nível de consciência e uma pequena e uma grande Estrela de Davi. A circunferência do novo círculo ajusta-se ao perímetro do quadrado.

De acordo com Lucie, os números 18, 19 e 21 estão diretamente ligados ao pensamento egípcio concernente aos três níveis de consciência. O 18 simboliza os aborígines, e ela escreveu que os antigos egípcios acreditavam que os humanos de então não tinham a metade superior do crânio. Aparentemente, o crânio costumava ser inclinado para trás. Quando passamos para o segundo nível, "acrescentamos" um crânio superior, e quando fisicamente passamos para o terceiro nível, como estamos prestes a fazer, desenvolvemos um crânio imenso que se estende ao ponto de razão Phi do círculo que se relaciona ao quadrado — o 21. Se desenharem um círculo de razão Phi ao redor do quadrado, indicado no ponto A, ele alcança exatamente o centro da linha 21. Portanto, cada um dos níveis do crânio está na realidade contido na geometria deste desenho, de acordo com Lucie.

A Ilustração 9-10 é um diagrama esquemático do cérebro humano extraído do livro *Brains, Behavior and Robotics*, de James S. Albus. Segundo é mostrado, pode-se executar

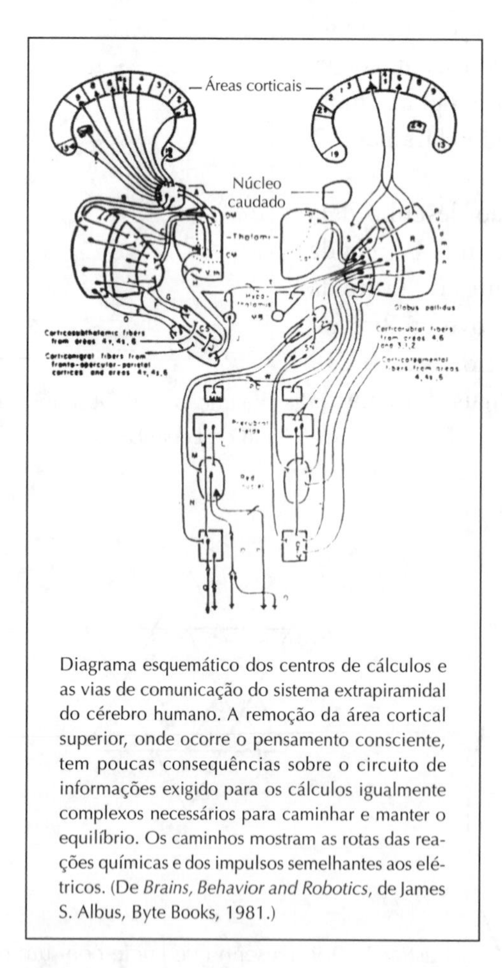

Diagrama esquemático dos centros de cálculos e as vias de comunicação do sistema extrapiramidal do cérebro humano. A remoção da área cortical superior, onde ocorre o pensamento consciente, tem poucas consequências sobre o circuito de informações exigido para os cálculos igualmente complexos necessários para caminhar e manter o equilíbrio. Os caminhos mostram as rotas das reações químicas e dos impulsos semelhantes aos elétricos. (De *Brains, Behavior and Robotics*, de James S. Albus, Byte Books, 1981.)

Ilustração 9-10. Diagrama esquemático do cérebro humano, mostrando que uma lobotomia não afetaria as funções motoras mais complexas.

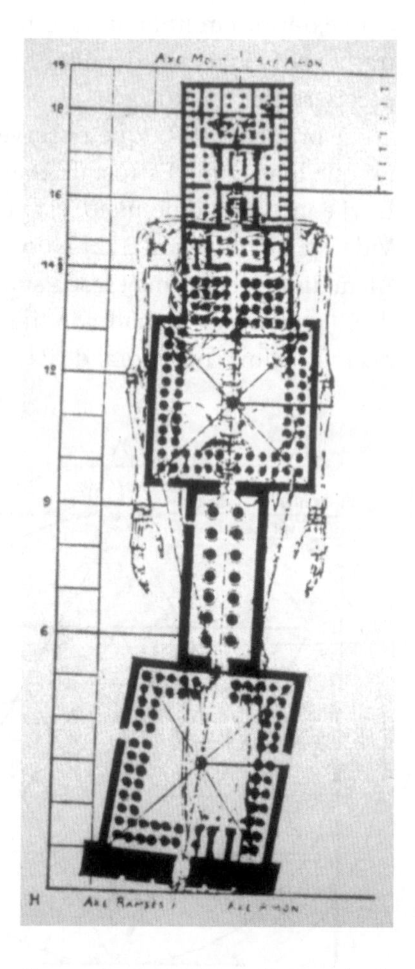

Ilustração 9-11. Planta do Templo de Luxor.

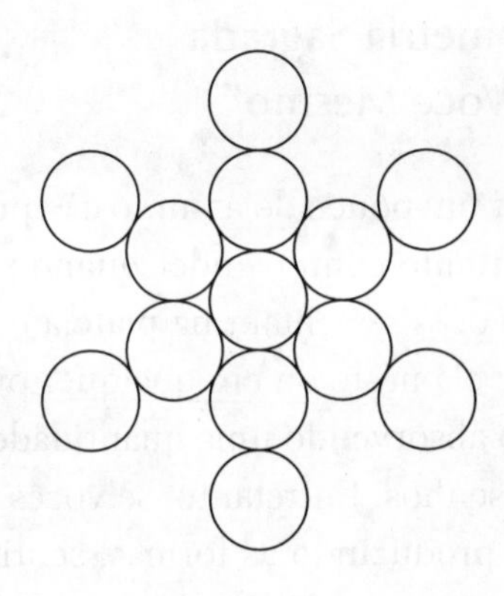

Ilustração 9-12. O Fruto da Vida.

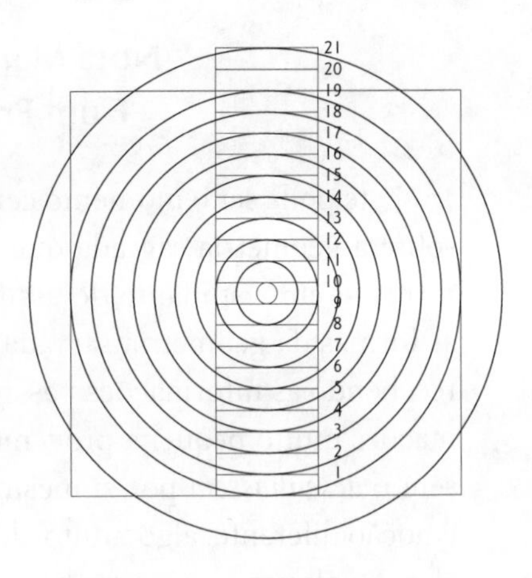

Ilustração 9-13. A escada de Lucie, com círculos concêntricos desenhados até o degrau 19 e novamente no degrau 21.

uma lobotomia, removendo toda a metade superior do crânio com tudo o que ele contém, e a pessoa não morrerá disso — o que, para mim, é assombroso por si mesmo. Essa é uma evidência circunstancial de que o que os egípcios diziam era verdade: que a metade superior do nosso crânio foi acrescentada, que não é um componente absolutamente essencial para a vida e é algo separado do que éramos.

A Ilustração 9-11 é a planta baixa do Templo de Luxor. Este templo foi dedicado à humanidade, e também é chamado de Templo do Homem, o que significa *nós* — não todo homem, nem simplesmente qualquer nível de consciência, mas o segundo nível onde nos encontramos agora. Essa planta estende-se por 19 divisões. Podem ver o esqueleto humano por trás do desenho. Cada aposento, tudo nesse desenho, foi projetado para representar todas as diversas partes do ser humano. Partindo dos pés havia um caminho comprido que levava por vários quilômetros ao complexo do templo de Karnak.

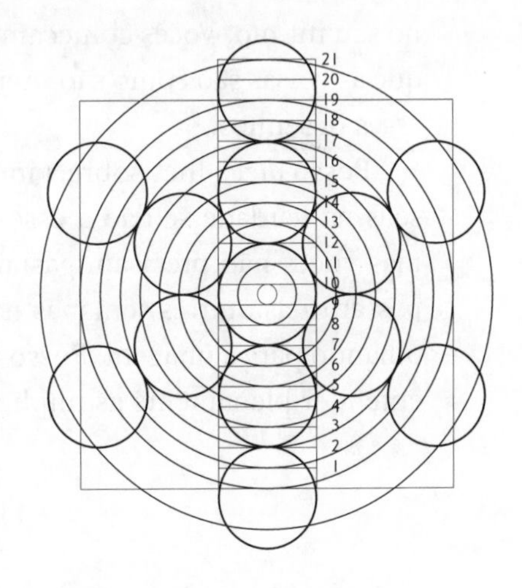

Ilustração 9-13a. A geometria básica de Lucie, com a planta do templo e o Fruto da Vida sobreposto a ele.

A princípio, notei que o Fruto da Vida (Ilustração 9-12) estava definitivamente contido no desenho de Lucie (Ilustração 9-8). Esse fato sozinho me impressiona porque não tinha visto o Fruto da Vida em nenhum outro lugar no Egito.

No entanto, eu queria entender mais sobre a escada que vai até o alto, para o 19 e o 21. Eu sabia que uma escada como esta é outra maneira de fazer círculos concêntricos, portanto decidi estudar o que Lucie pretendia com essa escada. Comecei a redesenhar cada uma das linhas traçadas por ela, para ver o que ela tentara transmitir (Ilustração 9-13). Portanto, peguei esses dois desenhos (Ilustrações 9-12 e 9-13), que obviamente saíam ambos do desenho original dela, e os combinei. Reconstruí o desenho dela, sobrepondo as linhas com muita precisão (Ilustração 9-13a).

Nota Marginal: A Geometria Sagrada É um Projeto "Faça Você Mesmo"

Este pode ser o momento certo para desviar um pouco do assunto e expressar algo sobre a geometria sagrada que é muito importante compreender quando se decide tornar-se um estudante do assunto. Quando vocês se sentam na plateia e observam as formas da geometria sagrada ou leem sobre ela neste ou em qualquer outro livro, recebendo as informações passivamente, estão absorvendo uma quantidade de informações muito pequena proveniente desses desenhos. Entretanto, se vocês se sentassem e *desenhassem* por si mesmos, realmente produzindo as formas, sentiriam uma emoção diferente, algo muito além do que acontece quando simplesmente olham para elas. Qualquer um que tenha feito isso lhes dirá o mesmo. Essa é uma das premissas básicas dos maçons. Quando vocês realmente se sentam e fazem os alinhamentos, desenhando concretamente as linhas, parece acontecer algo semelhante a uma revelação. Ao desenhar o círculo, vocês começam a compreender. Alguma coisa acontece no seu íntimo. Vocês começam a compreender em níveis muito, muito profundos por que as coisas são como são. Acredito que nada substitui o ato de refazer pessoalmente esses desenhos.

Posso *dizer*-lhes sobre a importância disso, mas o que descobri é que poucas pessoas na verdade se dão a esse trabalho. Levei vinte anos para fazer esses desenhos, mas vocês não precisam gastar tanto tempo. Em muitos desses desenhos cheguei a passar duas ou três semanas na frente de um, como numa meditação, simplesmente olhando para a imagem. Posso passar metade de um dia fazendo apenas uma linha até entender plenamente as implicações que essa linha tem para a natureza.

Um Tropeço na Escada

Antes de combinar os dois desenhos, Ilustrações 9-12 e 9-13, extraídos do desenho original de Lucie Lamy, comecei por desenhar um círculo concêntrico para cada linha da escada, exceto a 20, conforme é mostrado na Ilustração 9-13a.

Observem que, no desenho original (Ilustração 9-8), o círculo central foi dividido exatamente em cinco componentes horizontais, ou degraus da escada (não considerem a linha horizontal que atravessa o meio do círculo). Podem observá-lo claramente no desenho original. Portanto, considerei que os outros círculos do padrão do Fruto da Vida *também* seriam divididos em exatamente cinco componentes. Muito direto. Fiz isso. Aqui está (Ilustração 9-14), mas só os três círculos verticais superiores, deixando de fora o resto, para simplificar.

Cada círculo tem cinco componentes iguais. O único problema é que não se encaixava, não funcionava. Eu não podia acreditar! Pensei que seria uma coisa simples, e que continuaria a partir daí, mas não deu certo. Simplesmente não se encaixava em termos geométricos. Então, voltei atrás e verifiquei os dois desenhos, pensando: *Não posso ter me enganado quanto a isso. Aí está, claro como o dia.* Mas quando reuni tudo outra vez, ainda não dava para sobrepor.

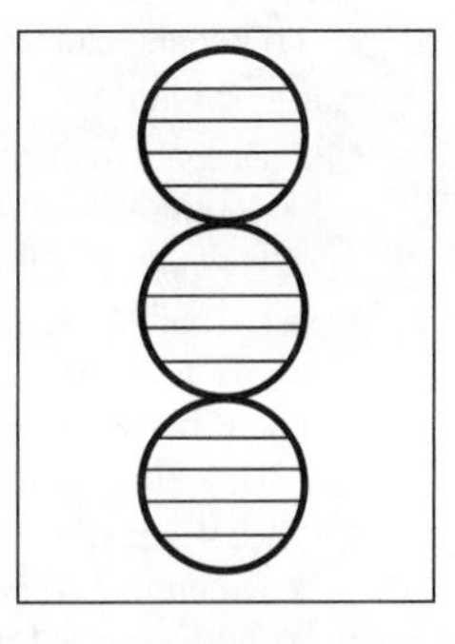

Ilustração 9-14. Dividindo os círculos em cinco componentes iguais.

Depois de muitas e muitas horas, voltei atrás e estudei o desenho original de Lucie outra vez. Definitivamente, havia cinco divisões no círculo do meio e sete divisões em cada um dos outros dois ao seu lado. Então, peguei um instrumento especial para medir o *tamanho dos degraus* da escada. Descobri que as sete divisões abaixo e as sete divisões acima do círculo central eram *menores* do que as *de dentro* do círculo central! Ela mudara os tamanhos para fazê-los se encaixar! Lucie *sabia* que estamos em um nível de consciência desarmônico; ela sabia que a escada não se encaixaria sem mudar algumas das medidas, mas ela queria colocar tudo dentro de um desenho. Portanto, ela *fez* com que se encaixassem, sabendo que, se as pessoas fossem estudar o desenho, elas compreenderiam que o nível que ela estava desenhando, com 19 divisões, era um nível de consciência desarmônico.

Isso foi sutil de modo similar com o cânone do homem de Leonardo, em que ele escreveu em uma imagem espelhada no alto do seu desenho de modo que quem fosse ler precisasse fazê-lo através de um espelho. Do mesmo modo, o desenho original de Lucie é o aspecto masculino, e o componente feminino dele é uma imagem espelhada. Muitos dos antigos constantemente mudavam as coisas para ocultar o conhecimento. É como um jogo de esconde-esconde em que você não quer ser encontrado pelo mundo exterior. Quando percebi isso, realmente comecei a compreender que este é um nível de consciência verdadeiramente desarmônico, e eu soube então que os egípcios também compreenderam isso. Depois disso, comecei a passar muito mais tempo estudando os desenhos de Lucie.

As Três Lentes

A esta altura, agora que sabemos que os três níveis de consciência eram conhecidos pelos egípcios, vamos voltar àqueles três desenhos geométricos e estudá-los com a maior atenção. Eles são as lentes que cada nível de consciência humana usa para interpretar a Realidade: o 8 por 10, o 10 por 12 e o 14 por 18. Vamos começar desenhando o 8 por 10, o primeiro nível de consciência.

Thoth mostrou-me um modo engenhoso de fazer esse desenho sem medidas nem cálculos. Vocês precisam apenas de uma régua e um compasso. Ele me mostrou como fazer pessoalmente, dizendo que isso me economizaria uma porção de tempo (vejam as instruções no canto inferior direito da Ilustração 9-15).

Depois de concluído o último passo, o que vocês terão será uma rede de 64 pequenos quadrados dentro de um quadrado grande, com

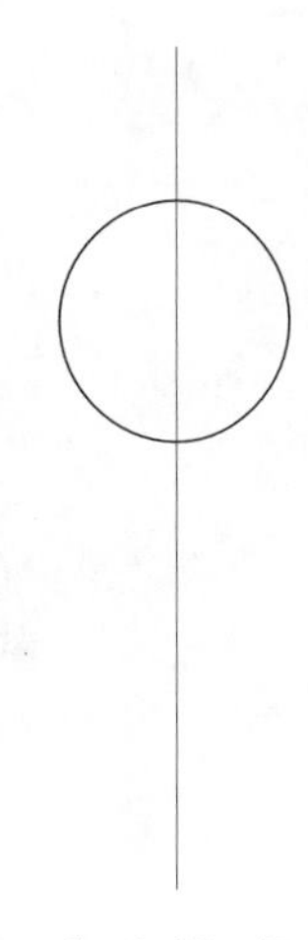

Ilustração 9-15a. Passo 1.

1. Desenhem uma linha vertical, depois um círculo sobre a linha (Ilustração 9-15a).

2. Desenhem mais cinco círculos idênticos centrados nos pontos onde a linha vertical cruza a circunferência do círculo anterior (Ilustração 9-15b).

3. Desenhem uma linha horizontal através dos pontos da vesica piscis central. Com o centro onde as linhas horizontal e vertical se cruzam, desenhem um grande círculo ao redor dos quatro círculos do meio (Ilustração 9-15c).

4. Desenhem o círculo do mesmo tamanho, como na Ilustração 9-15b, centrado sobre a linha horizontal que começa na borda do círculo grande. Criem mais cinco círculos do mesmo modo como no passo 2, apenas horizontalmente (Ilustração 9-15d).

5. Construam um quadrado de razão Phi com os lados atravessando os eixos mais longos das quatro vesica pisces externas.

6. Dentro do quadrado, desenhem linhas paralelas através de cada ponto tangencial (onde os círculos tocam mas não cruzam) e também através dos eixos mais longos de cada uma das vesica pisces remanescentes (Ilustração 9-16). Isso lhes dá uma rede 8 por 10.

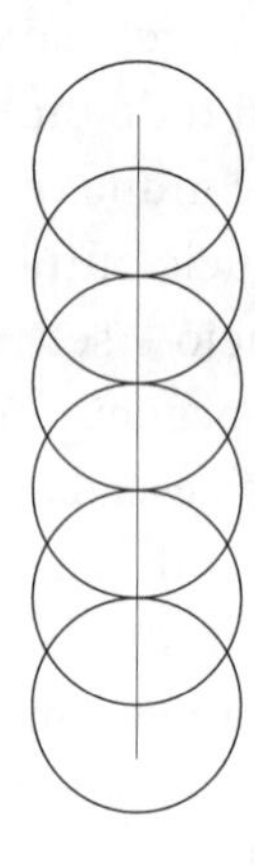

Ilustração 9-15b. Passo 2.

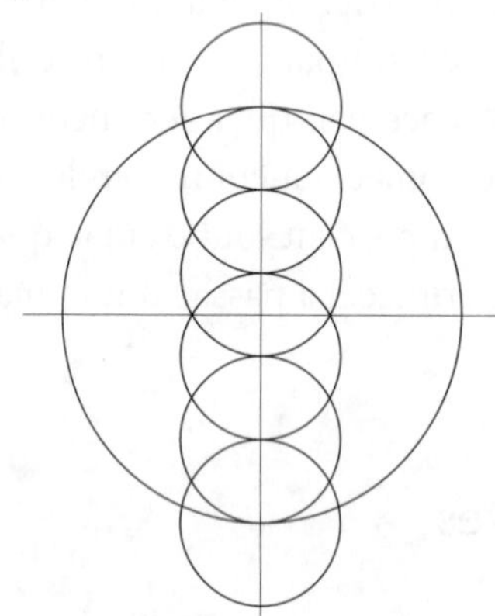

Ilustração 9-15c. Passo 3.

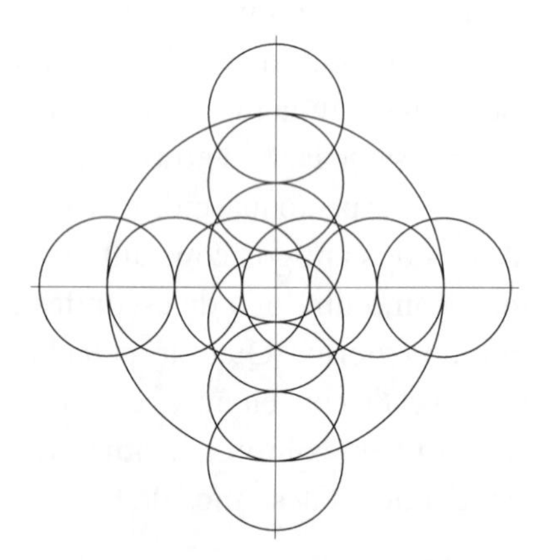

Ilustração 9-15d. Passo 4.

Ilustração 9-15e. Passo 5.

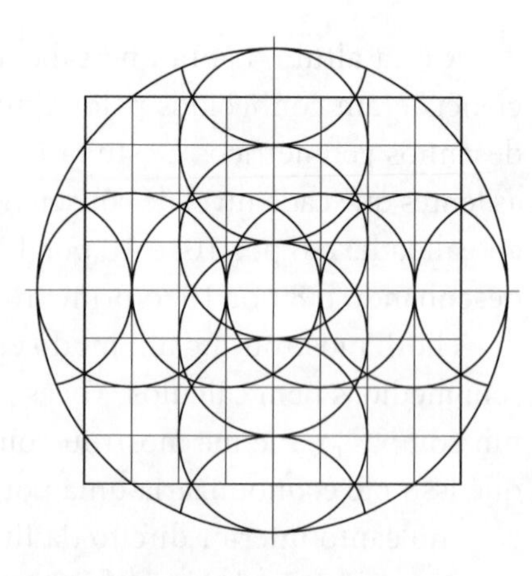

Ilustração 9-16. Passo 6: uma rede 8 por 10 do primeiro nível de consciência.

exatamente uma rede adicional com a largura do quadrado entre o perímetro do quadrado grande e a circunferência do círculo grande (Ilustração 9-16). O quadrado grande mede 8 quadrados da rede de largura, e o círculo grande mede 10 de largura — um perfeito 8 por 10. E vocês nem precisam de uma régua para medi-los!

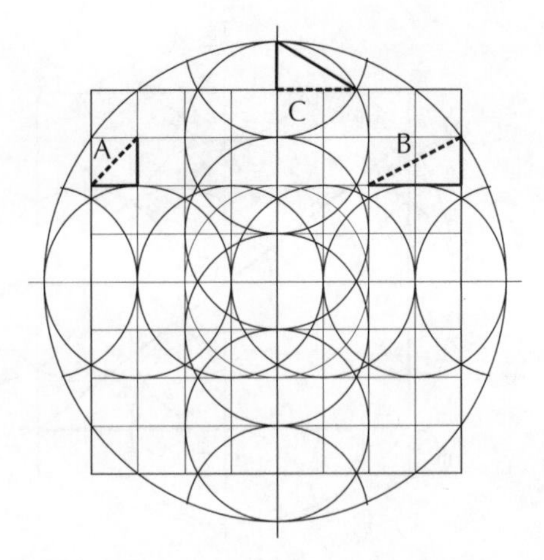

Ilustração 9-17a. A raiz quadrada de 2 (o triângulo em A), a raiz quadrada de 5* (o triângulo em B) e a raiz quadrada de 3 (o triângulo em C).

Observação: O teorema pitagórico relaciona a hipotenusa de um triângulo aos seus lados:

$h^2 = a^2 + b^2$ *ou* $h = \sqrt{a^2 + b^2}$

em que *h* é a hipotenusa, e *a* e *b* representam o comprimento dos lados.

*Assim, quando $a = 2$ e $b = 1$ (como no triângulo em B), $a^2 + b^2 = 5$, portanto $h = \sqrt{5}$.

As Raízes Quadradas e os Triângulos 3-4-5

Há um outro aspecto desse 8 por 10 sobre o qual às vezes eu comento, mas agora vou tocar nesse assunto rapidamente.

Alguns de você talvez saibam que os egípcios reduziram toda a sua filosofia à raiz quadrada de 2, na raiz quadrada de 3, na raiz quadrada de 5 e no triângulo 3-4-5. Simplesmente acontece que todos esses componentes estão nesse desenho do primeiro nível de consciência, e é extremamente raro que tal coisa acontecesse na maneira como está acontecendo. Na Ilustração 9-17a, se o comprimento dos lados dos quadradinhos for considerado igual a 1, então a linha diagonal A é a raiz quadrada de 2; a diagonal B é a raiz quadrada de 5, e a linha C é a raiz quadrada de 3, do triângulo equilátero da vesica piscis.

Por exemplo, com a raiz quadrada de 5 quero dizer que, se os *quatro* quadrados forem uma unidade (1) (Ilustração 9-17b), então a linha D equivale a 1, e a linha E equivale a 2.

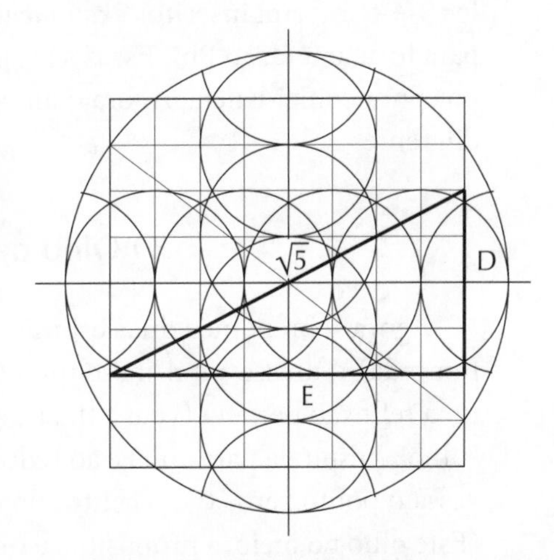

Ilustração 9-17b. O triângulo da raiz quadrada de cinco ($\sqrt{5}$) mostrado de outra maneira, usando-se *quatro* quadrados da rede em vez de um como igual a 1,0.

A regra pitagórica afirma que a diagonal (hipotenusa) de um triângulo retângulo é calculada pela soma dos quadrados dos dois lados do triângulo retângulo, e então tira-se a raiz quadrada do resultado. Assim, $1^2 = 1$ e $2^2 = 4$; então $1 + 4 = 5$, sendo a diagonal a raiz quadrada de 5 ($\sqrt{5}$). Isso é o que eles querem dizer com a raiz quadrada de 5. Vejam a Ilustração 9-17b, na qual quatro quadrados da rede equivalem a uma unidade.

Um triângulo 3-4-5 está inscrito perfeitamente na Ilustração 9-17c. Se contarem o comprimento de dois quadrados como uma unidade para o seu padrão de medida, então a linha F corresponde exatamente a 3 unidades (6 quadrados), e a linha E

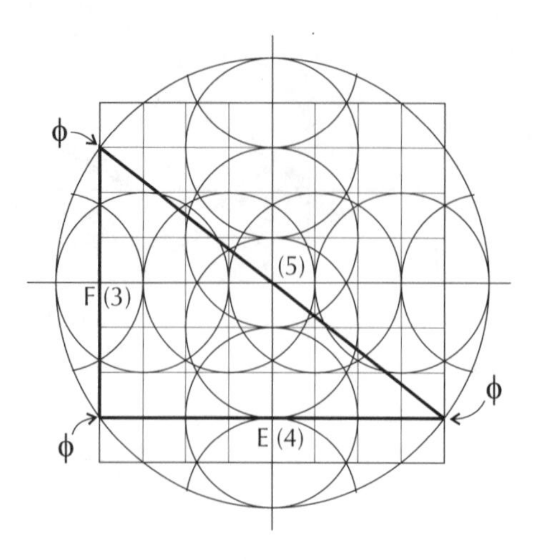

Ilustração 9-17c. Um dos oito triângulos 3-4-5 inscrito no círculo nesta rede. Aqui, uma unidade equivale a 2 lados de um quadrado da rede.

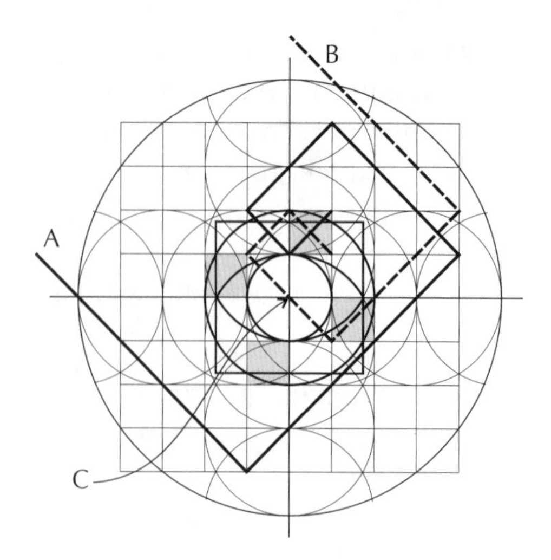

Ilustração 9-18. Uma perspectiva diferente, mostrando o olho da CBS no centro, no ponto zero (C).

será 4 (8 quadrados). Uma vez que esses lados medem 3 e 4, então a diagonal *deve* ser 5, fazendo um triângulo 3-4-5. Na verdade, há oito deles nessa figura que estão inscritos perfeitamente, girando ao redor do centro. O que é tão raro é que os triângulos 3-4-5 estejam inscritos *exatamente* nos pontos em que o círculo cruza o quadrado para formar a razão Phi. Essas são sincronicidades incríveis, a que você não chegaria por pura coincidência. Agora, vamos fazer esse desenho de uma maneira um pouco diferente.

O Olho de Leonardo e da CBS

Agora sobrepomos duas espirais de Fibonacci, uma espiral feminina (linha interrompida) e uma espiral masculina (linha contínua) (Ilustração 9-18). Vimos antes uma reflexão perfeita (veja a Ilustração 8-11). A espiral masculina (A) toca o alto do "olho" e espirala para cima e ao redor no sentido horário. A espiral feminina (B) atravessa o ponto zero (C), o centro do olho, depois sobe e gira no sentido anti-horário. (Este olho no meio, a propósito, acontece de ser o olho da CBS, o que me faz imaginar quem foram os sujeitos que criaram essa imagem corporativa.) Esse olho é uma lente, embora Thoth o veja como um olho. Essa é a geometria através da qual a mente e o primeiro nível de consciência interpreta a Realidade. Esse desenho representa o nível de consciência aborígine, com 42 + 2 cromossomos (o autor lamenta ter perdido o documento científico de referência da Austrália para provar esse fato). Esse é o primeiro nível de consciência humana na Terra e é a primeira vez que a consciência humana se torna autoconsciente.

Observem que essa figura e as duas seguintes (do cânone de Leonardo, que usamos anteriormente) têm as mesmas geometrias (Ilustrações 9-19 e 9-20). Os dois padrões

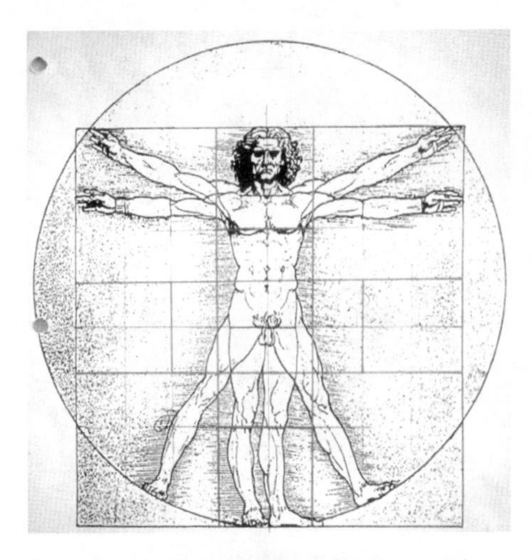

Ilustração 9-19. Rede original de Leonardo.

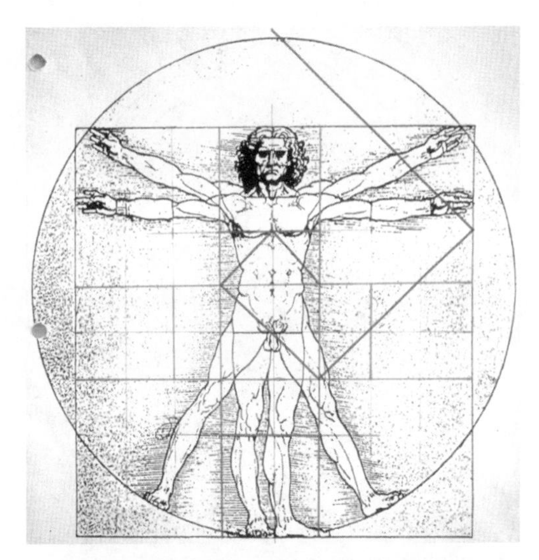

Ilustração 9-20. Uma espiral feminina sobreposta à rede humana de Leonardo.

têm uma rede de 64 quadrados e a mesma estrutura interna, embora o círculo e o quadrado sejam posicionados de modo diferente nos desenhos de Leonardo. Elas são inter-relacionadas, fazendo-me imaginar quem foi realmente Leonardo e o que ele estava realmente estudando!

Na Ilustração 9-21, vocês veem a divisão em oito células (vejam o Ovo da Vida na Ilustração 7-26) e o corpo humano por baixo; podem começar a ver as proporções reais do humano adulto contidas nessa divisão em oito células. (Mais adiante, neste capítulo, discutiremos em mais detalhes a relação entre o cânone de Leonardo e o Ovo da Vida.) Isso também significa que, se Leonardo realmente entendia essas informações, se não foi apenas uma coincidência, ele não estava falando de nós, mas do primeiro nível de consciência — a aborígine, as primeiras pessoas do mundo. É claro que não *sei* se ele sabia disso ou não, porque essa simples informação não é suficiente para embasar esse tipo de julgamento.

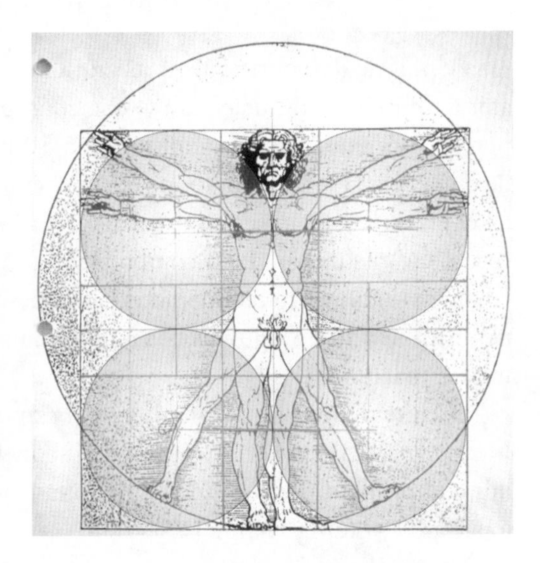

Ilustração 9-21. O cânone de Leonardo sobreposto à divisão em oito células (as outras quatro células ocultas por trás das quatro visíveis).

Por Leonardo ter criado uma rede 8 por 10 ao redor do seu cânone — e desde que há inúmeras possibilidades de rede — isso não foi suficiente para eu suspeitar que talvez ele *realmente* compreendesse esses níveis de consciência baseados na geometria. Portanto, comecei a pesquisar todas as obras de Leonardo para ver se ele tinha um cânone humano com uma

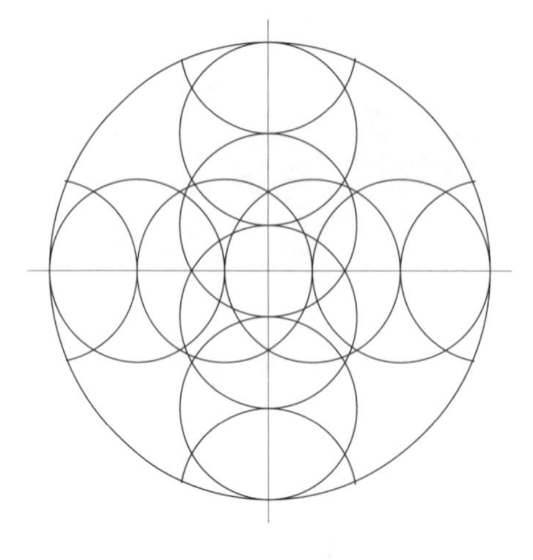

Ilustração 9-22. Os quatro círculos que criam a rede 8 por 10.

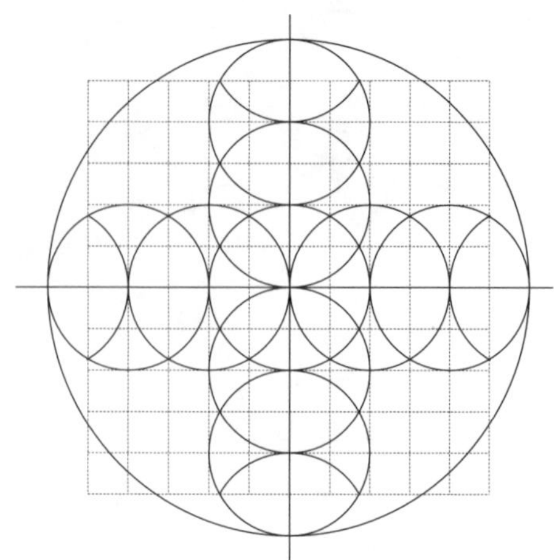

Ilustração 9-23. A 10 por 12.

10 por 12 ou uma 14 por 18. Pesquisei e pesquisei, olhei e olhei, mas não consegui encontrar nada. Quero dizer que eu *realmente* olhei, mas depois de um tempo desisti. Posteriormente, em outra ocasião em que estava estudando Leonardo, notei que esse desenho do cânone do homem baseado na rede 8 por 10 não era realmente obra de Leonardo, porque as proporções foram desenhadas pelo mestre dele, Vitrúvio. Na realidade, Vitrúvio vivera cerca de 1,4 mil anos antes dele, mas Leonardo o considerava o seu mentor mais importante.

A 10 por 12 de Vitrúvio

Depois de descobrir que essas eram na realidade proporções de Vitrúvio, comecei a procurar nas obras *dele* para ver se conseguia encontrar uma 10 por 12 ou uma 14 por 18 — e encontrei! Encontrei uma 10 por 12. Isso me dava dois dos três níveis de consciência, o que então me fez suspeitar fortemente que esses homens, Vitrúvio e Leonardo, estavam seguindo exatamente a mesma linha de pensamento que Thoth estava me ensinando. Para completar tudo isso, Vitrúvio era um engenheiro romano cujos textos, quando recuperados e impressos no século de 1400, foram responsáveis pela arquitetura de algumas das igrejas mais magníficas da Europa. Leonardo era um mestre maçom.

Se desenharem *cinco* círculos de mesmo diâmetro ao longo dos eixos (como na Ilustração 9-23) em vez de quatro (como na Ilustração 9-22) e traçarem linhas através dos comprimentos e conjunções de todas as vesica pisces, irão obter essa rede de 100 quadrados — uma 10 por 12.

Vocês sabem que ela é exatamente uma 10 por 12 porque há 10 quadrados de lado a lado no quadrado grande e 12 quadrados de lado a lado sobre o diâmetro do círculo grande. Conforme vimos na Ilustração 9-16, as vesica pisces ao redor dos quatro lados estão metade dentro e metade fora do quadrado, e porque metade do comprimento de uma vesica piscis determina o tamanho dos quadrados (vocês traçaram linhas através do comprimento de todas as 12 vesica pisces e linhas paralelas em todas as 10 conjunções), vocês sabem que têm as razões perfeitas.

10 Mil Anos para Descobrir

Entretanto... quando comecei a minha espiral de Fibonacci (de origem feminina) do canto superior direito dos quatro quadrados centrais (ponto A na Ilustração 9-24), ela não parecia estar tocando os lugares certos como aconteceu na rede 8 por 10; não parecia haver sincronicidade.

Lembro-me de estar fazendo isso enquanto Thoth observava. Ele me observou por muito tempo e então disse: "Acho que vou lhe dizer como fazer". Eu respondi: "Mas eu vou conseguir". Ele insistiu: "Não, acho que vou lhe dizer". Eu repliquei: "Como é que é?" Ele arrematou: "Você provavelmente não vai conseguir tão cedo. Nós levamos 10 mil anos para descobrir, e não tenho esse tempo".

Isto foi o que Thoth me disse: para o primeiro nível de consciência (Ilustração 9-16), com relação àqueles quatro quadrados no meio da rede, o número 1 a que chegamos como o nosso padrão de medida não era 1. Era 1 *ao quadrado* — esse era o seu verdadeiro valor — e 1 ao quadrado equivale a 1. Mas como vocês sabem a diferença quando olham para ele? E quando chegam ao segundo nível de consciência, o 10 por 12, ele não é 2, mas 2 *ao quadrado*, que é igual a 4. Portanto, vocês precisam considerar a diagonal de quatro quadrados como a sua unidade de medida, o que significa que são precisos dois comprimentos de diagonal agora em vez de um para equiva-

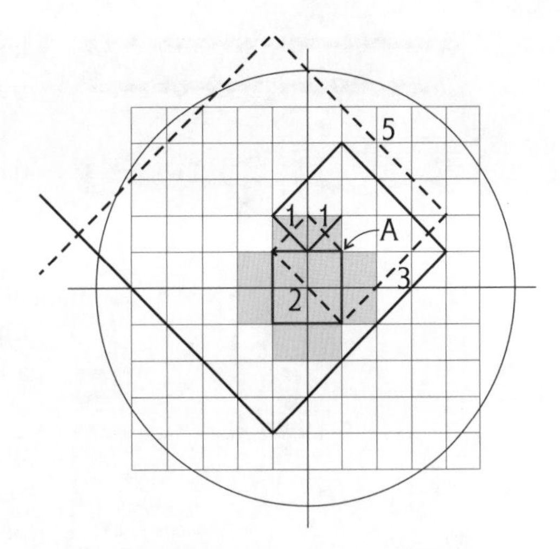

Ilustração 9-24. A rede do segundo nível de consciência; espiral dessincronizada. Aqui, uma unidade é uma diagonal de um quadrado da rede; vocês podem acompanhar a sequência de Fibonacci.

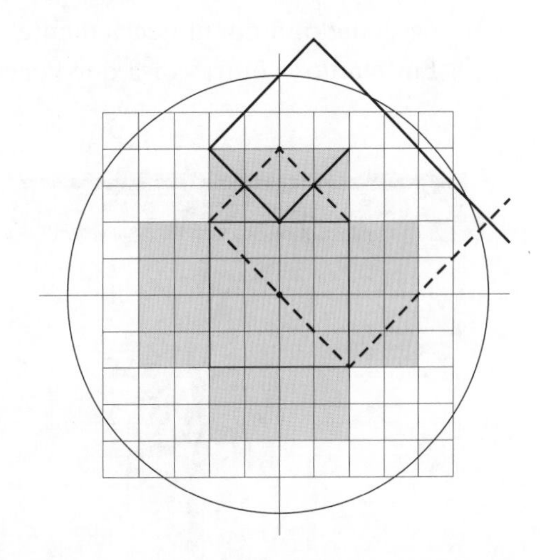

Ilustração 9-24a. A rede do segundo nível de consciência; espiral sincronizada. Aqui, uma unidade é uma diagonal de dois quadrados da rede, de modo que apenas os primeiros três números da sequência de Fibonacci estão dentro da rede. Vocês conseguem encontrar a diferença nas sincronicidades entre a Ilustração 9-24 e Ilustração 9-24a, em que existe um desequilíbrio entre os dois de duas maneiras? (O segredo está na pirâmide secreta da Ilustração 9-39.)

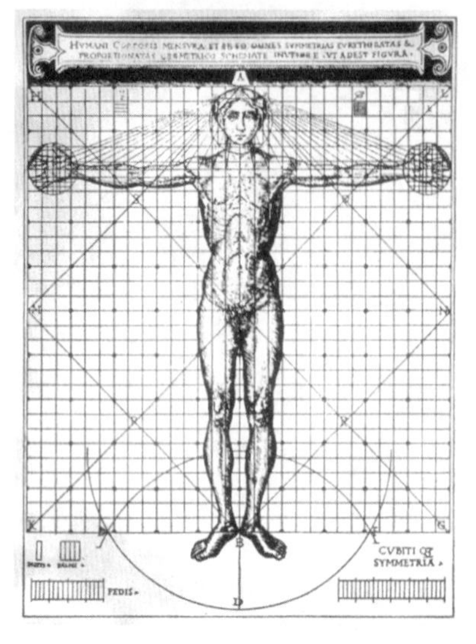

Ilustração 9-25. O cânone de Vitrúvio.

ler ao 1 do nosso padrão de medida (vejam a Ilustração 9-24a).

Quando vocês usam esse novo padrão de medida de duas diagonais, então tudo volta a mover-se em sincronia outra vez. Não vou contar-lhes do que se trata ainda, a não ser que esse é o segundo nível de consciência. Esse é o nosso. E esse desenho é a lente geométrica pela qual interpretamos a Realidade única.

A Ilustração 9-25 é o cânone de Vitrúvio, que é uma rede 10 por 12. Quando o vemos pela primeira vez, ele não se parece com um 10 coisa nenhuma, porque há 30 quadrados de um lado — 900 quadrados no total. Entretanto, se observarem com atenção, verão um ponto contando a cada três quadrados. E quando contam de ponto a ponto, contando cada três quadrados como um, obtêm exatamente dez unidades de um lado. Portanto, há 100 quadrados maiores ocultos dentro dessa rede.

Acredito que o cânone de Vitrúvio seja uma rede 10 por 12, embora seja difícil de provar isso, uma vez que Vitrúvio não desenhou o círculo de razão Phi. Se tivesse desenhado, o círculo certamente criaria uma 10 por 12 (vejam a Ilustração 9-26). Entretanto, a outra coisa que vocês veem no desenho é esse losango (vértices em A,

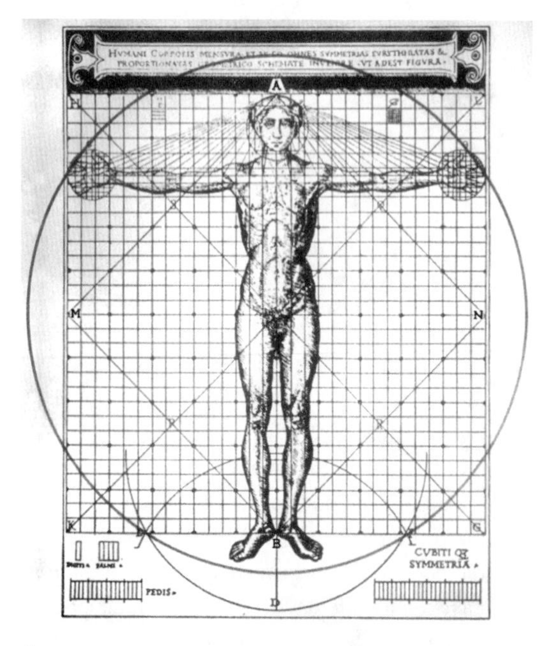

Ilustração 9-26. Um novo círculo ao redor do cânone de Vitrúvio.

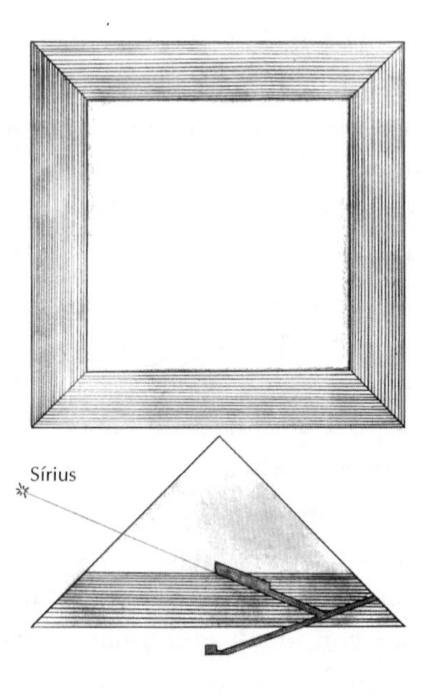

Ilustração 9-27. A Pirâmide cortada ao nível da Câmara do Rei.

B, M e N), que não parece encaixar-se em nada. Mas essa também é uma indicação do segundo nível de consciência, mencionado anteriormente neste capítulo (veja a Ilustração 9-4 e o texto) como base para a escolha da rede 10 por 12 em primeiro lugar. Para mim, o fato de que Vitrúvio tenha desenhado esse losango sobre o seu cânone é prova de que ele entendia que esse era o segundo nível de consciência humana.

Outra coisa sobre esse cânone é que dentro de cada quadrado delineado pelos pontos estão nove quadradinhos. Ora, acontece que o padrão de nove quadrados é a chave para a rede interior do nível seguinte — a consciência crística — porque o nível seguinte não usa 1 ao quadrado nem 2 ao quadrado — ele usa 3 ao quadrado, e 3 ao quadrado é igual a 9. Precisamos considerar 9 quadrados para criar a harmonia do nível seguinte, que é o número de pedras do teto da Câmara do Rei.

Vitrúvio e a Grande Pirâmide

Para dizê-lo novamente, a Ilustração 9-26 mostra a forma do losango ao redor do segundo nível de consciência — a forma que vincula o primeiro e o terceiro níveis da consciência. Quando giramos o quadrado do segundo nível de consciência em 45 graus (vejam a Ilustração 9-4), ele se aproxima geometricamente de onde a consciência crística se encontra e na realidade toca o sétimo quadrado da consciência crística. Esse padrão de quadrado e losango também é encontrado, sutilmente, no projeto da Grande Pirâmide, o que pode ser visto como prova adicional de que a pirâmide era para ser usada pelo segundo nível de consciência para entrar no terceiro nível.

Se cortarem a pirâmide ao nível do piso da Câmara do Rei, o quadrado no alto (vejam a Ilustração 9-27) tem exatamente a metade da área da base. O Governo egípcio descobriu isso. Não é preciso ter um padrão de medida para verificar isso. Se tomarem o quadrado de cima e o girarem em 45 graus conforme é mostrado na Ilustração 9-28, os seus vértices tocam o perímetro da base exatamente. Desenhando diagonais para ligar os vértices opostos do quadrado-losango interno, vocês produzem 8 triângulos iguais (quatro dentro e quatro fora do quadrado-losango). Uma vez que os triângulos internos são do mesmo tamanho que os externos (vejam os dois triângulos sombreados), a área do quadrado interno sem dúvida nenhuma tem exatamente a metade da área da base. Podem ver isso sem precisar fazer nenhum cálculo.

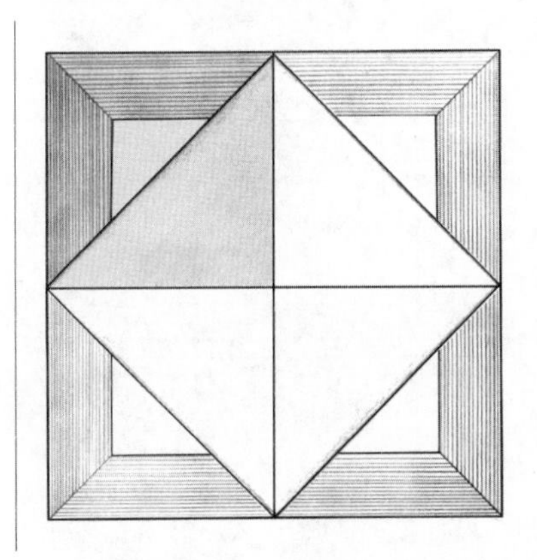

Ilustração 9-28. Quadrados e losangos que ilustram o fato de que o quadrado "superior" (vejam a ilustração anterior) tem exatamente a metade da área da base quadrada "inferior".

A Câmara do Rei — cujo nível do piso determinava o tamanho do quadrado superior nessas duas ilustrações — foi construída para nós, para o nosso nível de consciência, para passar

Ilustração 9-29. Quadrado externo com sucessivos quadrados internos girados em 45 graus.

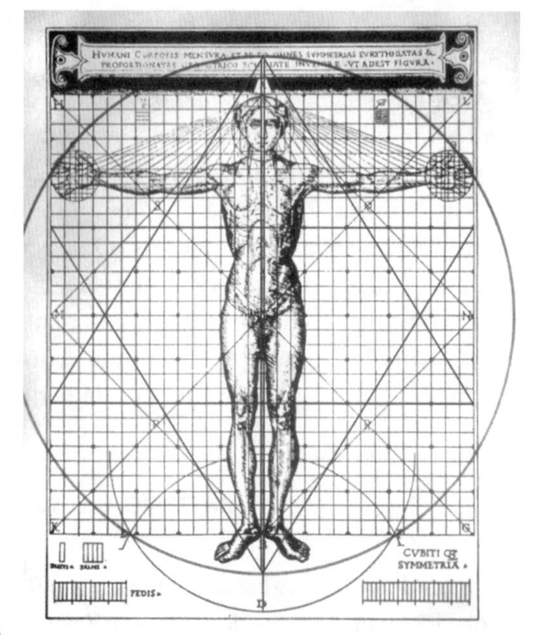

Ilustração 9-30. Segundo nível de consciência conforme Vitrúvio. Acréscimos: o círculo da razão Phi, o tubo central de prana e as estrelas tetraédricas que representam a base do Mer-Ka-Ba.

pela iniciação para o nível seguinte da consciência crística. Isso se torna óbvio quando as informações são conhecidas e compreendidas.

Na Ilustração 9-29, podem ver a geometria real de um quadrado exterior com sucessivos quadrados internos de metade do tamanho girados em 45 graus. Poderíamos iniciar uma profunda discussão sobre o significado esotérico dessa progressão geométrica, porque a sagrada raiz quadrada de 2 e 5 oscila geometricamente para sempre, mas acredito que compreenderão por si mesmos à medida que continuarmos.

A Busca de uma 14 por 18

A esta altura eu tinha desenhos de dois dos três níveis de consciência da linhagem de Leonardo e Vitrúvio, e estava verdadeiramente entusiasmado. Comecei a procurar em tudo o que pude encontrar de Vitrúvio, tentando encontrar uma 14 por 18. Olhei e olhei, então, não mais que de repente, algo me ocorreu. A 14 por 18

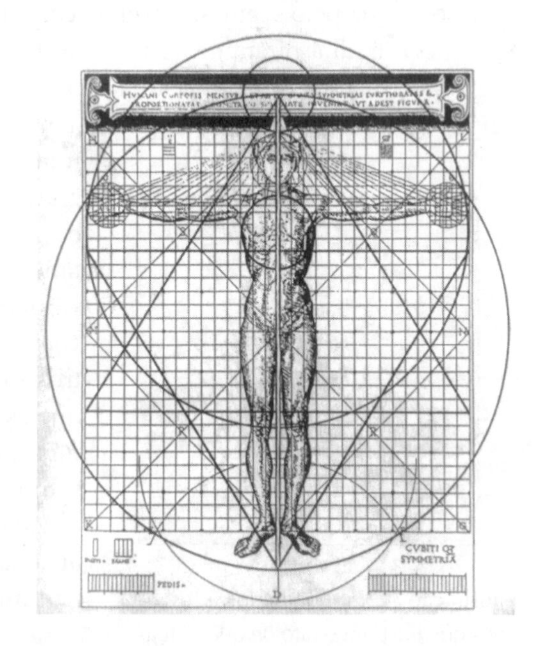

Ilustração 9-30a. Acréscimo: a nova esfera da consciência centrada no chakra do coração, que resulta de um modo diferente de respirar.

é a consciência crística. A minha lógica dizia que, se ele tivesse esse desenho, esse seria o seu desenho mais sagrado, que provavelmente estaria em algum recipiente de ouro escondido profundamente embaixo de algum altar sagrado em algum lugar. Não seria deixado sobre alguma mesa e provavelmente não chegara de maneira alguma ao conhecimento público. Continuei olhando, mas nunca encontrei nada. Não sei se algum dia encontrarei.

A Ilustração 9-30 é um desenho de nossa autoria, com linhas acrescentadas por mim. Ele pode tornar-se muito importante para vocês. Na verdade, é tão importante para mim que é o frontispício dos primeiros oito capítulos. Ele é de importância imediata porque mostra as proporções exatas da estrela tetraédrica ao redor do seu corpo; incluindo o tubo que corre pelo meio, que usaremos para a nossa respiração e na meditação que leva ao conhecimento do Mer-Ka-Ba, o corpo de luz humano; e mais o círculo na razão Phi. A Ilustração 9-30a mostra uma esfera sobre a qual ainda não falamos — a esfera de consciência que se desenvolve ao redor do seu chakra do coração quando vocês respiram da maneira antiga. Os meus votos são de que, até o fim desta obra, esse conhecimento tenha um profundo significado para vocês e os ajude no seu crescimento espiritual.

O Leonardo Desconhecido

Então eu tinha duas das três peças. Desconfiava fortemente de que Leonardo e Vitrúvio trabalhavam de maneira semelhante ao que Thoth estava me ensinando, mas ainda não tinha certeza absoluta disso. No fundo, eu tinha uma boa certeza disso, mas ainda eram evidências circunstanciais. Então, um dia, fui à cidade de Nova York, para apresentar um curso. Achava-me sentado na casa da mulher que patrocinara o curso, a qual tinha uma biblioteca excelente, e reparei em um livro sobre Leonardo que nunca tinha visto antes. Ele era intitulado *The Unknown Leonardo* [O Leonardo Desconhecido] e continha as obras de Da Vinci que todo mundo considerava sem importância. Estes esboços não foram incluídos nos lindos manuais porque eram considerados apenas rabiscos e esboços preliminares.

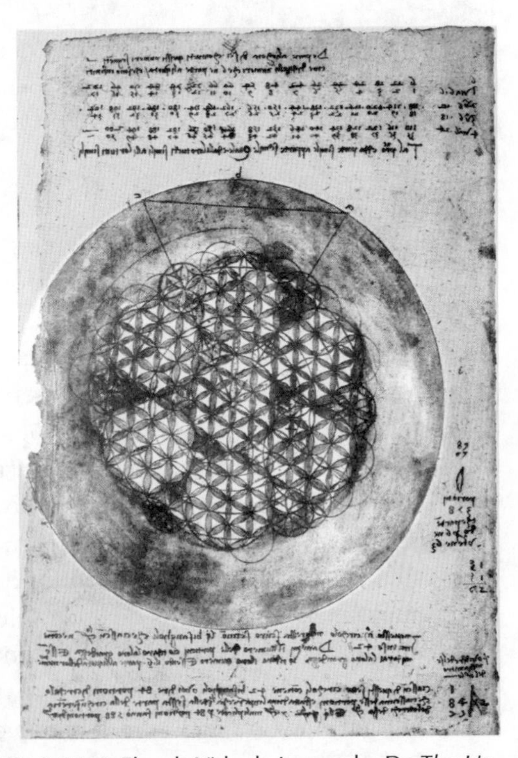

Ilustração 9-31. A Flor da Vida de Leonardo. De *The Unknown Leonardo* (Ladislas Reti, ed., Abradale Press, Harry Abrams, Inc., Publishers, Nova York, edição de 1990).

Enquanto folheava esse livro que nunca tinha visto na vida, de repente

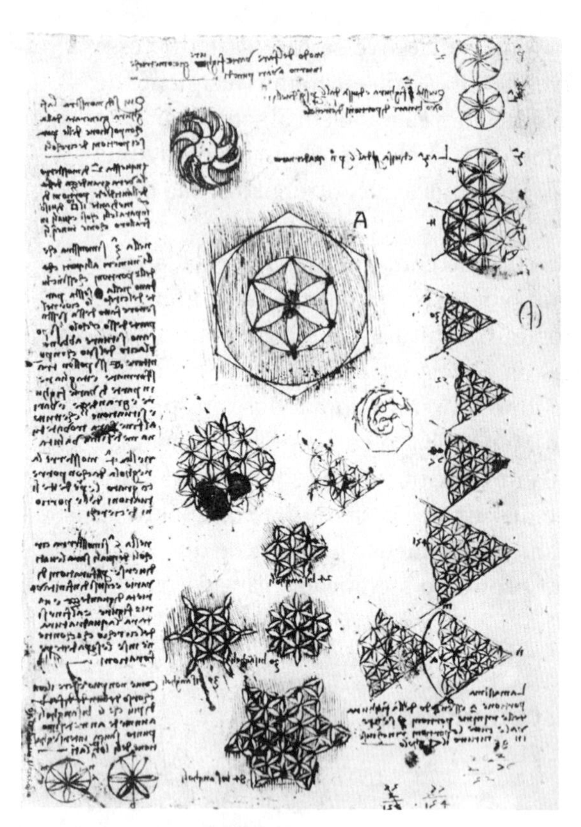

Ilustração 9-32. Mais esboços de Leonardo sobre a Flor da Vida. A: o centro da Flor da Vida. (De *The Unknown Leonardo,* p. 64.)

vi isto (Ilustração 9-31). Leonardo desenhara a Flor da Vida! E não se tratava de um simples rabisco — ele realmente calculara os ângulos e estudara as geometrias associadas à Flor da Vida.

A Ilustração 9-32 está em outra página do livro e mostra como ele desenhou diversos padrões geométricos encontrados na Flor da Vida. O projeto da flor no ponto A é uma das chaves que vocês encontrarão em todo o mundo — era o núcleo central da Flor da Vida. Vocês encontrarão essa imagem em igrejas, mosteiros e nos mais diversos lugares de todo o planeta, relacionadas a essas informações essenciais sobre a criação de que nos esquecemos.

Ele continuou considerando todas as possíveis relações e calculando os ângulos que conseguia encontrar. Até onde eu sei, Leonardo foi a primeira pessoa a imaginar essas proporções e aplicá-las em invenções concretas. Ele inventou coisas impressionantes com base nessas proporções (Ilustração 9-33a) — coisas como o helicóptero, que foi o primeiro a conceber, e relações de engrenagens como as encontradas atualmente nas transmissões dos automóveis. E todos esses inventos saíram desses desenhos estudando a Flor da Vida! O editor do livro não percebeu o que era tudo aquilo. Ele simplesmente disse: “Eis de onde veio a invenção das engrenagens”. Leonardo avançou cada vez mais, calculando o máximo de razões possível. Eis aqui outra página da obra dele (Ilustração 9-33b).

Agora posso dizer com a maior confiança que Leonardo seguia, ou já seguira, geometricamente no mesmo sentido que Thoth me ensinara e estou apresentando a vocês. Acredito que os ensinamentos de Thoth e o estudo de Leonardo basearam-se na mesma compreensão da Flor da Vida.

Existiu um outro homem famoso que seguia nesse mesmo sentido — Pitágoras. Quando se opera com a geometria sagrada e se fazem os desenhos — o que força a conhecer ângulos e proporções geométricas — é preciso provar as ações. Toda vez que apresentei algo para provar, em vez de dar-me a todo trabalho de realmente criar a prova eu mesmo, pude encontrá-lo em livros de geometria existentes. E em quase todos os casos, a prova saiu de Pitágoras.

Toda prova que Pitágoras criou — quase todo o espectro dessa escola — não foi simplesmente uma prova ao acaso de alguma geometria. Cada uma era uma prova viva no mesmo caminho que estamos trilhando neste instante. Ele *precisava* provar cada passo dado para poder continuar. Não podia simplesmente supor qualquer coisa; precisava provar, e precisava fazê-lo geometricamente antes de continuar. Depois de um tempo, reuni todos os desenhos e provas dele porque sabia que precisaria deles. Ele gastara a vida inteira para descobrir essas coisas, e é claro que eu queria andar mais rápido.

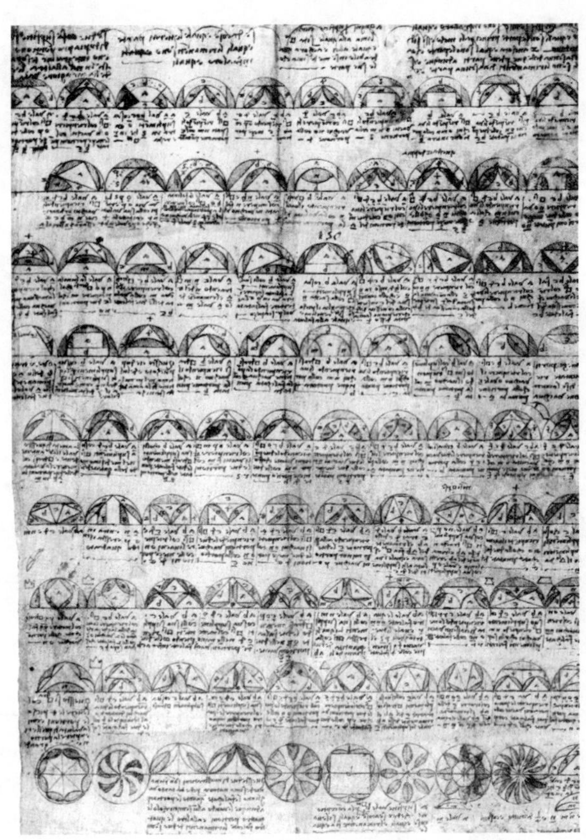

Ilustração 9-33a. Proporções de engrenagens de Leonardo aplicadas aos seus inventos. (De *The Unknown Leonardo,* p. 78.)

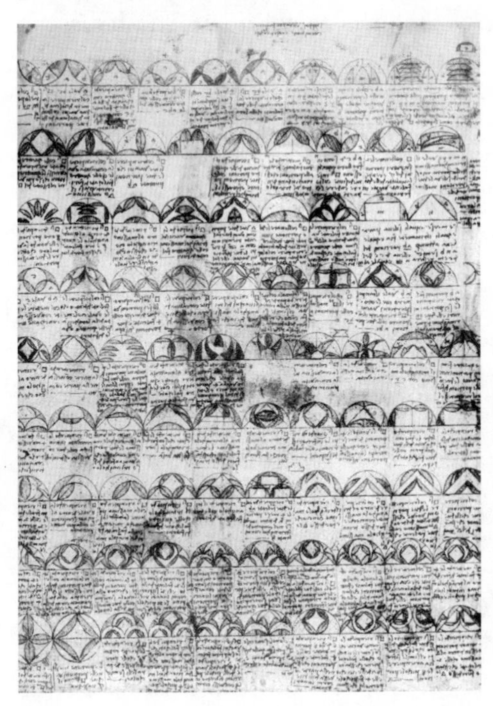

Ilustração 9-33b. Mais razões e proporções. (De *The Unknown Leonardo,* p. 79.)

Portanto, agora sabemos que pelo menos dois grandes nomes do passado, Leonardo da Vinci, um dos maiores homens que já viveram, e Pitágoras, o pai do mundo moderno, perceberam a importância da Flor da Vida e aplicaram esse conhecimento à vida diária.

Vamos examinar o último desenho geométrico da consciência, a 14 por 18, a consciência crística (Ilustração 9-34). Tudo o que vocês precisam é de nove cír-

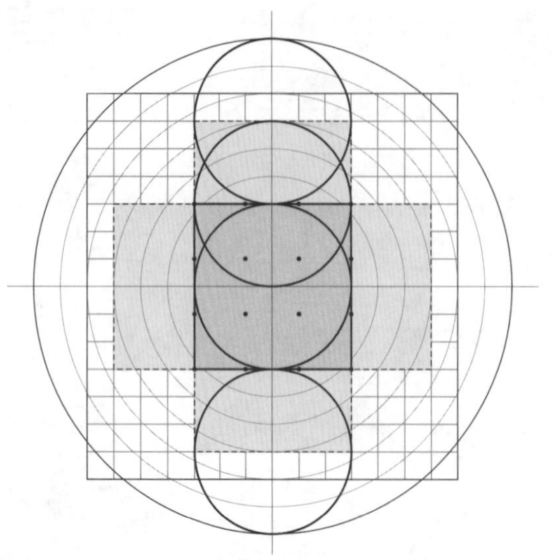

Ilustração 9-34. A consciência crística; a relação de 14 por 18 quadrados e círculos do terceiro nível de consciência.

culos concêntricos como antes, um quadrado ao redor do sétimo círculo e terão o desenho básico da consciência crística — uma rede 14 por 18. Mas, quando chegarem ao meio dos quatro quadrados, não poderão tomar como base 1 ao quadrado ou 2 ao quadrado; deverão usar 3 ao quadrado como a sua unidade básica. Três ao quadrado é igual a 9, portanto agora vocês usam nove quadrados como a sua unidade básica para equivaler a quatro quadrados centrais, e desenham um quadrado ao redor de nove conforme é mostrado (sombreado). A sua unidade de medida agora são três diagonais. Assim, a espiral de origem masculina (vejam a Ilustração 9-34a) começa no ponto A e desce, para cima e para fora, e a espiral feminina (linha interrompida) começa no ponto B e sobe, desce, depois atravessa precisamente o centro ou ponto zero e sai da rede. Vocês têm a sincronicidade acontecendo outra vez nesse desenho, mas só se souberem usar três diagonais ou nove quadrados (sombreados), que já estavam no desenho do segundo nível de consciência de Vitrúvio. Essa foi a maneira de ele dizer a mesma coisa que Thoth disse: o segundo nível de consciência contém as informações básicas do terceiro nível, a consciência crística.

O que é a sincronicidade? Olhem como a feminina atravessa exatamente o ponto zero feminino, e o masculino passa exatamente sobre a linha central e o círculo exterior. A mesma coisa pode ser vista na Ilustração 9-24a. Essa é a chave. Em algumas poucas páginas vocês verão o que esses pontos na realidade representam, a base e o vértice da Grande Pirâmide.

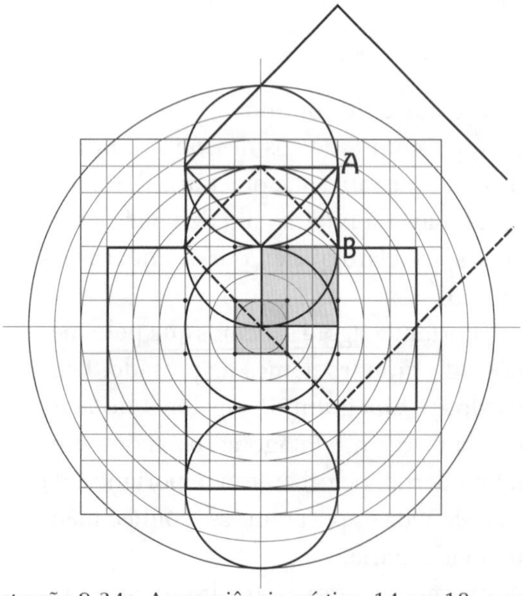

Ilustração 9-34a. A consciência crística, 14 por 18, mostrando a unidade básica (4 quadrados centrais sombreados) e a unidade diagonal de 3 quadrados da espiral (quadrado maior sombreado).

Uma Grande Sincronicidade

Agora vou mostrar-lhes uma série de desenhos para ilustrar uma grande sincronicidade.

Na Ilustração 9-35, vocês podem ver as oito células originais (círculos sombreados) circundadas pela superfície interior da zona pelúcida (comparem com a Ilustração 7-26). (As outras quatro células estão diretamente atrás dessas quatro.) O círculo exterior forma a razão Phi com o quadrado circundando a figura humana, e o ser humano adulto encaixa-se perfeitamente nas geometrias combinadas. Até mesmo a estrela tetraédrica está presente (Ilustração 9-35a).

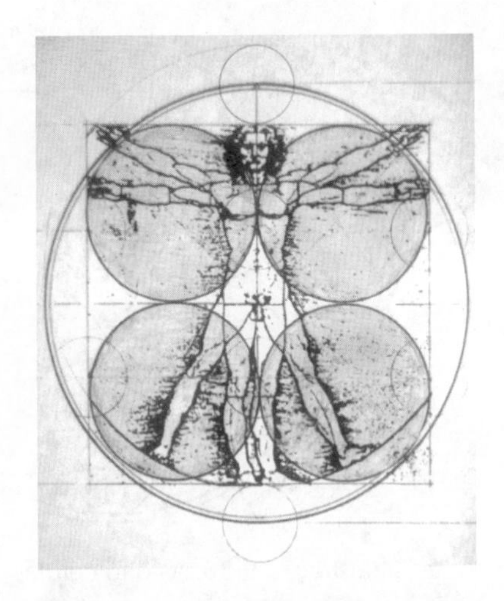

Ilustração 9-35. O cânone de Leonardo sobreposto às oito células originais (círculos sombreados; quatro estão atrás dos quatro que vocês veem).

Se fosse para vocês desenharem três círculos iguais ao longo do eixo vertical (Ilustração 9-36) — e eles se encaixassem perfeitamente porque a estrela tetraédrica é dividida em três terços — isso mostraria que as oito células originais e o ser humano adulto estão inter-relacionados. O microcosmo está ligado ao mundo cotidiano.

Esse é um desenho bidimensional das oito células originais. Em uma forma tridimensional, se fossem pôr uma esfera no meio atravessando o centro — como uma bola de gude que se encaixasse perfeitamente entre essas esferas e entrasse no centro — essa esfera seria representada pelo círculo no ponto A. Se considerarem um círculo desse mesmo tamanho e o pusessem no alto (B), ele simplesmente tocaria a superfície interna da zona pelúcida, mostrando a vocês a sua localização.

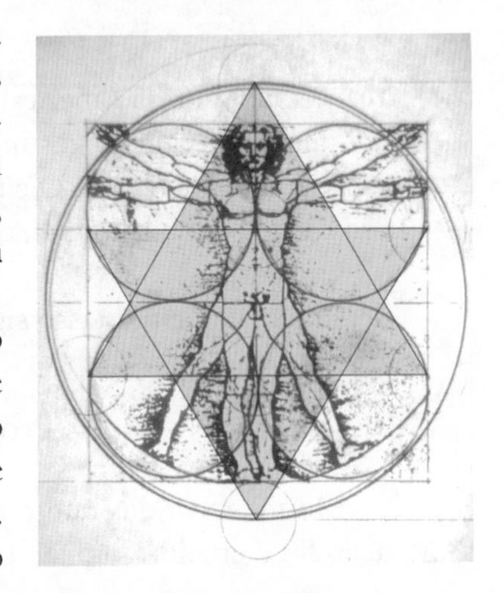

Ilustração 9-35a. Encaixando a estrela tetraédrica tanto no cânone quanto nas oito células originais.

Então tomem o círculo que se encaixa *por trás* do círculo central menor — o ligeiramente maior que se encaixa na rede de 64 quadrados (vejam a Ilustração 9-36a). Quando vocês põem esse círculo no ponto B, ele lhes mostra a exata superfície *externa* da zona pelúcida. Portanto, o círculo menor que se encaixa totalmente e o ligeiramente maior que se encaixa perfeitamente dentro são as chaves para a superfície interna e externa da zona pelúcida, e indicam onde esses elementos vão na razão Phi. O meu modo de calcular isso é o único que conheço, embora haja muitos outros.

Agora, voltemos ao desenho de Leonardo sobreposto às oito células originais. Na Ilustração 9-37, sobrepusemos ao cânone de Da Vinci uma geometria diferente, que mostra uma relação a mais com o macrocosmo assim como ocorre com o microcosmo. Observem a grande esfera sombreada que se encaixa perfeitamente ao redor do corpo humano, da cabeça ao pé e também dentro do quadrado ao redor do corpo humano. Agora observem o círculo menor sombreado diretamente sobre a cabeça do homem. Esse círculo pequeno é criado ao colocar a ponta do compasso sobre a parte superior do círculo de razão Phi ao redor do corpo humano e abrir a perna do compasso até

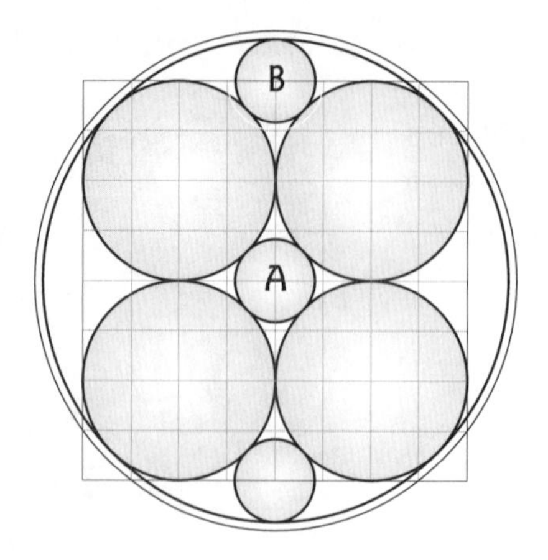

Ilustração 9-36. As oito células originais sem o cânone de Leonardo, com o acréscimo de três círculos.

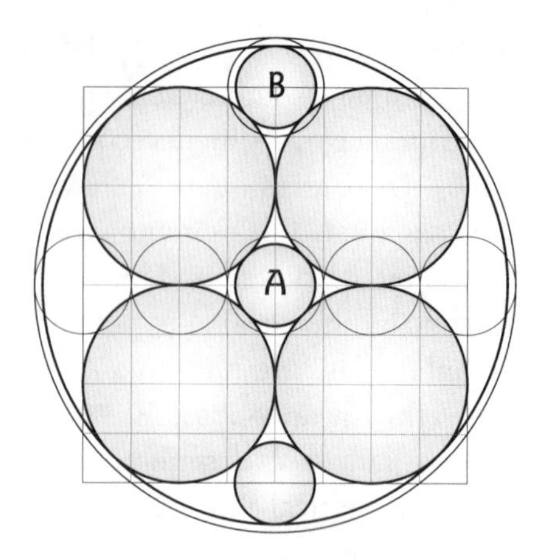

Ilustração 9-36a. Mostra como o círculo ligeiramente maior que se encaixa no quadrado da rede encaixa-se precisamente *dentro* das células tridimensionais originais e como esse círculo, do lado *de fora,* toca a superfície exterior da zona pelúcida.

a parte superior da cabeça do homem. Esse mesmo círculo na Ilustração 9-35 teria um raio que iria desde a superfície exterior da zona pelúcida até a parte superior da cabeça ou do quadrado. O círculo menor simplesmente toca o círculo maior sombreado. (Como nota marginal, o centro do círculo menor é exatamente onde se localiza o 13º chakra.)

Então, o que tudo isso significa?

As Proporções entre a Terra e a Lua

Muitos reivindicaram a autoria da informação que vem a seguir, mas nenhum deles foi o criador original, porque descobri alguém ainda mais antigo relacionado a isso, que supostamente foi quem deu origem a tudo. A obra escrita mais antiga que pude encontrar foi a de Lawrence Blair (*Rhythms of Vision*), mas ele não afirma ser o autor; ele diz que obteve essa informação de obras mais antigas. Não sei quem foi o primeiro a ter essa ideia, mas essa é uma informação verdadeiramente notável, em especial para quem nunca ouviu falar a respeito.

Pensem: o tamanho das duas esferas sombreadas neste desenho (Ilustração 9-37) "por acaso" têm exatamente a mesma proporção que aquela entre a Terra e a Lua. Essa proporção está localizada no corpo humano e nas oito células originais de todas as formas de vida. Além disso, não só as esferas nesse desenho têm os mesmos tamanhos relativos que os da Terra e da Lua, mas assim como nesse desenho, um quadrado que se encaixaria ao redor da Terra e um círculo que atravessasse o centro da Lua (se a Lua estivesse tocando a Terra) teriam uma razão Phi. Isso pode ser provado, o que também prova que o tamanho da Terra e o da Lua são como o que se afirma.

Para prová-lo, vocês precisam saber qual é o diâmetro da Terra, que é igual a um lado do quadrado que se encaixaria ao redor dela, exatamente como o mesmo quadrado que se encaixa ao redor do corpo humano. Multipliquem isso por 4 para descobrir quantos quilômetros há para dar a volta no quadrado. Depois de determinar isso, vocês precisam saber quantos quilômetros há ao redor do círculo que passa pelo centro da Lua se a Lua estivesse tocando a Terra.

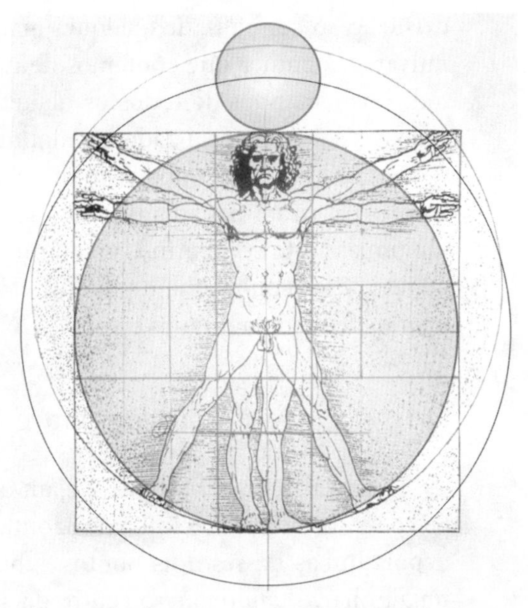

Ilustração 9-37. O cânone de Leonardo com o quadrado e o círculo dentro. O círculo pequeno sombreado acima da cabeça está centrado sobre a superfície externa da zona pelúcida, que é o círculo de razão Phi em relação ao quadrado.

Portanto, vamos dar uma olhada nisso.

O diâmetro médio da Terra é de 12.743,28 quilômetros. O diâmetro médio da Lua é de 3.475,44 quilômetros. O perímetro do quadrado que se encaixaria ao redor da Terra equivale ao diâmetro da Terra vezes 4, ou 50.973,12 quilômetros. Para calcular quantos quilômetros tem a circunferência do círculo que atravessa o centro da Lua, vocês precisam saber o diâmetro da Terra e o raio da Lua, tanto em cima quanto embaixo na Ilustração 9-37 — que são o diâmetro tanto da Terra quanto da Lua —, somados, vezes pi. Se esses números forem iguais ou muito próximos, então essa seria a prova. A circunferência do círculo equivale ao diâmetro da Terra (12.743,28 quilômetros) mais o diâmetro da Lua (3.475,44 quilômetros), o que equivale a 16.218,72. Se multiplicarem 16.218,72 por pi (3,1416), o resultado são 50.952,73 quilômetros (vejam a Ilustração 9-38) — *apenas 20,39 quilômetros de diferença!* Considerando que o oceano é 43 quilômetros mais alto no Equador do que em qualquer outra parte (o oceano se projeta como uma cordilheira de 43,44 quilômetros de altura), 20,39 quilômetros não são nada. Entretanto, se multiplicarem 16.218,72 por 22/7 (um número geralmente usado para aproximar pi), o resultado será o *mesmo número exato* do perímetro do quadrado — 50.973,12 quilômetros!

$$12743{,}28 \times 4 = 50973{,}12$$
$$D = 12743{,}28 + 3475{,}44 = 16218{,}72$$
$$16218{,}72 \times \pi = 50952{,}73$$

Ilustração 9-38. Os cálculos relativos à Terra e à Lua.

Assim, o tamanho da Terra está em harmonia (segundo a razão Phi) com o da Lua, e essas proporções são encontradas nas proporções dos nossos campos de energia e até mesmo no próprio Ovo da Vida.

Passei semanas pensando sobre esse paradoxo. O campo de energia humano contém o tamanho da Terra em que vivemos e o da Lua que se move ao redor dela! Era como o pensamento sobre os elétrons a 9/10 da velocidade da luz. O que significa isso? Significa que só são possíveis determinados tamanhos de planetas? E que não existe acaso nenhum, de qualquer maneira? Se o seu corpo é o padrão de medida do universo, significa que contemos dentro de nós, de algum modo ou em algum lugar, todos os tamanhos de todos os planetas possíveis? Isso significa que o tamanho de todos os sóis está localizado em algum lugar dentro de nós?

Essas informações apareceram em alguns poucos livros nos últimos anos, mas os autores passaram-nas adiante como se nada significassem. No entanto, elas significam; são um assunto sério. Ainda estou profundamente impressionado com a perfeição da criação. Esse conhecimento definitivamente corrobora a ideia de que "o homem é o padrão de medida do universo".

As Proporções entre a Terra, a Lua e as Pirâmides

Se isso não for o bastante, vejam o que algumas dessas outras linhas significam. Se vocês traçarem uma linha horizontal pelo centro da Terra até a sua circunferência, depois linhas desses dois pontos subindo até o centro da Lua, e do centro da Lua uma linha voltando para o centro da Terra (Ilustração 9-39, essas são as proporções *exatas* da Grande Pirâmide do Egito! Este ângulo em A é de 51 graus, 51 minutos e 24 segundos, exatamente o mesmo da Grande Pirâmide (Ilustrações 9-40 e 41).

Thoth, quando era Hermes na Grécia, diz em *A Tábua de Esmeralda* que foi ele um dos construtores da Grande Pirâmide, e que a fez a partir das proporções da Terra. A prova acima dá crédito à afirmação dele.

Considerando que a Terra, a Lua (e todo o sistema solar), o corpo físico humano e o Ovo da Vida estão todos relacionados geometricamente e que a Grande Pirâmide os vincula em conjunto; e considerando que temos esses três níveis diferentes de consciência que têm pirâmides dentro de cada um, podemos sobrepor esses desenhos à Grande Pirâmide e saber o que significam os aposentos e onde eles estão localizados dentro da pirâmide. A Grande Pirâmide é realmente o grande mapa do nível de consciência em que todos nos encontramos. Não é de admirar por que (por que de um nível subconsciente) 18 mil pessoas visitam a Grande Pirâmide todos os dias!

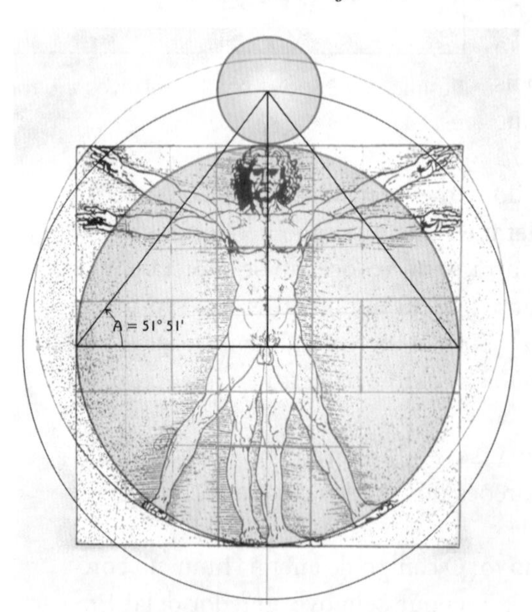

Ilustração 9-39. As proporções Terra-Lua. O ângulo *A* é o ângulo encontrado na Grande Pirâmide.

Os Aposentos da Grande Pirâmide

Até por volta de 1990, quase todo mundo pensava que a Grande Pirâmide (vejam a Ilustração 9-41) continha apenas a Câmara

Ilustração 9-40. A Grande Pirâmide.

do Rei (K), a Câmara da Rainha (Q), a Grande Galeria (G), o Fosso ou Gruta (E) — que é um local muito estranho — e o Poço (W) (chamado assim porque havia um "poço" nesse aposento). Entretanto, foram descobertos mais quatro aposentos apenas nos últimos anos (desde 1994). Foram encontrados mais três aposentos e três paredes além da Câmara da Rainha. Um não tinha nada dentro, outro estava cheio do chão ao teto com areia radioativa e o terceiro não continha nada a não ser uma estátua de ouro maciço, que supostamente os japoneses removeram. (Por falar nisso, a Câmara do Rei e a Câmara da Rainha não têm correspondência com masculino/feminino. Os nomes desses aposentos foram atribuídos pelos muçulmanos porque os muçulmanos enterravam homens sob tetos planos e mulheres sob tetos inclinados. Isso não tem relação com reis e rainhas.)

Esse roubo foi seguido de um alarme silencioso ao redor do mundo. Isso causou a

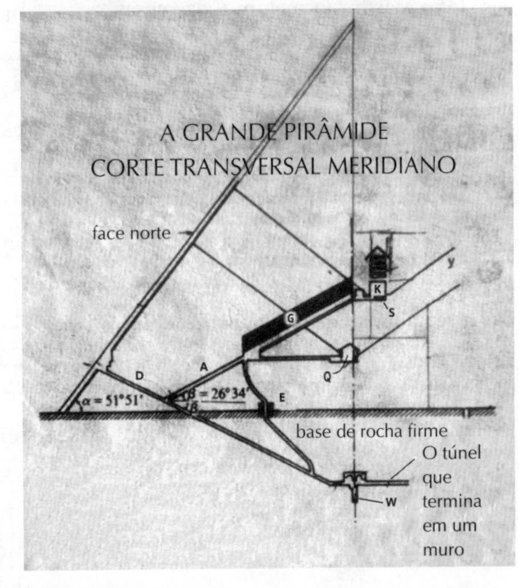

Ilustração 9-41. Corte transversal da Grande Pirâmide.

A: Corredor Ascendente
D: Corredor Descendente
E: escavação chamada de o Fosso
G: Grande Galeria sustentada por sete modilhões
K: Câmara do Rei
Q: Câmara da Rainha
S: Sarcófago
W: o Poço

Atualização: Cerca de trezentos anos atrás no máximo, Kepler acreditava que todas as órbitas dos planetas do nosso sistema solar baseavam-se nos sólidos platônicos. Ele tentou provar que isso era verdade, mas não conseguiu porque tinha informações incorretas sobre as órbitas planetárias. Na época moderna, o inglês John Martineau descobriu a verdade. Usando computadores, ele introduziu a maioria das relações da geometria sagrada e as informações exatas sobre órbitas máximas, mínimas e médias dos planetas conforme determinado pela NASA para o computador comparar. O que ele descobriu é assombroso.

Foi descoberto que a simples geometria sagrada determinava as relações orbitais entre os planetas e que nada acontecia por acaso. Kepler estava certo, a não ser que havia mais coisas envolvidas do que simplesmente os sólidos platônicos. John Martineau incluiu todas essas informações novas e velhas em um livro publicado em 1995, *A Book of Coincidence: New Perspectives on an Old Chestnut* (atualmente esgotado, Wooden Books, País de Gales).

O que é importante para nós é que todas as relações da geometria sagrada descobertas por Martineau são encontradas no campo de energia humano, o Mer-Ka-Ba. Isso significa que não só a relação da Terra com a sua Lua é encontrada no campo de energia humano, mas as de todo o sistema solar. Está se tornando cada vez mais claro que o homem é verdadeiramente o padrão de medida do universo.

demissão do ministro egípcio de Antiguidades e a expulsão de todos os arqueólogos estrangeiros do país durante a crise. Houve uma caçada mundial à estátua de ouro, mas ela nunca foi encontrada, até onde eu sei, assim como jamais foram descobertas as pessoas responsáveis. A estátua tem um valor absolutamente inestimável. Só o ouro maciço valeria muito, mas *não* existe montante de dinheiro que possa equiparar-se ao valor da estátua em si. Os cientistas japoneses estavam presentes quando estive lá, em janeiro de 1990, e a estátua foi levada logo depois disso.

Vejam, os japoneses desenvolveram alguns instrumentos que permitem ver o que há embaixo do solo, e com esses instrumentos eles descobriram um salão inteiramente novo sob a Esfinge. Através de 18 metros de rocha eles conseguiram inspecionar tão bem o interior de um aposento que foram capazes de identificar um rolo de corda e um pote de barro num canto. Também descobriram um túnel que partia do salão embaixo da Esfinge e seguia até a Grande Pirâmide. Esse túnel é mencionado em muitos textos antigos, embora os textos antigos digam que na verdade existem três túneis.

A estátua localizava-se onde os japoneses estavam pesquisando. De acordo com as minhas fontes que estavam lá, os japoneses viram a imagem da estátua de ouro dentro do aposento vizinho à Câmara da Rainha, depois procuraram o ministro egípcio de Antiguidades e pediram permissão para removê-la, mas ele negou-lhes a permissão em todos os níveis. Acho que os japoneses pensaram que não haveria nenhum problema. Toda a Câmara da Rainha achava-se tomada pelos andaimes deles e ninguém tinha permissão de entrar. Assim, os japoneses tinham pleno acesso a essa parede e ao aposento por trás dela. Cerca de um mês depois, a sua permissão de permanência lhes foi negada, eles recolheram os seus andaimes e deixaram o país. Só *depois* que eles saíram do Egito foi que o ministro de Antiguidades percebeu o reboco novo entre os tijolos na parede voltada para o aposento oculto onde se localizava a estátua de ouro e entendeu o que eles (supostamente) fizeram. Mas era tarde demais. Ele acabou demitido por isso; foi um grande escândalo.

Mais Aposentos

Pouco tempo atrás foi encontrado outro aposento além da Câmara da Rainha. Há dois dutos de ventilação de cerca de 10 a 15 centímetros de diâmetro que sobem da Câmara da Rainha. Um pesquisador alemão (Rudolf Gantenbrink) passou uma câmara-robô por um desses dutos e descobriu uma passagem para um outro aposento.

A câmara em E é chamada de o Fosso; é realmente um aposento estranho. Normalmente, não é permitida a entrada no Fosso. Quem consegue entrar lá, provavelmente é porque tem amigos nas altas esferas. Trata-se simplesmente de um grande buraco no chão. Thoth nunca me falou sobre esse aposento, portanto não posso lhes dizer nada.

Os três locais de que Thoth *realmente* me falou são a Câmara do Rei (no alto), a Câmara da Rainha (quase a meio caminho na subida para a Câmara do Rei) e o Poço (abaixo do nível do chão bem na base). Darei mais informações a vocês sobre esses três locais quando puder, pois eles estão relacionados aos três níveis de consciência.

O Processo de Iniciação

O processo de iniciação de uma pessoa que passa do segundo nível de consciência para o terceiro começa no Poço. Se lerem *A Tábua de Esmeralda*, o livro lhes dirá que a iniciação começa no fim de um túnel que não leva a lugar nenhum. É um túnel que aparentemente não tem nenhum propósito, e o Poço é o único aposento que conhecemos na Pirâmide que se encaixa nessa condição. Esse túnel corre horizontalmente embaixo da Terra por cerca de 24 a 30 metros e simplesmente termina. O arqueólogo egípcio comum não tem a menor ideia da razão pela qual os antigos egípcios cavaram esse túnel. Eu o observei com toda a atenção e parece que, quando eles o estavam cavando, chegaram até um determinado lugar e decidiram: "Vamos fazer outra coisa", porque o fim é grosseiro, como se simplesmente tivessem decidido desistir.

Agora vamos deixar esse túnel por um tempo e observar o processo de iniciação na Câmara do Rei. Em primeiro lugar, a Câmara do Rei foi feita para vocês e para eu passarmos para a consciência crística; esse é o propósito primordial. Trata-se de uma sala de iniciação. Vou lhes dar um conceito da técnica especial que os egípcios usavam para a ressurreição. Era um procedimento sintético, porque requeria instrumentos materiais e o conhecimento de como usá-los. Nós, vocês e eu, não vamos usar esse método neste momento da história, mas é extremamente instrutivo observar como os egípcios faziam. Depois vou lhes contar em detalhes o que acredito que a humanidade usará para passar para o terceiro nível de consciência.

Primeiro vamos tentar entender por que esses três aposentos foram localizados onde estão dentro da Grande Pirâmide. Essas informações vão esclarecer muitas das dúvidas que vocês possam ter. A Câmara do Rei não é um retângulo na Proporção Áurea, embora pode ser que tenham lido isso em vários livros. É algo muito mais interessante: ele é um aposento na raiz quadrada de 5 — um aposento perfeito em 1 por 2 pela raiz quadrada de 5. Lembram-se daquele corpo humano com aquela linha pelo meio e na diagonal, que era dividido ao meio no centro do círculo por uma linha que criava uma razão Phi (vejam a Ilustração 7-31)? Bem, esse aposento é tal e qual. A planta do piso é um perfeito 1 x 2, e a altura é exatamente metade da diagonal do piso.

Veem como a Câmara do Rei está fora do centro na Ilustração 9-41? Mas ela está descentralizada de um modo muito especial. Ao entrar nela, depois de subir pela Grande Galeria e abaixar-se para passar pela minúscula antessala, o sarcófago fica à sua direita. Na sua posição original, o centro exato da pirâmide passava diretamente através do sarcófago, mas ele foi deslocado. O vértice da pirâmide é mostrado no alto. Vocês precisam saber disso em primeiro lugar.

Na realidade, duas iniciações acontecem na Câmara do Rei. A primeira era no sarcófago. A segunda, que normalmente acontecia muitos anos depois, às vezes milhares de anos depois, acontecia precisamente no centro do aposento, marcado por meia diagonal. Há um objeto quadridimensional que não pode ser visto materialmente situado no meio do aposento. O aposento é constituído exatamente de 100 pedras nas paredes e teto. Ele foi criado para o segundo nível de consciência e temos exatamente 100 quadrados ao redor do nosso corpo geometricamente.

Refletores e Absorvedores de Luz acima da Câmara do Rei

Eis outro aspecto dessa imagem que vocês precisam ver à medida que juntamos as peças do quebra-cabeça.

A Ilustração 9-42 é um desenho de uma seção da Câmara do Rei e as cinco camadas acima do aposento. O teto imediato da Câmara do Rei é feito de nove pedras enormes (lembrem-se de que nove é a chave da consciência crística), e acima dele encontra-se uma série de camadas de pedras, conforme é mostrado no desenho, com um espaço arejado entre cada camada. A explicação comum é que isso foi construído para aliviar a pressão sobre o teto plano da Câmara do Rei, para que ele não afundasse. Bem, é verdade que ele *faz* isso, mas não acredito que essa seja a única razão para as camadas. A explicação padrão é que a Câmara da Rainha não precisa de um elemento como esse para aliviar a pressão porque o seu teto já é inclinado. No entanto, há pelo menos um outro aposento dentro da pirâmide — o Poço — sem o teto inclinado, e vocês poderiam perguntar: por que não puseram algo assim para aliviar a pressão sobre ele, uma vez que está embaixo da Pirâmide e tem milhões de toneladas a mais de pressão? (Há 2,5 milhões de blocos nessa pirâmide, e o seu peso é tremendo.)

Portanto, obviamente há alguma coisa a mais em relação a esses cinco espaços.

Quando se observa com bastante atenção aquelas camadas, torna-se bem claro que são muito mais do que mero espaço arejado para aliviar a pressão. O lado de baixo dos blocos é polido como vidro. O lado de cima é totalmente irregular e coberto com uma camada de cerca de 6 milímetros de espuma. Sim, *espuma!* Parece como se alguém tivesse aplicado aquela camada com algum tipo de aerossol. Não sei o que é aquilo, mas é assim que parece. Ao pensar a respeito, vê-se que há aquelas superfícies espelhadas voltadas para baixo e aquelas superfícies irregulares, cobertas de espuma, voltadas para cima. Para mim, parece que foram projetadas para refletir a energia proveniente de baixo e absorver a energia proveniente de cima. Trata-se de um separador, que explicaremos logo mais.

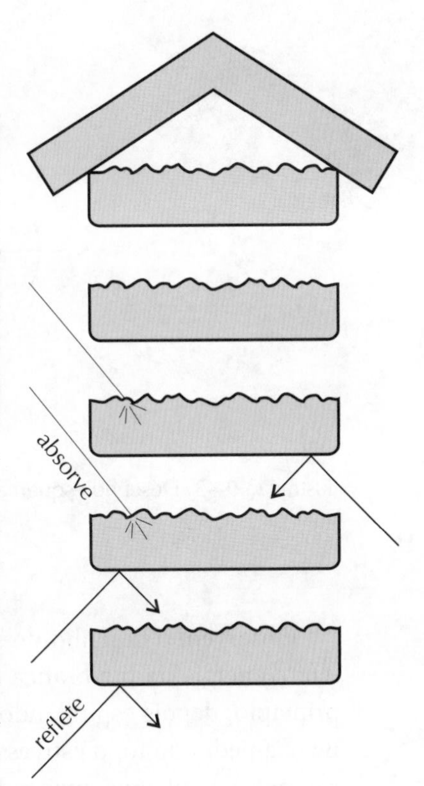

Ilustração 9-42. Os cinco espaços abertos acima da Câmara do Rei.

Ele tem uma outra função ainda (quase tudo que os egípcios faziam tinha mais de um propósito): é também um gerador de som. Quando observamos com toda a atenção esse aposento relativo às imagens geométricas sobrepostas da consciência humana, isso se torna claro.

Quero repetir que essas são informações de Thoth, que ele me contou. A maior parte dessas informações não se acha escrita em nenhuma outra parte.

Comparando os Níveis de Consciência

Definitivamente, a Grande Pirâmide não foi feita para os aborígines de primeiro nível, com 42 + 2 cromossomos. Não tem relação com eles. A Grande Pirâmide foi baseada principalmente nos integrantes do terceiro nível, que se sincronizam com o nosso nível e o nível de consciência da consciência crística, mas não no primeiro nível.

A Ilustração 9-43 é o desenho do primeiro nível de consciência, mostrando a pirâmide. Há 5 unidades de rede da sua base até o vértice; vejam que o primeiro nível de consciência baseia-se em quintos, que são divisíveis apenas por 1 e 5.

Eis o desenho do segundo nível com a pirâmide (Ilustração 9-44) e a rede de 100 unidades para esse nível de consciência humana. Contando da base para o topo há 6 unidades, divisíveis por 3.

A pirâmide do desenho do terceiro nível (Ilustração 9-45) tem 9 unidades de altura, também divisível por 3, e esse é o nível da consciência crística. A razão pela qual os terços foram escolhidos como a base para a Grande Pirâmide é porque 3 é o denominador comum entre os dois níveis de consciência ligados ao seu propósito final.

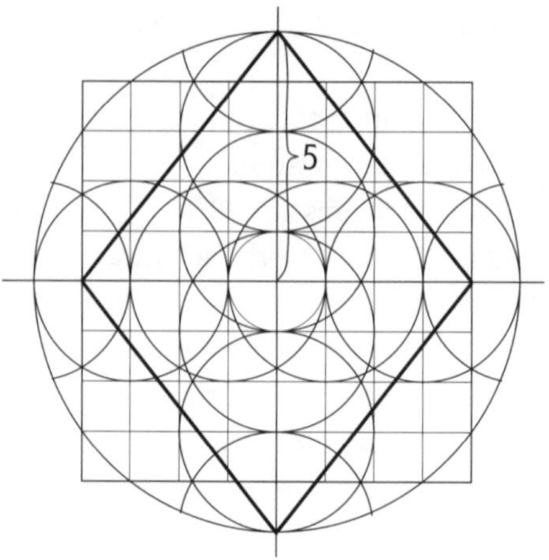

Ilustração 9-43. Desenho esquemático do primeiro nível de consciência, 8 por 10.

Captando a Luz Branca

Observem o desenho do segundo nível (10 por 12), Ilustração 9-44. Aqui vocês têm a energia da luz branca (linha contínua) começando no ponto A e descendo a princípio, depois espiralando até atingir exatamente o vértice da pirâmide no ponto B (se a pedra do topo estivesse ali). E vocês têm a energia da luz escura (linha interrompida), também começando em A mas subindo primeiro, depois espiralando para atravessar o ponto zero, o ponto central da base da pirâmide em C. De acordo com Thoth, por causa da disposição da Grande Pirâmide sobre a Terra ligada ao imenso campo geométrico da Terra — especificamente o campo octaédrico da Terra, que é equivalente ao nosso próprio campo — e por causa da massa da pirâmide e das geometrias usadas nela, o campo de energia da luz branca espirala para cima e torna-se extremamente forte, alongando-se até o centro da galáxia. A energia da luz escura vem de cima, espirala através do ponto zero e se liga com o centro da Terra. Desse modo, a Grande Pirâmide liga o centro da Terra ao centro da nossa galáxia.

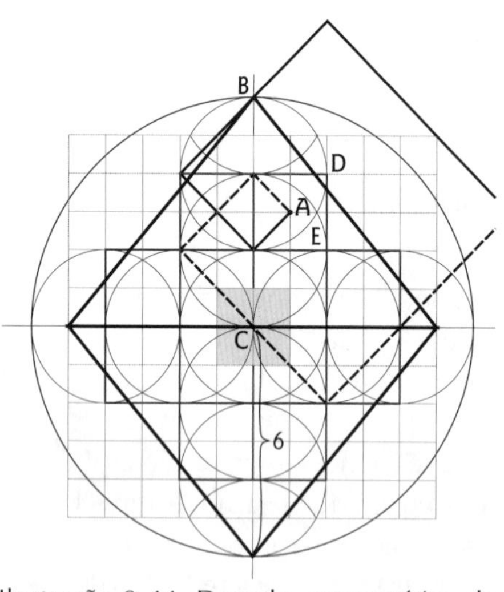

Ilustração 9-44. Desenho esquemático do segundo nível de consciência, 10 por 12, com uma rede de 100 unidades. A espiral de luz escura (linha interrompida) atravessa o centro (ponto zero) para o centro da Terra. A espiral de luz branca (linha contínua) vai para o centro da galáxia.

Suponham que queiram entrar em contato apenas com a energia da luz branca, captar apenas essa energia e ir buscá-la na sua própria fonte. (Na iniciação egípcia, isso é necessário para vivenciar a consciência crística.) A energia da luz branca na verdade começa no ponto D e desce em diagonal cruzando a diagonal que tracei a partir do ponto A. E a espiral de luz escura parte do ponto E e sobe através de um quadrado para encontrar a *sua* conexão no ponto A. Mas se vocês começarem nos pontos D e E, as energias se cruzarão próximo ao seu ponto de origem; o problema com isso é que as energias tendem a mudar de polaridade.

Thoth tentou me explicar. O feminino pode vir a tornar-se masculino, ou o masculino pode vir a tornar-se feminino apenas quando estão retornando à fonte, ou início, e apenas no ponto A. Os egípcios queriam usar a energia da luz branca logo depois que ela cruza o ponto A mas *antes* de dar a guinada a 90 graus, que é exatamente onde se localiza a Câmara do Rei. No entanto, se colocassem a sala de iniciação nessa área, teriam outro problema para resolver, porque logo acima dessa área fica a energia da luz preta, ou feminina.

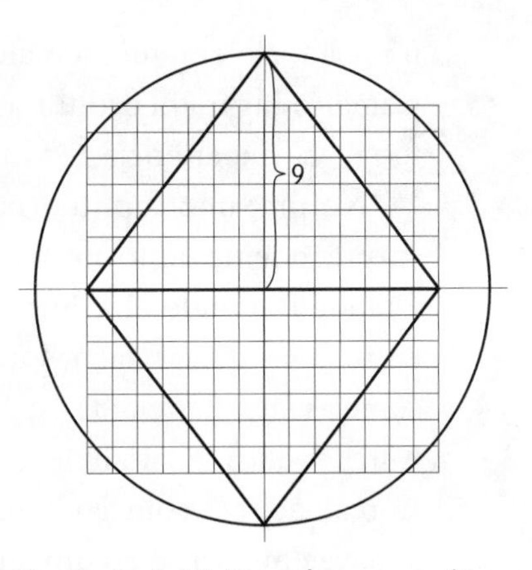

Ilustração 9-45. Desenho esquemático do terceiro nível de consciência, 14 por 18.

É *por isso* que existem os separadores, os cinco espaços acima da Câmara do Rei. Os espaços absorvem a energia da luz preta que vem de cima e refletem a energia da luz branca que vem de baixo. Dessa maneira, eles separam as duas uma da outra. Se vocês deitarem no sarcófago, a energia masculina desce, reflete-se no piso a um ângulo de 45 graus e atravessa diretamente a sua cabeça. Esse feixe, de cerca de 5 centímetros de diâmetro, vem por trás da sua nuca e atravessa a sua glândula pineal, que é o segredo oculto de todo este trabalho. (No momento certo explicaremos.)

Para chegar a esse ponto na vivência egípcia eram necessários doze anos de treinamento na escola do Olho Esquerdo de Hórus e doze anos na do Olho Direito de Hórus. Se considerassem que você estivesse pronto depois de 24 anos, no momento certo eles o colocariam no sarcófago, fechariam a tampa e o deixariam ali por dois dias e meio a quatro dias.

Você ficaria deitado no sarcófago, faria contato com o feixe de energia da luz branca por meio da sua glândula pineal, depois (usando os seus 24 anos de instrução) sairia pela espiral 1, 1, 2, 3, 5, 8, 13, fazendo voltas muito específicas, seguindo a linha reta masculina, a energia de 90 graus (não a energia curva feminina, que não pode ser seguida), *afastando-se dali* para ter a sensação impressionante de tornar-se toda a criação — vivenciando *sinteticamente* a consciência crística.

Depois de passar alguns dias no cosmos, você retornaria. Por causa do seu treinamento, você saberia que deveria regressar, e voltaria usando a matemática de Fibonacci, que era a chave para você ser *capaz* de regressar.

De acordo com Thoth, ocasionalmente eles perdiam alguém. Ele disse que em média perdia-se um em cada duzentos iniciados. Quando se está lá *sendo* o universo, é tão belo que o pensamento de retornar à Terra não é exatamente a melhor ideia a ter em mente. Você realmente não quer voltar. É preciso muita disciplina. Durante o período de instrução, os antigos egípcios treinavam esse "retorno" repetidas vezes, porque só o que é preciso fazer é dizer não, e lá se permanece no estado de consciência. Se ficar por lá, então o seu corpo morre no sarcófago e você não vive mais na Terra. No entanto, a maioria deles regressava, porque o motivo para fazer isso em primeiro lugar era evoluir a consciência humana. Se você não retornasse, a Terra não teria essa experiência.

No próximo capítulo mostraremos como os egípcios posicionavam de maneira surpreendente tanto a espiral de Fibonacci quanto a da Proporção Áurea ao redor da Grande Pirâmide. Por quê? Porque queriam que se soubesse a importante diferença entre essas duas relações matemáticas. Com relação ao que acabamos de comentar sobre as energias claras e escuras, se os egípcios saíssem em uma espiral na Proporção Áurea, nunca saberiam localizar o seu começo, uma vez que uma espiral na Proporção Áurea não tem começo nem fim. Portanto, eles nunca saberiam onde o seu corpo se situava em relação ao universo. Mas em se tratando de uma espiral de Fibonacci, eles poderiam fazer as contas, voltar pelos números de Fibonacci tais como 5, 3, 2, 1 e 1, localizar o seu corpo com exatidão, depois centrar-se nele. Eles saíam da experiência sobre a Terra dentro do sarcófago na Câmara do Rei, onde se encontrava o seu corpo. No entanto, ele seria uma pessoa completamente diferente, jamais voltando a ser a mesma, depois de ter a impressão direta do como é estar na consciência crística.

A Prova da Câmara de Iniciação

O fato de que essa é uma câmara de iniciação e não uma câmara funerária é bastante óbvio por duas razões. A primeira tem a ver com o processo de mumificação usado no Egito. Ao longo de todo o período inicial da história egípcia — com relação a todos os reis, rainhas, faraós, médicos, advogados ou outras pessoas especiais de que se tenha notícia de terem sido mumificados —, o processo era executado da mesma maneira. Fazia-se uma cerimônia, retiravam-se os órgãos, que eram colocados em quatro jarros de barro, depois embrulhavam o corpo, já no processo de mumificação, e o colocavam no sarcófago, selando a tampa. Então carregavam o sarcófago e os quatro jarros para o lugar onde fossem enterrá-los.

Não há, de que eu esteja ciente, exceções conhecidas a esse procedimento; ainda assim, na Câmara do Rei o sarcófago é maior do que a porta. Não poderiam tê-lo transportado para dentro da sala porque nem sequer conseguiriam sair de lá. Trata-se de um pedaço de granito enorme. Deve ter sido colocado na Câmara do Rei durante a construção da pirâmide. Essa é a única razão pela qual continua ali — de outro modo, teria sido roubado muito tempo atrás e colocado no Museu Britânico ou em algum outro lugar. A tampa não se encontra mais lá porque *podia* ser levada, mas não se pode remover o sarcófago.

A porta dessa câmara é pequena, e o túnel que se precisa atravessar para chegar lá é ainda menor, menor do que o próprio sarcófago. Está claro que ninguém foi enterrado nesse sarcófago. Além do mais, não foi encontrada nenhuma múmia nesse sarcófago quando se abriu a Câmara do Rei pela primeira vez. Essa é uma evidência circunstancial, mas é muito convincente.

A outra indicação de que essa é uma câmara de iniciação é que há passagens de ar para dentro dela. Se fosse projetada como um túmulo, não seriam necessários dutos de ar. As câmaras funerárias egípcias são o mais hermeticamente fechadas quanto possível, para proteger a múmia, e nenhuma delas têm dutos de ar. Mas tanto a Câmara do Rei quanto a Câmara da Rainha os têm. Por quê? Para assegurar que haja circulação de ar àqueles que usam o aposento para as suas cerimônias.

Eis aqui outra evidência circunstancial indicando para que era usada a Câmara do Rei. Quando a examinaram pela primeira vez, observaram um pó branco dentro da extremidade do sarcófago que dá para o centro da pirâmide, o lugar exato onde a sua cabeça ficaria se você estivesse sendo iniciado conforme explicado acima. Os que estiveram ali não sabiam do que se tratava, mas coletaram o pó e o guardaram dentro de um frasco de vidro, que atualmente se encontra no Museu Britânico. Só recentemente descobriram o que era aquilo. Vejam, quando se está em meditação e se entra no estado teta, o corpo caloso liga plenamente os hemisférios cerebrais esquerdo e direito, e a glândula pituitária começa a excretar um líquido através da testa. Quando esse líquido seca, transforma-se em pequenos cristais brancos, que se descamam. Era isso que estava no fundo do sarcófago da Câmara do Rei. Havia muito mais pó do que uma única pessoa poderia produzir. Isso provavelmente significa que muitas pessoas passaram por essa iniciação.

Depois de regressar ao corpo na Câmara do Rei, imediatamente o levavam através da Grande Galeria descendo até a Câmara da Rainha. Thoth não explicou exatamente o que era feito ali, mas disse que o objetivo era estabilizar a pessoa e a sua memória depois do regresso da experiência supercósmica para que não se esquecesse depois, para que a experiência não se perdesse. Essa foi e ainda é a finalidade da Câmara da Rainha.

Captando a Luz Escura

A câmara abaixo do nível do solo chamada o Poço é na realidade onde a iniciação começava. Ninguém que eu tenha estudado no mundo convencional sabe por que esse aposento existe. Mas quando se sobrepõe o corte transversal da pirâmide ao desenho do segundo nível da consciência (veja a Ilustração 9-44), pode-se ver do que se trata.

Suponham que vocês quisessem obter apenas a espiral de luz *preta*, que é na verdade o início da iniciação na pirâmide. Logicamente, vocês pensariam que o fariam na região *acima* da Câmara do Rei (seguindo a lógica da localização dela — a menos que vocês soubessem o que acontecia ali). Se vocês o *fizessem* na área superior, precisariam atravessar o ponto zero na base, e atravessar o Grande Vazio não é exatamente desejável. Há variáveis demais nesse estado, de acordo com Thoth. Portanto, eles preferiam um lugar imediatamente posterior ao feixe de energia à esquerda do ponto zero, que fica na região do túnel.

Agora, pensem nisso por um instante. Este desenho (Ilustração 9-46) não é perfeito, mas se fosse, vocês veriam o feixe de luz preta descendo a um ângulo de 45 graus e

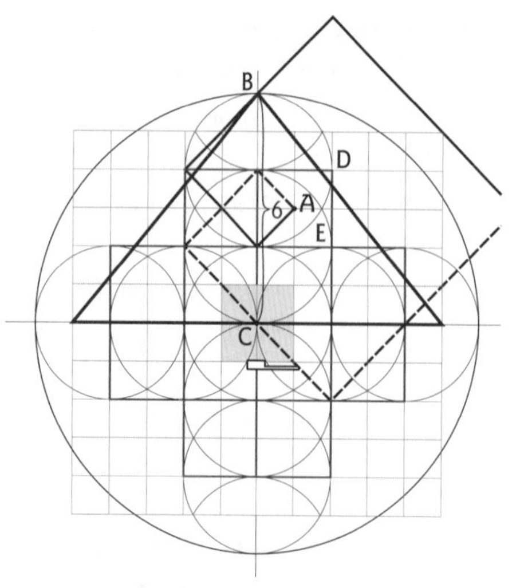

Ilustração 9-46. A Grande Pirâmide, mostrando o feixe de luz preta inclinado para baixo para atravessar o fim do túnel abaixo da pirâmide.

realmente cruzando a extremidade desse túnel. Os egípcios continuaram a cavar até que chegaram ao feixe de luz preta, então prosseguiram por mais uns 30 centímetros e pararam. Esse feixe é real, porque estive lá e o senti. Se deitarem ali, serão atingidos por um forte feixe de energia que se fixa sobre vocês — e terão uma sensação incrível.

Os Salões de Amenti e a Face de Jesus

Depois que é concluído o processo de iniciação nesse túnel, os iniciados passaram por um treinamento que os preparava para ir ao centro da Terra e para os Salões de Amenti, o útero da Terra. Esse espaço está localizado a cerca de 1,6 mil quilômetros dentro da Terra, não no centro. Os Salões de Amenti são um espaço tão imenso quanto todo o espaço exterior. Estive lá; alguns de vocês me ouviram contar essa história. E também estiveram todos os egípcios iniciados, antes de entrarem na Câmara do Rei para passar pelo terceiro nível da consciência humana.

Há um outro fato sobre a Grande Pirâmide que foi descoberto recentemente e é muito, muito interessante. No caminho para a Câmara da Rainha, do lado direito de quem sobe, foi descoberta uma coisa de cerca de 7,5 a 10 centímetros de comprimento. Provavelmente, todos vocês sabem sobre o Sudário de Turim, no qual está impresso algo que algumas pessoas pensam tratar-se da verdadeira face de Jesus. As análises científicas não puderam determinar como a imagem da face foi posta sobre o tecido, mas elas *demonstraram* de fato que ela foi criada de alguma forma por meio da exposição a um calor intenso. Isso é tudo o que foi possível dizer a respeito, pelo menos considerando tudo o que li. No caminho para a Câmara da Rainha, há uma imagem de uma pessoa sobre o que se parece com uma fotografia em uma pedra, e não se sabe como foi criada. As análises científicas indicam que foi feita pela exposição a um calor intenso. E a imagem parece ser a mesma face que há no Sudário de Turim. Ela se parece com a face de Jesus, se admitirem isso, e leva para a Câmara da Rainha, uma câmara que era usada para estabilizar a consciência crística.

Resumo do Processo de Iniciação

Primeiro você vai ao Poço, para a iniciação na extremidade final do túnel e sente a energia de luz escura que leva aos Salões de Amenti, ou ao útero da Terra. Depois você vai à Câmara do Rei, onde sente a energia da luz branca, que lhe proporciona a sensação de ser toda a criação. Finalmente, você vai para a Câmara da Rainha, onde é estabilizado na experiência da criação de modo que possa voltar à vida normal para ajudar os outros a encontrarem o caminho. Então você espera por um longo tempo. Num determinado momento, que poderia até mesmo ser numa vida futura, você volta para dentro da Câmara do Rei para a iniciação final, que é uma cerimônia de quatro ou cinco minutos que acontece no centro do aposento. Nessa cerimônia, uma *ankh* é desenhada sobre o terceiro olho do iniciado para verificar se ele ainda se encontra no caminho e se estabilizou depois de um longo período de tempo. Esses são os passos da iniciação conforme Thoth me explicou.

O que acabamos de ver é uma das mais importantes chaves do conhecimento do universo: a geometria dos níveis de consciência das origens humanas. Apenas começamos a explorar essa ciência. Examinamos apenas os primeiros três níveis, mas esse conhecimento nos dá a compreensão de onde estivemos, onde estamos agora e para onde estamos indo. Sem essa compreensão não poderiam conhecer a planta básica e o mapa da consciência humana.

DEZ

A Escola de Mistérios do Olho Esquerdo de Hórus

Há três escolas de mistérios no Egito. A escola masculina é a do Olho Direito de Hórus. A escola feminina é a do Olho Esquerdo de Hórus. E a terceira escola é a criança, ou a escola do Olho do Meio ou do Terceiro Olho de Hórus, que é simplesmente a vida — mas os egípcios consideravam a vida a escola mais importante de todas. Do ponto de vista egípcio, tudo o que acontece nesta vida é uma lição, parte de uma preparação escolar para níveis superiores da existência, os quais o mundo normal chama de morte. Toda a vida se trata de ensino e aprendizagem, e o que chamamos de vida normal cotidiana tem, para os egípcios, um significado profundo, secreto. Esta pintura mural (Ilustração 10-1) mostra o olho direito, o olho esquerdo e o olho do meio. Este mural é o símbolo não só de todas as três escolas, mas também

Ilustração 10-1. Centro superior: olho direito, olho do meio e olho esquerdo.

Ilustração 10-2. Outro mural das três escolas.

o significado e o propósito da própria vida. O olho direito é o masculino, o olho esquerdo é o feminino, e o olho do meio é a criança, a fonte de origem dos dois outros olhos, pois todos começamos a vida como uma criança.

O Olho Esquerdo de Hórus, a orientação feminina, estuda a natureza das emoções e sentimentos humanos, tanto positivos quanto negativos, a energia sexual e o nascimento, a morte, determinadas energias psíquicas e tudo quanto não seja lógico.

Desde o capítulo 5 examinamos a escola masculina do Olho Direito. Agora, eu gostaria de estudar o outro lado do cérebro, o lado feminino. Talvez eu não seja a melhor pessoa para ensinar esse assunto por ser homem, mas prometo esforçar-me ao máximo. As informações que vamos transmitir-lhes são para ajudá-los tanto na sua vida atual quanto na ascensão, se compreenderem a natureza sutil do que será apresentado.

A Ilustração 10-2 mostra outra representação das diferentes escolas. Vocês podem ver os dois olhos com a esfera no meio.

A Ilustração 10-3 apresenta a pedra do topo de uma pirâmide que atualmente se encontra no Museu do Cairo. Antes de mais nada, os admiradores de Sitchin (vejam o capítulo 3) podem lembrar-se de que o símbolo da oval com asas e duas cobras saindo de si é o símbolo de Marduk, o décimo planeta. Observem novamente os dois olhos com o componente central, simbolizando as três escolas.

Ilustração 10-3. Pedra do topo de uma pirâmide.

Outro símbolo da escola do Olho Direito de Hórus é a íbis junto da oval, mostradas embaixo do olho direito (à esquerda do centro). À esquerda desses símbolos há um nome — um cartucho. E continuando para a esquerda, podem ver o símbolo triangular da estrela Sírius e a *ankh*, um símbolo da vida eterna. No meio dessa fileira de símbolos encontra-se o ovo da metamorfose, representando a mudança física real por que se passa na vida para alcançar a imortalidade. Depois, seguindo para a direita, outro símbolo da escola do Olho Esquerdo de Hórus é um pedúnculo de flor com uma abelha ao seu lado. Então há outro cartucho e mais à direita podem ver a estrela Sírius, a vida eterna e a serpente, que representa a energia kundalini.

Aqui vocês veem Ísis e Osíris (Ilustração 10-4) e ele está segurando os instrumentos da ressurreição: da esquerda para a direita, o gancho, uma vara tendo em uma extremidade uma curva de 45 graus e na outra um diapasão, e um mangual. Ísis carrega a *ankh*, que oferece a Osíris por trás dele. De acordo com Thoth, a única maneira que se pode iniciar a *ankh* é por trás. Se tentar iniciá-la pela frente, ela o destruirá. A *ankh* é *muito* importante, e vamos dar as instruções da respiração sexual associadas à *ankh* posteriormente (tudo a seu tempo).

Ilustração 10-4. Ísis, Osíris e os instrumentos da ressurreição.

O gancho e o mangual são instrumentos verdadeiros, e estes (Ilustração 10-5) são os do rei Tutankamon.

Este mural se encontra em uma parede em Abu Simbel (Ilustração 10-6) e aqui vocês podem ver a família reunida — Ísis, Hórus e Osíris. Este é o único local que vi em todo o Egito onde é mostrado de fato o uso concreto desses instrumentos da ressurreição. Mal pude acreditar quando vi. Hórus segura a vara por trás da cabeça de Osíris, exatamente sobre o ponto do chakra onde fica a

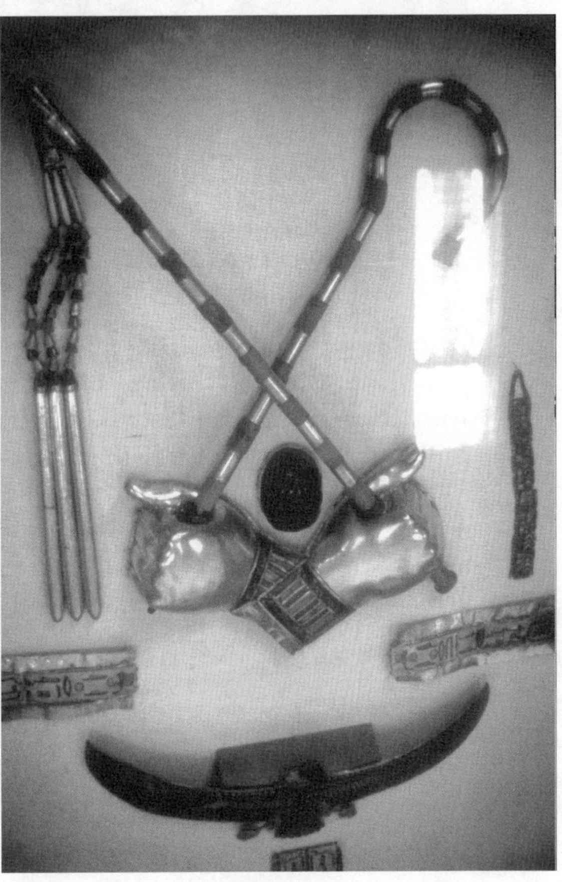

Ilustração 10-5. O gancho e o mangual do rei Tutankamon.

Ilustração 10-6. Ísis, Hórus e Osíris em Abu Simbel.

entrada principal do oitavo chakra. O gancho não é mostrado aqui, mas eles costumavam deslizá-lo para cima e para baixo ao longo dessa vara para afiná-la. Evidentemente, conseguiam afiná-la sem ele. Aqui, Osíris mantém o braço levantado, segurando com um dedo o diapasão, o qual é uma peça em ângulo com o que se afina o corpo para que a vibração exata corra através da coluna vertebral. Como podem ver, ele tem uma ereção. A energia sexual era e ainda é um componente da maior importância no conceito deles quanto à ressurreição. A energia sexual estava subindo pela coluna vertebral dele. Era no momento do orgasmo que eles eram capazes de fazer essa transição. Será preciso um livro inteiro só sobre esse assunto porque ele é muito complexo, portanto não vou tratar o tema do tantra egípcio inteiramente desta vez.

Na Ilustração 10-7, vocês veem Ísis colocando a *ankh* perante o nariz e a boca de Osíris, mostrando que a *ankh*, ou a chave da vida eterna, estava ligada à respiração. Tanto é que a *ankh* é ligada tanto à energia sexual quanto à respiração.

Na Ilustração 10-8, vocês veem uma cena semelhante em outro local. Em vez da esfera habitual acima da cabeça de Ísis, podem ver a oval vermelha da metamorfose, significando que ela dá instruções a Osíris acerca de como passar pela metamorfose e sobre a respiração, que são as que vocês receberão aqui. Ela segura delicadamente a mão dele e exibe um sorriso do tipo Mona Lisa, um sorriso muito delicado, amoroso, enquanto ensina a ele a respiração que o fará passar da consciência comum para a consciência crística.

Iniciações Egípcias

A Iniciação do Crocodilo em Kom Ombo

No mundo das emoções e dos sentimentos femininos, se estes não estiverem em equilíbrio dentro do iniciado, esse desequilíbrio nos impede de evoluir. Até que seja alcançado o equilíbrio emocional, só podemos seguir pelo caminho da iluminação até

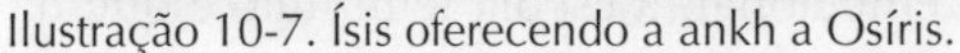

Ilustração 10-7. Ísis oferecendo a ankh a Osíris.

Ilustração 10-8. Outra oferenda da ankh.

uma certa distância, então tudo para. Pois sem amor e compaixão e um corpo emocional saudável, a mente se engana, pensando que está tudo bem. Isso cria a sensação de que o iniciado está alcançando a iluminação quando na verdade não está.

Vamos apresentar a cerimônia a seguir porque ela é um exemplo perfeito da importância que os egípcios davam à superação do medo, uma das emoções negativas. O medo era e ainda é a principal força que impede uma pessoa de se aproximar da luz. À medida que avançamos na direção dos mundos luminosos superiores, manifestamos sem rodeios os nossos pensamentos e sentimentos. Esse fato da natureza se torna um problema tremendo, uma vez que quase sempre manifestamos primeiro os nossos medos. E ao manifestar os nossos medos em um mundo novo, uma nova dimensão da existência, destruímos a nós mesmos e somos forçados a deixar os mundos superiores. Portanto, o que todas as raças antigas descobriram, e o que estamos descobrindo agora nos tempos modernos, é que para sobreviver nos mundos superiores, devemos primeiro superar os nossos medos aqui na Terra. Para atingir essa meta, os egípcios construíram templos especiais ao longo do Nilo.

A Ilustração 10-9 mostra o templo em Kom Ombo. Ele representa o segundo chakra, o chakra sexual, dos doze chakras que sobem pelo Nilo — treze se desejarem contar a Grande Pirâmide. Kom Ombo é o único templo que é dedicado à polaridade, ou dualidade, que é a base da sexualidade, e dois deuses estão associados a ela. Na

Ilustração 10-9. Templo em Kom Ombo.

Ilustração 10-10. Dois olhos esquerdos.

verdade, é o único templo dedicado a dois deuses em todo o Egito: Sobek, o deus crocodilo, e Hórus. Olhando-se de frente para o templo, a metade direita desse templo é dedicada à escuridão, e o lado esquerdo, à luz.

Recentemente, aconteceu um fato interessante nesse templo — uma espécie de sinal dos tempos. Em 1992, houve um grande terremoto no Egito, e Gregg Braden contou-me que estava sentado nesse templo quando aconteceu o terremoto. Praticamente tudo do lado da escuridão caiu, mas o lado da luz não perdeu um só tijolo. Conforme vocês verão neste trabalho que fazemos, a luz atualmente está mais forte do que a escuridão.

O entalhe da Ilustração 10-10 está na parede de trás desse templo em Kom Ombo. Os dois olhos esquerdos de Hórus mostram que essa é a escola do corpo emocional, a escola feminina, e que há realmente duas escolas dedicadas a dois deuses. À esquerda vocês veem a vara em 45 graus da ressurreição.

Na primeira vez que fui lá levei uma amiga, e na segunda vez ela me levou. Essa foi a minha segunda viagem em 1990, e nós participamos de uma linda cerimônia que a minha amiga proporcionou em Kom Ombo. Como parte da cerimônia, descemos por um buraco, e a Ilustração 10-11 mostra o corte transversal desse buraco.

Uma grande laje de granito desce pelo meio, deixando apenas um pequeno espaço entre o fundo dele e o solo. Assim nos esprememos por baixo da parte inferior e saímos pelo outro lado. Essa era a parte física dessa cerimônia. Eis aqui uma fotografia de alguém descendo por esse buraco (Ilustração 10-12).

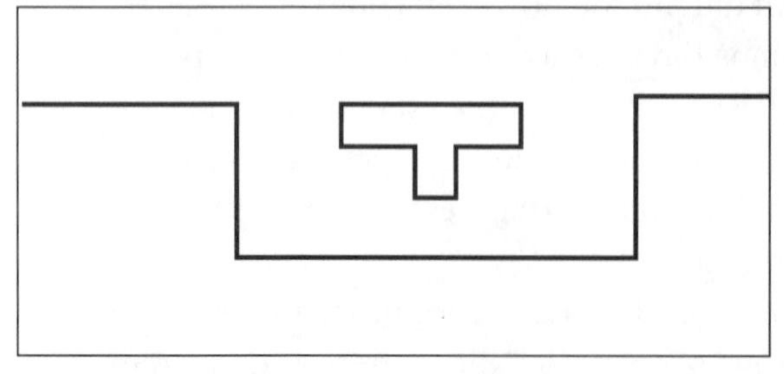

Ilustração 10-11. Corte transversal do buraco da ilustração seguinte.

No entanto, pude perceber que a cerimônia devia conter mais do que isso no passado remoto. A minha amiga está trabalhando com um grande grupo de pessoas, portanto naquele dia eu praticamente só fiquei observando. Estava consciente da presença de Thoth durante o tempo todo que permaneci no Egito, então lhe perguntei: "É só isso?" Ele respondeu: "Não, há muito mais do que isso". Então tornei a perguntar: "Bem, e poderia me contar?" Ele replicou: "Tudo bem. Esse conhecimento pode ser útil para você".

Thoth me pediu para escalar até o alto de uma parede na parte de trás do templo e olhar para trás. Então eu subi por aquela parede, olhei para trás e tirei esta foto (Ilustração 10-13). A entrada do buraco cerimonial ficava no ponto B, que ficou de fora na fotografia. Podem ver o Nilo ao fundo, à esquerda da grande estrutura. O rio corre pela frente e a água do Nilo entra direto no templo. Esse era um templo onde a água e os crocodilos eram usados nos ensinamentos.

Na fotografia anterior (Ilustração 10-12), vocês podem ver as pequenas cavilhas em forma de cunha nos pontos A (Ilustração 10-12b). Eles usam peças de metal com essa forma para prender duas pedras unidas de modo que não se movam durante os terremotos; isso deixa o local mais estável. Essas cunhas realmente seguram as paredes nesses pontos. O lugar onde o homem está descendo tinha paredes de ambos os lados. Quando se sobe no alto do outro lado (de onde eu tirei essa fotografia) podem-se ver os pequenos buracos em forma de cunha seguindo por todo o caminho até em cima, em C. Originalmente, as paredes em D e E estendiam-se até a parede de onde tirei esta fotografia, e vocês podem ver um espaço oco secreto no meio. Nessa vista desde os fundos do templo, o lado

Ilustração 10-12. Entrada para o buraco cerimonial. Vocês podem ver a mão direita e a parte superior da cabeça do homem descendo nele.

Ilustração 10-12b. Forma de cunha nos pontos A.

B

buraco mostrado como H na Ilustração 10.14a

Ilustração 10-13. O que restou do local de iniciação em Kom Ombo.

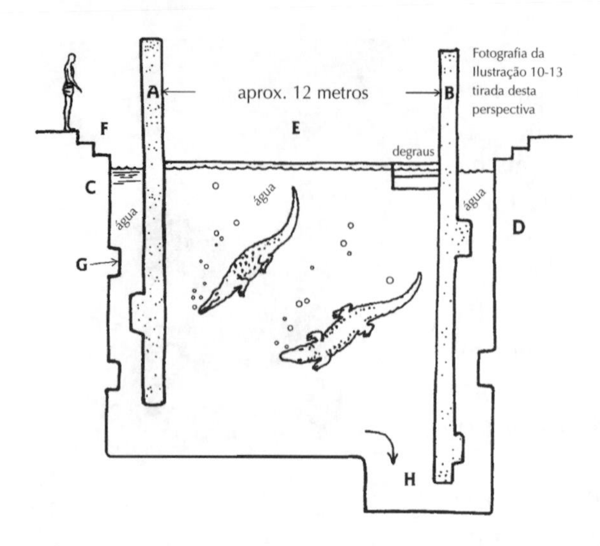

Ilustração 10-14a. Tanque de crocodilos usado para a experiência iniciática.

esquerdo desse centro oco era o lado do "escuro", e o lado direito era o lado da "luz". Se vocês estivessem em qualquer um dos lados dessa parede, não saberiam que havia um espaço vazio no meio. Seria bem difícil de imaginar porque vocês pensariam que o outro lado da parede era o outro lado do templo.

Em cada um dos templos do Egito, eram criadas situações para forçá-lo a passar por experiências em que você normalmente não se aventuraria, de modo que, quando passasse outra vez por situações semelhantes, você estivesse mais forte e com menos medo. Você era colocado em situações de medo extremo para superar os seus medos. Era para isso que servia esse espaço oco — era um exercício para superar o medo, um tipo de medo específico.

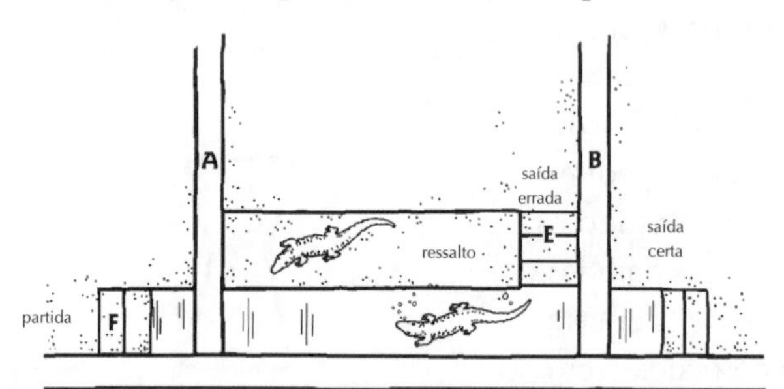

Ilustração 10-14b. Vista superior do tanque de crocodilos.

Era essa mais ou menos a função do complexo conforme Thoth me explicou. A Ilustração 10-14a é um corte, visto de lado, do espaço vazio entre as paredes. As paredes A e B ficavam a pouca distância das paredes C e D, e isso formava uma espécie de canal labiríntico que ia de uma abertura visível à outra. Dentro desse canal havia água — e crocodilos — onde talvez um crocodilo estivesse sobre o ressalto no centro, esperando com toda a paciência que algum humano entrasse na água. A luz entrava pela abertura em E.

Imagine-se como um neófito prestes a passar por essa prova. Depois de muita preparação e meditação, você ficaria sobre os degraus em F, olharia para baixo e veria um pequeno quadrado de água aos seus pés não maior do que um metro quadrado. Você não fazia a menor ideia do que havia na água nem para onde ela o levaria. Então mandavam-no entrar na água e não voltar pelo mesmo caminho em que entrara. Você, o neófito, só poderia contar com um único fôlego — e precisaria ser cuidadoso, porque se saltasse apressado e sem cautela, bateria na laje de granito no ponto G. Mas o seu treinamento teria ensinado a você a ser cuidadoso em todas as situações desconhecidas. Assim, inicialmente você precisava contornar essa laje de granito. Quando chegasse ao fundo, que tinha uma profundidade de uns 6 metros e sob a parede A, você sairia da escuridão do canal e veria a luz acima. Então veria os crocodilos. Você pode imaginar o medo que sentiria numa situação dessas. Não havia muita coisa que o iniciado pudesse fazer a essa altura a não ser nadar para cima, esgueirar-se entre aquelas temíveis criaturas e sair. Isso era o que acontecia com quase todos da primeira vez, de acordo com Thoth.

O que você não sabia era que aqueles crocodilos estavam plenamente saciados, portanto não atacariam você. Mas isso dificilmente faria alguma diferença para aqueles iniciados que mergulhavam no canal com o fôlego preso e olhando para eles. Eles não perdiam ninguém para os crocodilos, no entanto...

Quando você, o iniciado, saísse da água em E (observem a vista de cima, na Ilustração 10-14b), era informado de que acabara de fracassar. Então precisaria passar por mais e mais e mais instrução. Quando os seus professores considerassem que você estava pronto, eles o fariam passar novamente por essa cerimônia. Dessa vez você sabia sobre os crocodilos, que precisaria contar com um único fôlego e que a saída *não* era passar pelos crocodilos em direção à luz. Portanto, você mergulharia até o fundo outra vez, e no momento do seu maior medo, quando realmente estivesse vendo os crocodilos, precisaria procurar outra saída. A abertura H é por onde descemos e saímos do outro lado na cerimônia da minha amiga. Portanto, se você encontrasse a abertura H, precisaria ir ainda mais fundo e passar sob a parede B antes de poder nadar para cima e sair por outro canal totalmente às escuras, sem saber com certeza se sequer haveria uma saída por ali.

Esse era o tipo de iniciação que os egípcios realizavam naquelas escolas — experiências muito bem calculadas. E essas experiências era muitas e variadas. Esse prédio tinha todos os tipos de aposentos especiais projetados para superar o medo. Esse templo também tinha um lado positivo, onde era estudado o tantra — não só os prazeres sexuais, mas a compreensão das correntes sexuais e outras energias sexuais e a sua relação com a ressurreição. Também eram estudadas a ressurreição e a sua relação com todas as coisas que são humanas. A simples capacidade mundana de permanecer sob a água por tanto tempo era absolutamente uma façanha.

Agora que compreendemos a importância do medo, comentarei sobre a observação direta e sobre o segredo do Poço.

O Poço debaixo da Grande Pirâmide

O aposento da Grande Pirâmide chamado o Poço foi fechado por volta de 1984 por razões de segurança. Foi instalada uma porta de ferro na abertura para a passagem descendente que vai até o nível principal e colocada uma guarda ali por muito tempo. Isso aconteceu porque morriam muitas pessoas no Poço, tantas que finalmente o aposento foi vedado aos turistas. Eles morriam por razões inacreditáveis — por exemplo, serpentes e aranhas venenosas que nem sequer *existem* no Egito! O último incidente aconteceu pouco antes da interdição do Poço. Um certo tipo de gás venenoso apareceu no ar e matou um grupo de pessoas que fazia uma cerimônia no aposento. Ninguém sabe que gás era.

Esse espaço tem uma natureza muito incomum, especialmente na extremidade do túnel: ele termina em uma parede. Nesse túnel, há uma ligação entre a terceira e a quarta dimensão. O quer que se pense e sinta *acontece*, de verdade. Se você tiver algum medo, ele se torna real. Esse medo se manifesta e não lhe permite sobreviver no mundo novo. Se você não tiver medo, então estará livre para manifestar-se positivamente, o que abre a porta para os mundos superiores. Conforme vocês verão, essa é a natureza da quarta dimensão: o que quer que se pense e sinta acontece.

É por isso que as escolas de mistérios egípcias faziam os seus alunos passarem por doze anos de instrução, durante os quais eles se deparavam com todos os medos conhecidos pelo homem. Kom Ombo tratava apenas dos medos associados ao segundo chakra. Cada chakra tem os seus respectivos medos. Os iniciados passavam por todos os tipos de medos que vocês possam imaginar, de modo que ao fim dos doze anos eles se encontravam absolutamente destemidos por ter superado todos os medos. Todas as escolas de mistérios e as escolas de instrução ao redor do mundo faziam exatamente a mesma coisa de várias maneiras.

Os incas eram incríveis. As coisas que eles faziam para colocar a pessoa sob o domínio do medo e depois superá-lo são inexprimíveis. Ao contrário dos egípcios, eles não se importavam em perder uma alta porcentagem do seu pessoal. Eles eram violentos. Os maias faziam o mesmo. Lembrem-se dos jogos de bola maias em que duas equipes praticavam o ano inteiro para participar de uma partida que era como o basquete, mas dá para acreditar que os *vencedores* tinham a *cabeça* cortada? Eles acreditavam que era uma honra morrer dessa maneira, mas tudo isso realmente fazia parte de um programa de treinamento supradimensional.

Outra coisa interessante que aconteceu muitas vezes no túnel debaixo da Pirâmide é que as pessoas se deitavam, fechavam os olhos e tinham uma experiência impressionante, então acordavam no sarcófago da *Câmara do Rei!* Elas se perguntavam: "Como pôde acontecer *isso?*" Há muitos relatos escritos sobre isso, e os egípcios atuais têm uma sugestão de como isso poderia acontecer. O que acontecia era que as pessoas que vivenciavam esse fenômeno não tinham a instrução correta, então eram tragadas pelo vórtice de energia da luz preta, viajavam pelo Grande Vazio e iam para o início do vórtice da luz preta. Então as polaridades se invertiam e elas voltavam pela espiral de luz branca para dentro do sarcófago. O ser por inteiro, corpo e tudo mais, passava por essa outra realidade e regressava.

Houve muitos e muitos problemas com as pessoas deitadas no sarcófago na Câmara do Rei e passavam por experiências que eram irracionais segundo os padrões modernos. Por essa razão, o sarcófago foi mudado de lugar há muito tempo. Ele foi colocado enviesado e empurrado para trás, de modo que não se alinhasse mais com o campo. Atualmente, se alguém se deitar nele, não colocará a cabeça no feixe. Hoje em dia isso não é mais possível. Os egípcios sabem. Eles compreendem; não são bobos. E eles vivem lá por muito e muito tempo. É claro que eles têm uma história para o motivo de terem mudado o sarcófago de lugar, mas silenciam sobre a razão pela qual não o retornaram para a posição original.

Eles entendem sobre o sarcófago, embora não saibam sobre o túnel ao lado do Poço. Assim, em 1984, depois que aquele grupo de pessoas morreu no túnel do Poço, a área toda foi fechada e ninguém tem permissão de entrar lá. Quando fomos lá em 1985 e explicamos-lhes que era apenas na *extremidade* do túnel que residia o problema, eles abriram o resto da área ao público. Agora ela está aberta *com exceção* do túnel. A área toda permaneceu fechada por um período de cerca de apenas um ano.

O Túnel sob a Grande Pirâmide

No curso original Flor da Vida, eu costumava contar histórias todos os dias, porque esse é um dos melhores métodos que conheço para dar e receber informações. A história que vou lhes contar agora é sobre a minha experiência pessoal no túnel, de modo que vocês possam entender a natureza da iniciação pela qual os egípcios passavam e a natureza da quarta dimensão, o que irá se tornando cada vez mais importante à medida que este livro avança. Isso aconteceu exatamente como eu percebi, e espero que essa história motive a sua percepção. Vocês não precisam acreditar. Se preferirem, podem considerá-la apenas como uma história.

A narrativa a seguir foi editada, porque é comprida demais no seu conjunto, mas os pontos mais importantes foram mantidos.

Em 1984, Thoth apareceu para mim e disse que era para eu me preparar para uma iniciação no Egito. Ele disse que era necessário que eu passasse por essa iniciação para poder entrar em contato com as energias da Terra e acompanhar as mudanças futuras que aconteceriam aqui. Thoth me disse que para essa iniciação eu precisaria chegar ao Egito sem nenhuma interferência da minha parte. Não poderia comprar uma passagem nem tomar nenhum tipo de providência pessoalmente. Também não poderia nem sequer comentar com alguém que gostaria de ir ao Egito. De algum modo, os acontecimentos da minha vida teriam de levar-me até lá naturalmente, sem nenhum esforço da minha parte. Se fosse assim, a iniciação se iniciaria. Se não, então a iniciação não aconteceria. As regras iniciais eram simples.

Cerca de duas semanas depois fui visitar a minha irmã, Nita Page, na Califórnia. Fazia um bom tempo que não a via. Ela acabara de chegar da China, portanto parecia ser uma oportunidade perfeita para nos encontrarmos. Nita está sempre viajando. Ela já esteve em praticamente todas as cidades e países importantes do mundo várias vezes. Ela gosta tanto de viajar que acabou comprando uma agência de viagens para juntar o trabalho com o que adora fazer.

Sentado ao lado dela em sua casa, tomei cuidado de não comentar sobre o que Thoth havia solicitado de mim. No entanto, sem que eu dissesse coisa alguma, simplesmente aconteceu. Já era quase 1h30 da madrugada e estávamos conversando sobre a China. Havia um livro sobre a mesinha de centro da sala dela intitulado *The Secret Teachings of All Ages*, de Manley P. Hall. Enquanto falava, ela abriu casualmente o livro em uma página em que se via a Grande Pirâmide, e a conversa mudou para o Egito. Depois de algum tempo, ela me olhou nos olhos e disse: "Você nunca esteve no Egito, não é?" Eu confirmei e ela continuou: "Se algum dia quiser ir, pagarei todas as despesas. Basta me dizer quando".

Precisei morder a língua para não comentar sobre a exigência de Thoth, mas consegui. Não disse uma única palavra a respeito. Simplesmente agradeci a ela e disse que, quando quisesse ir, ligaria para ela.

Minha irmã estivera no Egito 22 vezes e provavelmente visitara todos os templos de lá. Estava agradecido por ela querer custear a minha viagem, mas realmente não sabia o que isso significaria em termos da iniciação. Entretanto, assim que cheguei em casa, naquela mesma noite Thoth apareceu e me disse que a minha irmã *era* o meio para eu ir ao Egito. Então fiquei ali sentado, ouvindo-o falar. Ele me instruiu a telefonar para ela de manhã e dizer-lhe que desejava ir entre 10 e 19 de janeiro de 1985. Segundo ele, esse período seria o único momento em que poderia ser feita aquela iniciação. Depois ele partiu. Isso aconteceu em um dia no início de dezembro de 1984, o que significava que teríamos cerca de um mês para nos preparar.

Na manhã seguinte, sentei ao telefone para ligar para ela, mas me sentia um pouco estranho. Quando a minha irmã me oferecera a viagem e dissera que arcaria com todas as despesas, eu sabia que ela na verdade estava se referindo a algum dia, não imediatamente. Então fiquei ali sentado imaginando como pediria a ela. Devo ter ficado ao lado do telefone por pelos menos uns vinte minutos antes de finalmente criar coragem para telefonar.

Quando ela atendeu, contei-lhe sobre Thoth e sobre o que ele me pedira. Depois disse a ela que precisaríamos partir dentro de um mês mais ou menos. No mesmo instante ela me pediu para esperar um pouco. Em seguida, ela respondeu que não seria possível antes de pelo menos nove meses, o que era mais ou menos o que eu esperava que ela dissesse. Nita, conforme comentei, dirigia uma agência de viagens, e estava com a agenda totalmente tomada até meados de setembro. Ela me amava e tentou atenuar o golpe dizendo que tinha um trabalho a fazer no momento mas que verificaria melhor a agenda e retornaria a minha ligação dentro de algumas horas. Quando ela desligou imaginei que o caso estivesse encerrado, embora não compreendesse bem, pois Thoth nunca errara em relação a nada, e ele afirmara: "É assim que você irá ao Egito".

Pouco tempo depois, minha irmã me ligou; sua voz parecia estranha. Ela disse: "Estou com a agenda cheia até mais do que pensei de manhã. No entanto, quando verifiquei o período que você me deu, não tinha nada marcado para ele. Estava completamente em branco! Estarei ocupada até o dia 9 e a partir de 21, mas não tenho nada marcado entre essas duas datas. Drunvalo, acredito que Thoth estava certo. Devemos ir".

Não bastasse isso, Nita telefonou no dia seguinte para me dar notícias ainda mais interessantes. Disse ela: "Quando telefonei à companhia aérea para comprar as nossas passagens, falei com o meu amigo que faz mais pela minha agência do que apenas emitir as passagens, e quando ele soube que as passagens eram para mim e para o meu irmão, ele as conseguiu de graça". Para mim, isso simplesmente confirmava a perfeição dessa iniciação. Realmente, não exigia esforços.

Depois disso, Thoth começou a aparecer todos os dias para ensinar-me as diferentes informações pertinentes ao trabalho que eu precisaria fazer no Egito. Primeiro, ele me passou um itinerário a seguir. A ordem segundo a qual entraríamos em quais templos não poderia ser alterada por nenhuma razão. Precisávamos visitá-los exatamente naquela ordem, ou então a iniciação não seria concluída.

Então ele começou a me ensinar a falar no idioma atlante. Determinadas frases e declarações precisavam ser ditas em voz alta em um atlante perfeito para que desse certo. Todos os dias Thoth aparecia e me instruía sobre como pronunciá-las. Ele me fazia repeti-las inúmeras vezes até soarem corretas aos seus ouvidos. Depois ele me fez transliterá-las em inglês para que não me esquecesse quando chegasse ao Egito. Em cada templo, eu precisava pronunciar algumas palavras no idioma atlante antes de começar a iniciação.

Finalmente, Thoth ensinou-me como lidar com o medo. Ele me ensinou determinadas técnicas para identificar se o medo era real ou imaginário. Ele me fez imaginar anéis elétricos azulados que se moviam para cima e para baixo em volta do meu corpo como bambolês. Se o medo fosse imaginário, os anéis se moveriam de um modo; se o medo fosse real, os anéis se moveriam de outra maneira. Levei muito a sério esse treinamento. Ele me disse que a minha própria vida dependeria do meu conhecimento acerca dessa meditação. Fiz o que ele disse e estudei tudo o que ele me ensinou como se a minha própria existência dependesse disso.

Quando foi se aproximando o momento da partida, outras pessoas se interessaram pela viagem. Thoth sabia disso antes mesmo de elas demonstrarem o seu interesse em participar. Ele disse que isso estava escrito havia muito tempo. Finalmente, éramos cinco ao todo — eu e minha irmã, outra mulher mais o marido e o irmão dele. Lembro-me da nossa chegada ao Egito, quando o avião sobrevoou o complexo de Gizé e deu uma volta ao redor dele. Nós cinco parecíamos crianças ansiosas para sair e brincar, estávamos muito entusiasmados.

Fomos recebidos no aeroporto por Ahmed Fayhed, o mais renomado arqueólogo egípcio do mundo, depois do seu pai, Mohammed. Mohammed era famoso em todo o Egito, e os dois eram muito amigos da minha irmã Nita. Ahmed nos tirou da fila para apresentar os passaportes, tomou o carimbo das mãos de um dos funcionários, carimbou os nossos passaportes e imediatamente nos conduziu até a rua, onde tomamos um táxi, sem que ninguém sequer nos indagasse algo sobre a nossa bagagem. Ele nos levou à sua casa, que era mais parecida com um prédio de apartamentos com vários andares de altura. A sua família numerosa ocupava diferentes "apartamentos" no prédio. Da casa dele, olhávamos diretamente para os olhos da Esfinge.

O pai de Ahmed, Mohammed, era um homem interessante. Quando criança, ele teve um sonho em que havia um enorme barco de madeira ao lado da Grande Pirâmide. No dia seguinte ele desenhou o barco, que incluía hieróglifos. Ele também tomou nota da localização exata do barco no sonho. De algum modo, o desenho chegou ao conhecimento das autoridades egípcias, que observaram que os hieróglifos eram reais, então decidiram cavar um buraco no local onde a criança dizia que se encontrava o barco. E ele realmente estava lá!

O governo egípcio tirou o barco do solo, mas o processo acabou desmantelando-o, então tentaram reconstruí-lo. Depois de dois anos de tentativas, acabaram desistindo. Então Mohammed teve outro sonho. Nesse sonho, ele via plantas mostrando como reconstruir o barco. A essa altura, o governo egípcio era receptivo às informações dele. A partir das plantas que ele desenhou, o barco foi reconstruído com perfeição. Então foi construído um galpão especial nas proximidades à Grande Pirâmide para abrigar o barco. Ele está lá até hoje, e vocês podem vê-lo com os próprios olhos, se quiserem.

Mohammed encontrou quase toda a cidade soterrada de Mênfis simplesmente dando as instruções exatas sobre onde deveria ser escavado. Ele fornecia aos egípcios os desenhos dos prédios ou templos antes de escavarem e acertava até os mínimos detalhes.

A pirâmide do meio em Gizé também foi aberta por intermédio dos poderes mediúnicos de Mohammed. O governo perguntou-lhe se estaria tudo bem se abrisse a pirâmide. Mohammed meditou e finalmente respondeu que tudo bem. O governo informou que pretendiam mover apenas um bloco (entre mais de 2 milhões deles), então Mohammed meditou por cinco horas na frente da pirâmide. Finalmente, ele declarou: "Movam este bloco". Conforme se descobriu, era o bloco exato que escondia a entrada, e foi assim que os egípcios entraram na segunda pirâmide pela primeira vez. Esse é o pai de Ahmed Fayhed, o nosso guia e amigo da minha irmã.

Quando chegamos à casa de Ahmed, ele nos indicou os nossos quartos e permitiu que descansássemos por algumas horas. Depois, ele se encontrou comigo e com a minha irmã e nos indagou sobre o local aonde queríamos ir. Forneci-lhe o itinerário que Thoth me indicara. Ele o examinou e observou: "Isso não é bom. Vocês têm apenas dez dias aqui e o trem francês que vai a Luxor só sai às 6 horas da tarde de amanhã. Assim vão perder quase dois dias. Acho que deveríamos ir a Saqqara primeiro, depois imediatamente à Grande Pirâmide". Isso, é claro, era exatamente o que Thoth me dissera para *não* fazer; e ele insistira em que deveríamos seguir exatamente o itinerário original indicado.

Mas Ahmed foi ainda mais enfático quanto a *não* seguirmos aquele itinerário. Ahmed não aceitaria um não como resposta e providenciou tudo para irmos visitar a Grande Pirâmide na manhã seguinte bem cedo. Acima de tudo, ele não queria que entrássemos no túnel ao lado do aposento chamado o Poço. Custou muito convencê-lo de que nós absolutamente precisávamos entrar no túnel. Esse fora o principal motivo de termos viajado ao Egito. Ele nos disse o quanto era perigoso, que muitas pessoas tinham morrido naquela parte da pirâmide e que se insistíssemos nessa parte do itinerário, ele não nos acompanharia até lá.

Eu não sabia o que fazer. Thoth dissera que *tínhamos* de nos deslocar de acordo com o itinerário, e agora parecia que não seria isso o que faríamos. Eu sabia que, se não o fizéssemos, a iniciação não aconteceria. Decidi ir à Grande Pirâmide pela manhã conforme a vontade de Ahmed, sabendo plenamente que, se o fizesse, estaria tudo acabado.

Na manhã seguinte, eu estava sentado na sala de estar da casa de Ahmed juntamente com os outros integrantes do grupo. Todos estávamos com as nossas mochilas prontas, com tudo o que pensávamos que pudéssemos precisar, como lanternas, velas, água e assim por diante. Finalmente, chegou a hora de sairmos, e Ahmed abriu a porta da frente e disse: "Vamos". A minha irmã saiu, seguida pelos outros três companheiros. Eu fiquei parado por um instante, então peguei a minha mochila e comecei a encaminhar-me para a porta.

Nesse momento, aconteceu uma coisa verdadeiramente inesperada. Eu me sentia perfeitamente bem de saúde e feliz naquela manhã, apesar de um pouco preocupado com a questão do itinerário. Quando dei um passo na direção da porta onde Ahmed me esperava, de repente senti uma onda de energia se abater sobre mim. Aquilo me fez parar imediatamente. Depois, uma segunda e muito forte e poderosa onda de energia atravessou todo o meu corpo. Eu não conseguia fazer a menor ideia do que estava acontecendo comigo. Então, aquelas ondas de energia começaram a se suceder a um ritmo cada vez mais intenso. A próxima coisa de que me lembro foi de ter caído no chão e começado a vomitar. Todos os órgãos do meu corpo pareciam ter entrado em colapso sem mais nem menos. Em menos de quinze segundos eu estava tão mal que não reagia a nada.

É estranho. Quando uma pessoa passa mal assim tão rápido, o espírito dentro do corpo não tem tempo de sentir-se mal. Lembro-me de estar caído no chão tentando entender o que estava acontecendo comigo. Era quase como se estivesse vendo um filme da minha indisposição repentina.

Levaram-me para um quarto, onde a minha condição rapidamente degenerou para uma paralisia total. Não conseguia mover nenhuma parte do corpo. Foi uma sensação espantosa. Fique assim por cerca de três horas, e parecia que o que quer que estivesse me acometendo, estava se tornando pior. Ninguém podia fazer nada. A próxima coisa de que me lembro foi de acordar na manhã seguinte.

Durante a maior parte do dia, não conseguia fazer nada a não ser permanecer ali deitado. Finalmente, por volta das 3 horas da tarde, comecei a sentir-me um pouco mais forte. Tentei fazer a meditação do Mer-Ka-Ba para curar-me, mas naquela ocasião não sabia como fazê-la deitado de lado. Tentei algumas vezes mas foi inútil. Por fim, chamei o meu amigo e o irmão dele para virem até o quarto e me ajudarem a sentar. Com a ajuda deles, consegui assumir a posição familiar para fazer a meditação.

Tão logo senti o prana fluindo através do meu corpo outra vez, comecei a sentir-me mais forte. Depois de apenas uns trinta minutos, já estava caminhando pelo quarto — um pouco atordoado, mas andando. Ahmed veio até o quarto e me viu de pé. Perguntou se me sentia melhor, respondi-lhe que sim, mas que ainda estava mal. Ele então enfiou a mão no bolso, de onde tirou o itinerário original e o observou pensativo. Depois disse que se eu pudesse viajar dentro de uma hora e meia, poderíamos pegar o trem francês para Luxor. Então concluiu: "Isso vai deixá-lo contente. Agora podemos seguir o seu itinerário original conforme você planejava".

Até hoje não sei se fui eu que me induzi a ficar naquele estado para retornar ao itinerário original ou se foi coisa de Thoth. Seja como for, a "doença" não foi normal. Pelo menos nunca senti nada parecido em toda a minha vida. Portanto, finalmente, a verdadeira iniciação poderia começar. Enquanto viajava no trem para Luxor, os pensamentos e sensações da doença não paravam de tentar retornar, mas continuei fazendo a minha respiração prânica, enchendo o meu corpo com a energia da força vital, e no momento que chegávamos a Luxor, na manhã seguinte, eu já voltara ao meu estado de sempre, entusiasmado com o que viria pela frente.

Registramo-nos em um hotel em Luxor antes de começar a iniciação no primeiro templo, o Templo de Luxor, o templo dedicado ao homem. Ahmed estendeu-me a chave do meu apartamento. Era o apartamento 444, o número da iniciação no espírito. Eu soube então que tudo voltara ao normal e funcionava perfeitamente. Na verdade, todos os acontecimentos no Egito transcorreram perfeitamente daí por diante. Seguíamos para cada templo na ordem exata que Thoth queria. Eu levava comigo a minha folha de papel para poder lembrar-me das palavras no idioma atlante e cada cerimônia era realizada do modo que ele queria. A vida fluía como o rio Nilo.

Finalmente, em 17 de janeiro, regressamos à casa de Ahmed, prontos para concluir a iniciação final no túnel. Isso não fora planejado, uma vez que eu tinha pouco controle sobre os acontecimentos no Egito, mas entramos na Grande Pirâmide em 18 de janeiro, o dia do meu aniversário. Na verdade, na segunda vez que fui ao Egito, em 1990, foi seguindo os planos da minha amiga, e de novo acabei na Grande Pirâmide no dia do meu aniversário. Tenho certeza de que há uma razão cósmica para tudo o que acontece.

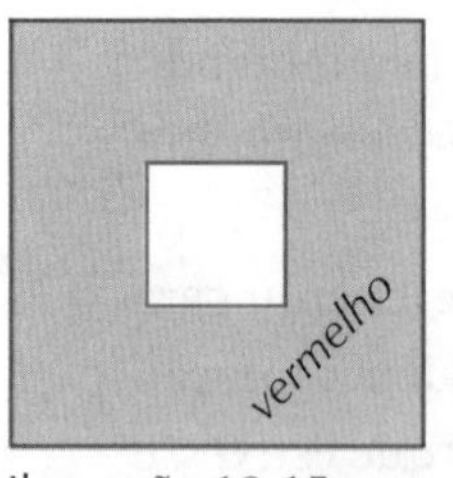

Ilustração 10-15.
O quadrado vermelho.

Chegamos no dia 17, mas não pudemos entrar na Grande Pirâmide enquanto Ahmed não recebesse a permissão por escrito do governo, que só chegou no fim daquela noite. Assim, no dia 18 bem cedo nos encaminhamos para o túnel.

Quando chegamos ao portão de aço que levava ao Poço, Ahmed e o seu pessoal detiveram o fluxo de turistas em dois pontos, para que os turistas não nos vissem entrar naquela área restrita. Entendam que 18 mil pessoas por dia visitavam essa pirâmide, portanto foi como conter uma manada correndo em busca de alimento. O guarda que nos permitiu entrar nos advertiu naquele momento: "Vocês têm exatamente uma hora e meia. Acionem o cronômetro do relógio. Se não voltarem até esse prazo, iremos entrar para buscá-los, e não estaremos amigáveis. Não se atrasem". Então ele nos deixou passar e, tão logo estávamos fora de vista, permitiu que os turistas continuassem.

Portanto, ali estávamos nós no alto de um túnel comprido e inclinado para baixo num ângulo de 23 graus, a mesma inclinação do eixo da Terra, que levava a um aposento cerca de 120 metros abaixo.

Nenhum de nós sabia o que fazer. Como descer por um túnel com menos de um metro de altura e outro tanto de largura, com uma inclinação assim tão íngreme? Não dá para caminhar, não dá para rastejar. Rimos e pensamos que talvez pudéssemos rolar para baixo. Precisamos tirar as mochilas, pois elas batiam no teto do túnel, então finalmente concluímos que precisaríamos andar como patos, com a mochila no colo. Pareceu funcionar. Todos os demais foram na frente e eu fui por último.

Enquanto descia pelo túnel, a minha mente estava em branco. Eu parecia não estar pensando, mas apenas observando. Então aconteceu uma coisa que me despertou. Há uma vibração na Grande Pirâmide que é muito profunda e intensamente masculina. Parece que nunca termina. Eu estava muito consciente dessa vibração desde o momento em que entrei na pirâmide e estava concentrado nela enquanto descia. De repente, notei estes dois quadrados vermelhos (vejam a Ilustração 10-15) incrustados nas paredes do túnel, um de cada lado. Eram de mais ou menos uns 5 centímetros quadrados. Quando passei por eles, a vibração pareceu cair cerca de uma oitava inteira, e no mesmo momento uma sensação de medo se apoderou de mim.

Eu estava tão envolvido com essa vibração e com essa nova sensação de medo (que é muito incomum em mim) que me esqueci de tudo o que Thoth havia me ensinado. Ele havia dito que a coisa mais importante ao entrar naquele espaço seria superar o medo, mas ainda assim me esqueci de tudo. Estava simplesmente reagindo aos meus sentimentos.

Enquanto me aprofundava no túnel, estava simplesmente sentindo aquele medo, mas então cheguei a outro conjunto de quadrados vermelhos. Ao passar por eles, a vibração caiu outra oitava e a sensação de medo tornou-se ainda mais intensa. Comecei a falar comigo mesmo. Perguntei: "Do que estou com medo?" Então ouvi uma voz dentro de mim dizer: "Bem, você está com medo de cobras venenosas". Respondi: "Sim, é verdade, mas não existem cobras neste túnel". A voz interior retornou: "Como pode ter certeza? Pode haver cobras neste túnel".

Quando cheguei ao fundo, continuava travando esse diálogo interior e sentindo aquele medo intenso agora de cobras. Quero dizer, sim, eu tenho medo de cobras, mas não é algo que aconteça com muita frequência na minha vida. Thoth parecia estar a milhões de quilômetros de distância. Esqueci que ele existia. Esqueci-me dos anéis elétricos azulados que poderiam afastar o medo. Todo aquele treinamento para nada.

Passamos pelo primeiro aposento, que raramente consta de qualquer livro sobre o Egito, entramos no aposento principal onde desembocava o túnel que tínhamos vindo ao Egito para visitar. Bem lá no meio do aposento estava o "poço" que dava nome ao lugar. Olhamos para dentro dele, mas ele estava cheio de entulho a uns 9 metros abaixo. Esse aposento não tem um formato particular. Ele é totalmente feminino, sem nenhuma linha reta. Ele mais se parece com uma caverna do que com um aposento. Por fim nos encontramos de pé diante do minúsculo túnel que era a razão de termos feito tudo aquilo.

Uma nota marginal interessante: quando conversei com Thoth sobre essa área, ele disse que esse aposento não foi construído pelos egípcios. Era tão velho que até mesmo ele não sabia quem o construíra. Ele disse que a proteção desse aposento foi a razão principal pela qual ele colocara a Grande Pirâmide naquela localização exata. Ele disse que era a entrada para os Salões de Amenti, o útero da Terra e um espaço quadridimensional, um dos lugares mais importantes do mundo.

Sempre que posso, verifico o que Thoth diz, o que ele encoraja. Especialmente coisas que podem ser facilmente verificadas. Portanto, enquanto estava com Ahmed no trem francês indo em direção a Luxor, perguntei-lhe sobre esse aposento e sobre quem o construíra. Ele confirmou o que Thoth disse, que não fora construído pelos egípcios e que também não sabia quem o construíra. Ainda assim, nenhum livro sobre o Egito de que tenho conhecimento menciona isso.

Voltemos à história. Esse túnel é muito pequeno. Não tenho certeza das suas dimensões exatas, mas ele é menor do que aquele pelo qual descêramos. A única maneira de entrar nesse túnel é rastejando de bruços. Acredito que penetre na Terra por cerca de 24 a 30 metros, mas as pessoas que têm voltado de lá recentemente afirmam que ele se aprofunda por cerca de 7,5 metros apenas. Isso não pode ser, portanto os egípcios agora provavelmente selaram o túnel. O piso era constituído de areia de silício e era macio. As paredes e o teto estavam cobertos com minúsculos cristais de quartzo e brilhavam como diamantes. Era lindo. Quando apontamos as nossas lanternas para dentro, a luz parecia espiralar, avançando apenas alguns metros pelo túnel, depois havia a escuridão. Nunca vi nada parecido com isso.

Um depois do outro, cada um de nós apontou a lanterna para dentro do túnel para avaliar a situação. Depois de cada pessoa ter feito isso, eles todos se voltaram na minha direção e disseram: "Você nos trouxe aqui; você vai primeiro". Não tive escolha.

Apertei a mochila contra o peito e comecei a rastejar, com a minha pequena lanterna apontando o caminho. É claro que eu ainda estava com medo de cobras e procurava por elas, esperando não encontrá-las. Depois do que pareceram horas, cheguei ao fim do túnel, sem avistar nenhuma cobra. Respirei mais calmo e relaxado. Mas então percebi alguma coisa — um pequeno buraco arredondado próximo ao lado direito do fim do túnel. Parecia um buraco de cobra.

O meu medo ressurgiu com toda a intensidade. Peguei a lanterna e apontei para dentro do buraco, para ver se alguma coisa estaria me observando. Não havia nada. Não gostei daquilo, mas o que poderia fazer?

Desviei a minha atenção para o problema imediato. Foi então que percebi que os hieróglifos egípcios que mostravam a maneira como Osíris conduzia os iniciados por esse túnel não poderiam ser feitos em tempos modernos porque o nosso corpo é maior (veja a Ilustração 10-16).

De acordo com os hieróglifos, Osíris e os seus iniciados sentavam-se. Isso era impossível para mim, então finalmente me lembrei de Thoth novamente e pedi-lhe para vir. Ele me disse para eu me deitar de costas com a cabeça voltada para a extremidade

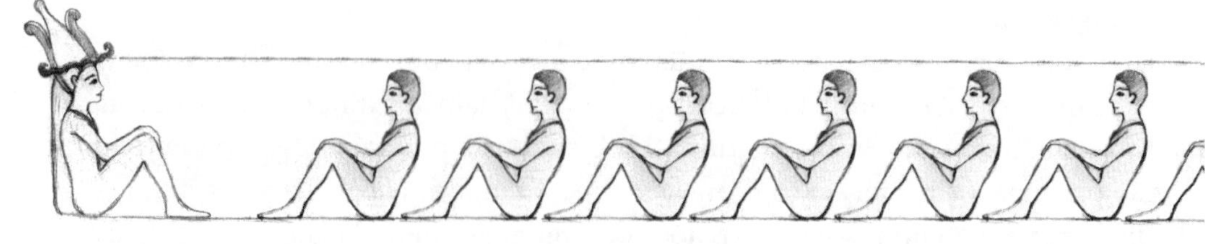

Ilustração 10-16. Osíris e os iniciados no túnel.

do túnel e para que o resto do grupo fizesse o mesmo. Fiz essa sugestão ao grupo e todos concordaram.

Quando me deitei de costas, imediatamente várias coisas aconteceram. Em primeiro lugar, notei de maneira arrasadora que aquele era o lugar mais escuro que tinha visto na vida. Levei a mão para a frente dos olhos, mas estava tão escuro que não cheguei nem sequer a começar a vê-la. Não acredito que possa haver nem mesmo um fóton de luz naquele espaço.

A impressão seguinte que me ocorreu foi a sensação inacreditável de massa e gravidade. Eu podia sentir a massa colossal que estava em cima de mim. Era como ser enterrado vivo. Eu tinha rocha maciça em todas as direções a não ser no túnel, e esse estava entupido de corpos humanos. Era uma coisa muito boa eu não ser claustrofóbico. Se fosse, o medo de espaços pequenos e apertados teria encerrado a iniciação com certeza. Na realidade, para mim tudo aquilo foi ótimo, não tive problema algum.

Então Thoth ressurgiu com muita nitidez e me disse para eu começar a fazer a meditação Mer-Ka-Ba. Foi o que fiz, mas então o medo de cobras começou a voltar. Lembrei-me de que havia um pequeno buraco "de cobra" que estava agora bem ao lado esquerdo a minha cabeça, atrás de mim, mas não podia vê-lo. A minha imaginação disparou. Eu via cobras saindo daquele buraco e começando a cobrir o meu corpo. Parecia tão real. Eu *sabia* que se continuasse com aquele medo, ele se tornaria *mesmo* real, e eu seria coberto por cobras rastejantes. Esse pensamento piorou ainda mais as coisas. Eu sabia que fora assim que tantas pessoas haviam morrido naquele túnel. E *ainda assim* me esqueci do treinamento contra o medo que Thoth me ensinara.

O que eu tive foi provavelmente uma reação americana. Agarrei a minha camisa como John Wayne e comecei a me "chamar a atenção". Disse que tinha percorrido todo aquele caminho até o Egito desde os Estados Unidos e "então se eu morresse? A vida continuaria". Disse para mim mesmo: "Aguente aí. Esqueça as cobras e lembre-se de Deus" e "Mesmo que o meu corpo esteja coberto de cobras, vou continuar".

Sorte minha, funcionou, e fui capaz de desviar a minha atenção para terminar a meditação do Mer-Ka-Ba. O lindo disco-voador estendeu-se por cerca de 16,5 metros ao redor do meu corpo e eu fui dominado por uma sensação de bem-estar. Esqueci-me completamente das cobras. Embora não tivesse acontecido comigo na época, pelo menos até regressar aos Estados Unidos, é interessante que eu não tenha conseguido fazer a meditação deitado quando estava doente alguns dias antes, ainda assim aconteceu naturalmente no túnel. Tenho refletido a respeito; talvez fosse porque quase não havia uma sensação de em cima e embaixo. Era como flutuar no espaço. Seja qual tenha sido a razão, graças a Deus fui capaz de meditar deitado de costas naquele túnel.

Thoth estava agora sempre no meu campo de visão. Ele primeiro me pediu as palavras em idioma atlante que pediriam a permissão dos sete senhores dos Salões de Amenti. Ele pediu que eu pronunciasse as palavras com energia, portanto fiz como ele disse. Houve um intervalo depois disso. Realmente não sei explicar, mas parecia como se passassem anos. Thoth então me perguntou se eu sabia que, enquanto fazia a Mer-Ka-Ba, estava enviando luz em todas as direções, como o Sol. Eu lhe respondi:

"Sim, eu sei". Ele insistiu: "Você sabe *mesmo?*" Eu reafirmei que sim, que sabia. Então ele falou pela terceira vez: "Se você sabe mesmo, então abra os olhos e veja". Abri os olhos e vi dentro do túnel. Tudo estava aceso com um brilho suave, bem parecido com o luar. Não parecia vir de uma fonte. Era quase como se o ar estivesse brilhando.

Então a minha mente se agitou, e eu pensei que era alguém do grupo com uma luz acesa. Levantei-me apoiado nos cotovelos e observei os outros quatro iniciados no túnel, mas eles estavam deitados quietos, sem nenhuma lanterna acesa. Eu os via com clareza. Tornei a deitar e olhei ao redor; foi impressionante. Não pude ver perfeitamente todos os detalhes ao meu redor. Pensei comigo mesmo que estava claro o bastante para ler, então fechei os olhos outra vez. De vez em quando abria os olhos, e a luz continuava lá.

A certa altura, com os olhos fechados, perguntei a Thoth o que aconteceria em seguida. Ele me fitou e disse: "Iluminar o túnel não é o bastante?" O que eu poderia dizer? Portanto, por cerca de uma hora iluminei o túnel e admirei esse fenômeno incrível. Lembro-me de que, quando o alarme do meu relógio soou, avisando-nos para regressar ao alto, estava de olhos fechados. Abri os olhos, esperando que o túnel estivesse iluminado, mas ele se encontrava totalmente escuro. Aquilo me surpreendeu. A iniciação terminara.

Fomos para o alto e os guardas estavam lá com o portão aberto. A minha irmã foi para fora da pirâmide, uma vez que estivera lá tantas vezes, mas o restante de nós tornamo-nos turistas e fomos visitar a Câmara do Rei e outros aposentos. Trocamos as nossas impressões mais tarde e ficou claro que cada pessoa teve uma experiência diferente — dependendo do que cada um precisava, presumi. A história da minha irmã foi extremamente interessante para mim. Ela falou sobre como se levantou naquele pequeno túnel e foi cumprimentada por seres muito altos que a levaram a um aposento especial para a sua iniciação. A vida é mais do que sabemos.

Quando saí da pirâmide, mal pude acreditar nos meus olhos. Do alto da porta de entrada elevada na pirâmide, vi uma enorme multidão que estimei como sendo de cerca de 60 mil a 70 mil pessoas. Quando examinei mais atentamente, percebi que eram quase todas crianças. Observando ainda mais detidamente, as crianças eram de cerca de 5 a 12 anos de idade. Viam-se poucos adultos. Eu não sabia por que elas estavam lá, mas elas estavam.

Quando olhei para baixo, para o degrau na base da pirâmide, notei que as crianças estavam de mãos dadas formando uma linha até onde a minha vista alcançava ao longo de uma das bordas. Caminhei por um degrau imediatamente acima delas, ao redor de um dos lados adjacentes, e continuei a ver crianças de mãos dadas ali também. A minha curiosidade era tão grande que terminei dando a volta em torno de toda a Grande Pirâmide para ver se aquilo era de verdade, e era! As crianças estavam de mãos dadas, formando um círculo completo ao redor da Grande Pirâmide. Cheguei a ir até a segunda e a terceira pirâmide para ver se o mesmo acontecia, e de fato estava acontecendo. As crianças tinham circulado todas as três pirâmides enquanto estávamos lá dentro. Indaguei a mim mesmo: o que será que isso significa?

Quando voltei ao meu quarto na casa de Ahmed, entrei em meditação e invoquei os anjos. Fiz-lhes a seguinte pergunta: "Qual é o significado de todas aquelas crianças?" Eles me perguntaram se eu me lembrava do que eles haviam dito doze anos antes. Eu não sabia a que estavam se referindo, então pedi que explicassem. Eles disseram que doze anos antes tinham pedido para eu ser o pai de uma criança que, segundo eles, provinha do Sol Central. Eles disseram que esse filho seria o vértice de uma pirâmide de milhões de crianças que viriam à Terra para ajudar-nos durante a nossa transição para a próxima dimensão. Os anjos disseram que essas crianças seriam quase como crianças comuns até se passarem doze anos, então começaria uma aceleração, e elas gradativamente surgiriam sobre a face da Terra como uma força que não poderia ser detida. Eles disseram que essas crianças estavam todas interligadas espiritualmente, e no momento certo da história elas mostrariam o caminho para o novo mundo.

Depois da meditação, calculei os anos entre o nascimento do meu filho Zachary e aquele dia. Zachary nasceu em 10 de janeiro de 1972, e a data dessa iniciação era 18 de janeiro de 1985. Ele estava com 13 anos e uma semana. Eu me esquecera, mas as crianças não.

No capítulo final, vocês aprenderão o que a ciência sabe sobre essas crianças. Verão a grande esperança que está surgindo sobre a Terra graças a esses seres lindos vindo do espaço, os nossos filhos.

Lembrem-se, as crianças são o Olho do Meio de Hórus; elas são a própria vida.

Os Háthores

Os háthores eram os mentores principais ou primordiais dentro da Escola do Olho Esquerdo de Hórus. Embora não fossem da Terra, nos tempos antigos eles estavam sempre aqui para ajudar-nos a desenvolver a nossa consciência. Eles nos amavam ardentemente, e ainda amam. À medida que a nossa consciência se tornou cada vez mais tridimensional, acabamos não podendo vê-los mais nem reagir aos seus ensinamentos. Somente agora, quando nos desenvolvemos, estamos começando a vê-los e a comunicar-nos com eles outra vez.

A Ilustração 10-17 tem a aparência de um integrante da raça háthor, uma raça de seres quadridimensionais procedentes de Vênus. Vocês não os veem no mundo tri-

Ilustração 10-17. Um háthor.

dimensional de Vênus, mas se sintonizarem Vênus na quarta dimensão, especialmente nos harmônicos superiores, encontrarão uma vasta cultura lá. Eles têm a consciência mais inteligente deste sistema solar e funcionam como a sede ou escritório central de toda a vida sob o nosso Sol. Se entrarem no nosso sistema solar vindo de fora, devem obter a permissão de Vênus antes de continuar.

Os háthores são seres extremamente amorosos. O seu amor está no nível da consciência crística. Eles usam sons vocais como meio de comunicação e de realizar ações no seu ambiente. Eles têm orelhas impressionantes. Eles praticamente não conhecem as trevas entre si; eles são simplesmente luz — são seres puros, amorosos.

Os háthores são muito parecidos com os golfinhos. Os golfinhos usam o sonar para fazer quase tudo, e os háthores usam a voz para fazer praticamente tudo. Nós criamos máquinas para iluminar ou aquecer as nossas casas, mas os háthores simplesmente usam o som da voz.

Não restaram muitas dessas estátuas representando a face de háthores porque os romanos pensaram que fossem algum tipo de espíritos malignos e perpetraram uma grande destruição dessas imagens. Essa escultura se encontra em Mênfis e é o topo de um pilar de 12 metros de altura, embora o nível do chão atual esteja um pouco acima do topo do pilar (o que vocês veem aqui foi escavado). Esse templo tinha acabado de ser descoberto em 1985 quando estive lá.

Os háthores têm cerca de 3 a 4,80 metros de altura, a mesma altura dos Nephilins, mencionados no capítulo 3. Durante muitos e muitos anos, eles ajudaram os povos da Terra, quase sempre pelo seu amor e os seus incríveis conhecimentos sobre o som. Há uma iniciação no Egito em que se cria o som da *ankh* — essa é uma das iniciações na Grande Pirâmide. É um som contínuo feito por um háthor, sem interrupção, por um período entre meia hora e uma hora. Ele é usado basicamente para curar o corpo ou restaurar o equilíbrio na natureza. É como quando produzimos o som *Om* e temos de respirar ao mesmo tempo. Os háthores aprenderam a produzir um som sem interrupção, respirando pelo nariz, inspirando para dentro dos pulmões e expirando por meio da boca continuamente. A realização dessa cerimônia de iniciação ao som da *ankh* era uma das muitas coisas que eles faziam por nós para produzir o equilíbrio. Os háthores estiveram aqui na Terra para ajudar a humanidade durante milhares de anos.

Inspirar e expirar ao mesmo tempo e produzir um som contínuo sem interrupção não é algo desconhecido atualmente. Um aborígine tocando o *didgeridoo* usa a respiração circular. Ele pode produzir um tom sem interrupção por uma hora, controlando o fluxo de ar que entra e sai do seu corpo. Na realidade, isso não é muito difícil de aprender.

Dendera

A Ilustração 10-18 mostra Dendera, e este templo foi dedicado aos háthores, os grandes mentores da raça humana. Havia faces de háthores em todas essas colunas, mas alguém no passado tentou destruí-las. Há enormes pilares dentro desse templo que se estendem até a parte de trás. O templo é enorme; não dá para *acreditar* no tamanho desse lugar! Ele se estende para trás por uns quatrocentos metros. (A propósito, ali está Katrina Raphaell à frente.)

Ilustração 10-18. Dendera e Katrina.

Há dois lugares principais em Dendera que eu gostaria de mencionar. Dentro do templo se encontra a carta astrológica a que me referi algumas vezes. Aqui também se encontra um aposento sobre o qual eu raramente comentei porque não o vi pessoalmente. Se entrarem no templo e virarem à direita, embaixo do painel frontal no piso encontrarão um aposento pequeno, a meu ver. Nesse aposento há uma coisa que é impossível segundo todos os padrões atuais. Há um entalhe da Terra vista do espaço, nas proporções perfeitas, com um fio de extensão saindo da Terra e um moderno plugue elétrico na extremidade. Próximo a este plugue, há uma tomada de entrada na parede exatamente como temos hoje. O plugue não está ligado à entrada na parede. Como é possível? Como os egípcios podiam saber que no futuro a Terra seria eletrificada?

Deixem-me contar-lhes uma história e mostrar a fotografia que prometi em um capítulo anterior. Quando estive em Abidos, no Templo de Seti I (Ilustração 10-19a; vejam o capítulo 2), um dos guardas que trabalhava comigo pediu-me para esperar até que todas as pessoas tivessem saído dessa área do templo. Então ele me disse para apontar a minha câmara e tirar uma fotografia de um determinado lugar de uma das vigas do teto. Estava escuro e não pude realmente ver o que estava fotografando. Só depois que voltei para casa e revelei o filme foi que vi do que se tratava.

Ilustração 10-19a. Templo de Seti I em Abidos.

Essa fotografia também era impossível por todas as ideias conhecidas do que significam o passado, o presente e o futuro (vejam a Ilustração 10-19b). Quando comentamos sobre as "faixas de tempo esculpidas" na página 58 do volume 1, tudo a cerca de 4,5 metros do nível do chão era sobre o futuro. Essa fotografia mostra uma parte a cerca de 12 metros do nível do chão de encontro ao teto.

O que é isso? É a imagem de um helicóptero de ataque com o que se parece com barris de petróleo empilhados embaixo e a metade de uma esfera com uma águia pousada em cima, encarando um tanque blindado. Parece haver dois outros tipos de aviões

Ilustração 10-19b. Os entalhes do Templo de Seti I em Abidos.

voltados para a mesma direção. Encarando esse "inimigo" está um tanque blindado. Quando mostrei essa fotografia pela primeira vez em 1986, ela não fazia sentido. Mas em 1991 havia um oficial militar reformado no meu curso que identificou o helicóptero como um modelo militar americano muito específico e disse que toda a série de hieróglifos se encaixava nos parâmetros da guerra chamada de Tempestade no Deserto. Essa foi a única guerra em que esse helicóptero e tanques estiveram presentes ao mesmo tempo.

Ilustração 10-20. O lintel da passagem para um aposento dentro do Templo de Dendera. No centro superior, vê-se o símbolo do planeta Marduk. Embaixo, vê-se o Olho Esquerdo de Hórus dentro de um círculo, e à sua esquerda está o hieróglifo de Thoth. O aposento em si contém a história de Ísis e Osíris em hieróglifos.

É difícil dizer que os egípcios *não* pudessem ver o futuro quando fizeram esses hieróglifos milhares de anos antes de o helicóptero ter sido sequer inventado. Muitas pessoas e *websites* de todo o mundo viram essa fotografia desde que a tirei e ainda não há explicação.

Esta fotografia (Ilustração 10-20) mostra a parte superior de uma passagem para um aposento pequeno elevado na parte de trás do Templo de Dendera. No centro do lintel superior de pedra encontra-se o símbolo de Marduk, o planeta dos Nephilins gigantes. Embaixo dele vemos um círculo com o Olho Esquerdo de Hórus dentro, que está difícil de ver aqui. E à sua esquerda vê-se o hieróglifo de Thoth, que está apontando para o círculo (vejam o detalhe na Ilustração 10-20a).

Ilustração 10-20a. Detalhe do círculo na parte inferior da Ilustração 10-20.

Além desse portal e nas paredes do aposento vê-se uma linda representação da história de Ísis e Osíris, que contei no capítulo 5, volume 1. Lamento que os funcionários não tenham me deixado tirar fotografias para mostrar a vocês. A história retratada na parede é a base da religião egípcia. Em uma forma extremamente simplificada, ela é contada da seguinte maneira.

Uma Concepção Imaculada

Osíris e Set, e Ísis e Neftis, eram irmãos e irmãs. Osíris casou-se com Ísis, e Set casou-se com Neftis. A certa altura, Set matou Osíris, pôs o seu corpo em um caixão de madeira e deixou-o flutuando Nilo abaixo (na realidade, um rio da Atlântida). Ísis e Neftis saíram pelo mundo em busca do corpo de Osíris. Quando o encontraram, trouxeram-no de volta, mas Set descobriu e cortou o corpo de Osíris em catorze pedaços. Em seguida, espalhou os pedaços pelo mundo afora, para ter certeza de que Osíris nunca mais retornaria. Então, Ísis e Neftis procuraram os pedaços e encontraram treze deles. O 14º era o falo de Osíris.

A história gravada na parede mostra que os treze pedaços foram encontrados e reunidos sem o falo ausente. Então Thoth faz uma magia, o falo ganha vida, e a energia criadora flui através do corpo de Osíris. É mostrado que Ísis então se transforma em um falcão, voa pelo ar e desce e envolve o pênis do marido com as suas asas. Então ela voa para longe, grávida. Ela tem um bebê com cabeça de falcão, Hórus, só que na realidade ele não tinha cabeça de falcão — esse é apenas o hieróglifo do seu nome. Hórus então vinga a morte do pai e a dor pela qual Set fez Osíris passar.

Thoth diz que o que foi representado ali é uma concepção imaculada, ou parto virginal. Uma vez que a mulher não precisa ser virgem, ele o chamou de concepção imaculada. Thoth classificou esse nascimento como interdimensional. Ísis voou para Osíris interdimensionalmente; não foi um acasalamento *físico* que aconteceu.

Os Partos Virginais no Mundo

O que vou apresentar agora é uma informação que me pediram para apresentar-lhes. Eu não soube o que pensar a respeito desse assunto por muito tempo, e vocês

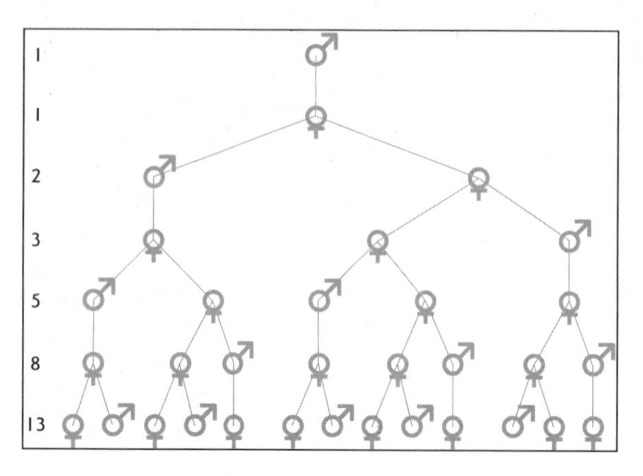

Ilustração 10-21. Árvore genealógica de uma abelha-macho.

terão de tirar as suas próprias conclusões. Estou lhes contando o que eu sei agora que é verdadeiro, mas quando me contaram sobre isso pela primeira vez, pensei que se tratasse de mito puro. A maioria das pessoas pensa que é mito puro, que a história sobre Maria e José e o parto virginal poderia acontecer apenas com Jesus, e não seria possível que acontecesse com uma pessoa comum. No entanto, eu aprendi que há evidências concretas de que a concepção imaculada é absolutamente verdadeira e que faz parte da vida cotidiana.

Considera-se que muitos dos líderes religiosos e fundadores das religiões mundiais, como Krishna, por exemplo, ou Jesus, nasceram de uma virgem — de uma mãe e um pai que não se acasalaram fisicamente. Como eu disse, pensamos que isso é algo que não teria possibilidade de acontecer de verdade na vida cotidiana. Em outros níveis de vida na Terra que não o humano, os partos virginais acontecem a todo minuto do dia em todas as partes ao nosso redor, em todo o mundo, o tempo todo. Insetos, plantas, árvores, quase todas as formas de vida, usam a concepção imaculada como um meio de reprodução. Vou dar-lhes um exemplo.

A12 The Morning News Tribune, Friday, Jan. 15, 1993

Associated Press

Gecko lizards were part of a competitiveness study.

Lizards with big appetites force smaller cousins to move outside

The Associated Press

LOS ANGELES — Scientists staged wars between lizards inside old hangars in Hawaii to learn why sexually reproducing geckos have pushed their asexual rivals out of urban homes throughout the South Pacific.

The answer: Sexual lizards are bigger and hog the dinner table.

Without overt aggressive action, the bigger wall-climbing, insect-eating lizards simply scare the smaller reptiles away from houses where tasty insects congregate around light bulbs, ecologists said in today's issue of the journal Science.

"Ecologists like me would like to be able to predict which ecosystems are more susceptible to invaders from outside, which are more resistant and why," said Ted Case, a co-author of the study and biology chairman at the University of California, San Diego.

The new study "is one of the best examples so far of the way and the rate at which an invader can displace a resident competitor," Case said Thursday during a phone interview from San Diego.

For thousands of years, people in the Pacific islands have shared their homes with mourning geckos, which enter houses through small openings and are virtually impossible to keep out. Mourning geckos are about 3 inches long. All are female. They reproduce asexually by laying and hatching eggs without male help.

Since World War II, 3.5- to 4-inch-long house geckos — a different species native to the Philippines and Indonesia — have displaced mourning geckos in urban homes as they hitchhiked on planes and boats to Fiji, Samoa, Tahiti and Hawaii.

House geckos come in male and female varieties. They reproduce sexually through copulation. They have pushed the mourning geckos into rural communities and forests far from bright city lights.

Ilustração 10-22. Geco no noticiário; uma espécie exclusivamente feminina. Talvez alguns leitores possam pesquisar mais sobre o assunto.

A Ilustração 10-21 mostra a árvore genealógica de uma abelha-macho. Uma abelha-fêmea pode produzir uma abelha-macho sempre que quiser. Ela não precisa pedir permissão do macho e não precisa de um macho para criar um novo macho. Ela pode simplesmente fazê-lo. Se quiser produzir uma abelha-fêmea, no entanto, ela precisa acasalar-se com um macho. Nessa árvore genealógica, o macho precisa apenas de uma mãe, mas a fêmea precisa de um pai e uma mãe. Toda abelha-pai precisa apenas de uma mãe, e as gerações seguem esse modelo especial. A coluna de números à esquerda da ilustração mostra o número de membros a cada nível dessa árvore genealógica. Quando observarem esses números, verão desenvolver-se a sequência 1, 1, 2, 3, 5, 8 e 13 — a sequência de Fibonacci.

Isso indica que a concepção imaculada — ou pelo menos essa — é fundamentada na sequência de Fibonacci. No entanto, se as pessoas se acasalarem da maneira normal, qual será a sequência formada? Em primeiro lugar há o bebê, depois os dois pais, os quatro avós, os oito bisavós... 1, 2, 4, 16, 32, a sequência binária. Esses dois processos de nascimento imitam as duas sequências primárias da vida; a sequência de Fibonacci é feminina, e a sequência binária é masculina. Assim, de acordo com essa teoria, a concepção imaculada é feminina, e a cópula física é masculina.

Partenogênese

A Ilustração 10-22 mostra a fotografia de um geco, uma pequena lagartixa (a notícia, do jornal *Morning News Tribune,* de Tacoma, estado de Washington, de 15 de janeiro de 1993, comenta um artigo publicado na revista *Science* da ocasião). Esses gecos vivem nas ilhas do Pacífico, e esse em particular é chamado de "geco-chorão". Tem cerca de 7,5 centímetros de comprimento, e todos os indivíduos são *apenas* do sexo feminino. Não existem gecos-matinais-machos — sempre — no planeta todo, apenas do sexo feminino. Toda a cultura de gecos-chorões é exclusivamente feminina, ainda assim continuam tendo filhotes sem a presença de machos. O artigo informa que são todos do sexo feminino, e que se reproduzem assexuadamente, pondo e chocando os seus ovos sem a ajuda masculina. Como fazem isso?

Peter C. Hoppe e Karl Illmenser anunciaram, em 1977, o nascimento bem-sucedido, no Laboratório Jackson, em Bar Harbor, no Maine, de sete "camundongos só de mãe". O processo foi chamado de partenogênese, ou parto virginal. Entretanto, "concepção imaculada" seria o termo mais exato, uma vez que a fêmea não precisa ser virgem. Em outras palavras, eles foram capazes de pegar camundongos e, sem machos, induzir a concepção. Como fizeram isso?

Tive a boa sorte de contar com a presença de um médico em um dos meus cursos, que tinha pesquisado sobre a partenogênese e que a realizara em *seres humanos*. Tive a oportunidade de conversar calmamente com ele sobre o assunto. De acordo com esse médico, tudo o que um cientista precisa fazer é simplesmente romper a zona pelúcida com um pequeno alfinete. Assim que isso acontece, a mitose tem início e logo nasce o bebê. Parece que romper a superfície é tudo o que é necessário!

Conforme afirmei na página 246 do volume 1, o sexo masculino não contribui necessariamente com 50 por cento dos cromossomos na concepção, o que sempre se considerou como verdadeiro. O sexo feminino pode contribuir com qualquer quantidade de 50 a 100 por cento. Isso foi estabelecido definitivamente pela ciência como fato. Também se descobriu algo novo sobre os genes. Os cientistas sempre pensaram que a função de cada gene fosse fixa, que um determinado gene fazia uma determinada coisa. Mas agora se descobriu que *isso* não é verdade também. Um gene específico fará algo inteiramente diferente, dependendo de se vem da mãe ou do pai. Isso causou mais uma surpresa na compreensão da biologia.

Desde 1977, os pesquisadores têm tentado romper a superfície do ovo de todos os tipos de formas de vida. Quando fizeram isso com seres humanos do sexo feminino, sem o esperma masculino, as mulheres deram à luz bebês do sexo feminino — pelo menos, tem sido sempre do sexo feminino até agora. Portanto, hoje está absolutamente estabelecido que isso pode acontecer.

Duas outras coisas: 1) essas crianças do sexo feminino nascidas pela partenogênese são absolutamente idênticas à mãe que as gerou e 2) em todos os casos, as crianças do sexo feminino eram estéreis. Parece-me que há muito mais coisas envolvidas nesse assunto do que nós provavelmente sempre pensamos. Isso se aplica a muitos assuntos sobre os quais *pensamos* que sabemos muito.

A Concepção em uma Dimensão Diferente

Depois de refletir sobre essa ideia de parto virginal por muito tempo, fiquei com a seguinte dúvida: quando os cientistas induziram a partenogênese, é possível que tenham criado um bebê que seja fundamentado em um princípio diferente? É possível que a criança feminina não seja realmente estéril, mas que não pertença mais à sequência binária, mas à sequência de Fibonacci? E é possível que ela possa conceber *apenas* interdimensionalmente? Eles não pensaram nisso porque a observaram para ver se era capaz de conceber *fisicamente*. Interdimensionalmente significa que não se precisa nem estar no mesmo lado do planeta — ou até mesmo no mesmo planeta, a propósito. A ligação é num outro nível da existência. Esse modo de concepção ainda tem a energia sexual e o orgasmo, mas não requer estar fisicamente juntos.

Eis aqui uma outra coisa: quando a concepção é criada sinteticamente por meio da partenogênese, quando um objeto pontiagudo é usado para romper a superfície, sempre acaba resultando uma menina. Acredito agora que, quando o acasalamento é feito interdimensionalmente, resultará um menino todas as vezes. É claro que, só porque Maria e José tiveram Jesus, um menino, e Krishna era um garoto, e assim por diante, não é prova suficiente para afirmar que sempre resultará um menino, mas parece que é assim. Nunca houve uma exceção de que eu tenha notícia.

A Gênese de Thoth e a Sua Árvore Genealógica

O meu interesse pela concepção imaculada começou muito tempo atrás. Eu estava praticando a geometria um dia, e Thoth me observava. Eu tentava descobrir algo que ele estava tentando explicar para mim. É claro que a última coisa no mundo em que pensava era sobre a concepção imaculada, especialmente a partenogênese. Ele me perguntou se eu gostaria de ouvir a história da sua mãe. Eu respondi: "Claro" — sabem, enquanto eu calculava a geometria, realmente não estava tão interessado assim na história dele. Então ele me contou uma história muito incomum. Eu não sabia o que pensar sobre ela. Ele simplesmente me contou a história e partiu. Depois que ele se foi, pensei: de que *aquilo* se tratava?

Ele disse que o nome da sua mãe é Sekutet. Tive a oportunidade de encontrar-me com ela uma vez, apenas uma única vez. Ela é uma mulher excepcionalmente bela e deve ter uns 200 mil anos de idade, no mesmo corpo. Thoth disse-me que depois da época de Adão e Eva, enquanto os humanos aprendiam a acasalar-se fisicamente e passar pela sequência binária, sua mãe o fez de maneira diferente. Ela encontrou um homem e apaixonou-se por ele, mas eles aprenderam a se acasalar interdimensionalmente. Tiveram um bebê do sexo masculino — não uma menina, mas um menino. E no processo de ter esse bebê, de maneira muito semelhante à de Ay e Tiya (vejam os capítulos 3, 4 e 5), eles conheceram a imortalidade e tornaram-se imortais.

Isso aconteceu muito, muito tempo atrás, próximo do início da nossa raça. A mãe de Thoth e o marido faziam parte da raça recém-criada que foi desenvolvida para minerar ouro. Não sei se eles descendem da linhagem de Adão e Eva ou por parte da linhagem humana que era supostamente estéril. Seja como for, eles descobriram como acasalar-se interdimensionalmente, quase o verdadeiro início da nossa evolução. Na realidade, eles podem ter sido precisamente os primeiros a usar essa modalidade de concepção.

Uma Linhagem Terrestre Viaja pelo Espaço

Quando o seu bebê cresceu e se tornou um homem, seu pai, o primeiro marido de Sekutet, deixou a Terra e foi para o nível quadridimensional de Vênus, fundindo-se com a evolução de lá, e tornou-se um háthor. Isso é mencionado nas histórias e mitos egípcios. Inúmeras vezes seguidas, as histórias deles falam sobre como morriam e ascendiam ao nível da consciência venusiana.

Depois que o pai partiu para Vênus, Sekutet acasalou-se com o filho interdimensionalmente e engravidou de novo. Teve um segundo bebê do sexo masculino e, quando ele cresceu, o primeiro filho dela (o pai do segundo filho) foi encontrar-se com o pai *dele* em Vênus. Depois que o primeiro filho chegou a Vênus, seu pai foi para Sírius. Posteriormente, quando o segundo bebê cresceu, Sekutet acasalou-se com *ele* interdimensionalmente e teve ainda um terceiro filho. Quando o terceiro filho dela tornou-se maduro, o segundo filho (o pai do terceiro filho) reuniu-se com o *seu* irmão/pai (o primeiro filho) em Vênus. Depois que o segundo filho tinha se estabelecido em Vênus, o primeiro filho partiu para Sírius. E depois que o primeiro filho se estabeleceu em Sírius, então o pai dele (o pai *original)* foi para as Plêiades. No entanto, as Plêiades estavam apenas começando.

Isso se tornou uma linhagem viva que foi se aprofundando cada vez mais no espaço, cada filho seguindo o seu pai sempre mais adiante. É uma história interessante. Thoth disse que isso continuou seguidamente desde pouco depois do período histórico de Adão e Eva até a época da Atlântida.

O pai de Thoth, Thome, foi um dos três que atuaram como o corpo caloso que ligava os dois lados da ilha de Udal na Atlântida (vejam página 132). A certa altura, Thome deixou a Atlântida — ele simplesmente desapareceu da Terra e foi para Vênus, deixando Sekutet e Thoth aqui na Terra.

Mas então Thoth interrompeu a linhagem. Ele desposou uma mulher, Shesat, e de acordo com a lenda egípcia, eles tiveram um bebê, cujo nome era Tat (veja as páginas 163 ss. do volume 1). No entanto, Thoth disse: "Isso não é verdade. É mais complexo do que isso". Ele contou que antes de conhecer Shesat, havia se acasalado com a mãe interdimensionalmente e que foi ela quem concebeu Tat — a mãe dele. Ele e Shesat realmente tiveram um bebê, que *não* consta dos registros; ele foi concebido no Peru e era uma menina. Ela foi concebida fisicamente. Assim, ele diz possuir a sequência de Fibonacci, nos seus filhos com a mãe, e também a sequência binária, simultaneamente. De acordo com Thoth, isso nunca havia acontecido antes.

Depois de contar-me sobre sua mãe, ele disse: "É isso", e partiu. Fiquei pensando sobre a razão de tudo aquilo. Por que ele me contara a história? Tempos depois, ele regressou e disse: "Você realmente precisava saber mais sobre o parto virginal", e me disse para estudar o assunto. Assim, comecei a ler tudo o que conseguia encontrar sobre esse tema. Quanto mais eu lia, mais impressionante isso se tornava.

Se quiserem aprofundar-se nesse assunto, vão em frente. Poderão descobrir que ter um bebê pode ser a passagem para a imortalidade. Se realmente amam a alguém, e essa pessoa realmente amar vocês — se o amor entre vocês for um amor verdadeiro —, então podem ter uma outra opção para escolher, em termos de ascensão por meio do matrimônio sagrado e da concepção interdimensional. Por meio da sua união, poderão recriar a santíssima trindade viva na Terra.

A experiência que Ay e Tiya tiveram com o matrimônio e o nascimento sagrado na Lemúria torna-se clara agora. Talvez haja mais em relação à vida do que sabemos.

Em páginas anteriores estudamos partes da orientação feminina, a Escola de Mistérios do Olho Esquerdo de Hórus. Entendam que as suas emoções e sentimentos precisam estar equilibrados e que vocês simplesmente devem superar os seus medos antes de poderem de fato trabalhar com o campo de energia do corpo luminoso, o Mer-Ka-Ba.

A Flor da Vida na Perspectiva Feminina

Ilustração 10-23. A Flor da Vida.

Agora vamos examinar mais um aspecto da filosofia egípcia do ponto de vista puramente feminino, da maneira como era considerada pela Escola de Mistérios do Olho Esquerdo de Hórus. O que segue também pode ser visto como uma prova de que os egípcios sabiam sobre a Flor da Vida e a *vivenciavam*.

Vamos desdobrar a Flor da Vida de um modo completamente diferente do que fizemos antes. Vamos considerá-la de acordo com o lado direito feminino, em vez de fazê-lo de acordo com o lado esquerdo masculino como fizemos antes. Não terá a lógica masculina como antes, mas uma lógica feminina.

Começaremos, como fizemos antes, com a Flor da Vida (Ilustração 10-23). Existe uma determinada imagem dentro da Flor da Vida que iremos ressaltar. Se tirarem o padrão da Gênese e colocarem um círculo em volta dele, vocês obtêm esta imagem (Ilustração 10-24).

Ilustração 10-24. O padrão da Gênese dentro de um círculo (girado 30 graus).

Então depois de tirar os quatro círculos de cima e de baixo do círculo maior, obtêm esta imagem (Ilustração 10-25). Como podem ver, essa imagem é derivada da Flor da Vida.

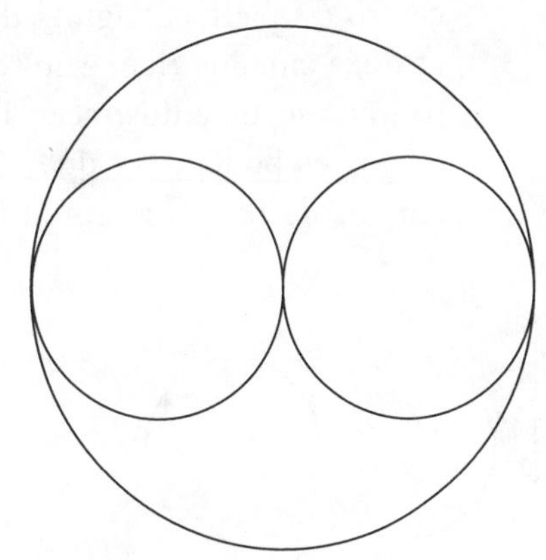

Ilustração 10-25. Dois círculos circunscritos por um círculo grande.

Agora, uma vez que temos essa nova imagem, vamos usá-la várias vezes seguidas. Tiraremos a imagem dos dois círculos e faremos círculos da metade do tamanho dentro dos círculos de tamanho médio (Ilustração 10-26). Continuamos a fazer círculos da metade do tamanho em cada um dos círculos menores, até obtermos a Ilustração 10-27.

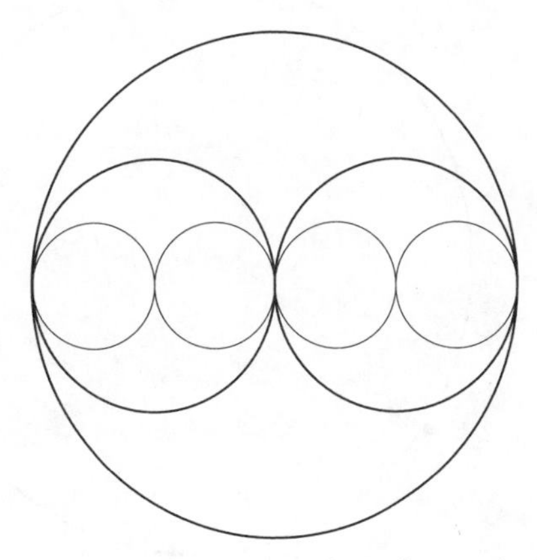

Ilustração 10-26. Duplicando os círculos.

Lembram-se da zona pelúcida e do ovo? Lembram-se de como o ovo primeiro foi para dentro de si mesmo para entender como a vida funciona, depois quando passou para o estágio de mórula, ou a forma de maçã (vejam a página 250 do volume 1), ele saiu de dentro de si mesmo? Eu gostaria de mostrar-lhes essa mesma ideia geometricamente. Assim, geometricamente, vocês podem *assumir* um padrão para descobrir como ele pode ir *além* do padrão. Vocês podem assumir um padrão para ver como funciona a onda senoidal para ir além do padrão original (Ilustração 10-28). A linha escura aqui mostra a onda senoidal do padrão da Ilustração 10-25 continuando além do padrão original. Depois de compreender isso, a vida pode ir além de si mesma. A vida simplesmente precisa saber como algo funciona geometricamente para usá-lo em padrões maiores. Assim como é em cima, também é embaixo. Assim, entendendo isso, vamos observar a Flor da Vida novamente, mas de maneira diferente.

O princípio básico da Flor da Vida é um círculo, ou uma esfera (Ilustração 10-29). E em cada círculo, não importa de que tamanho, podem encaixar-se sete

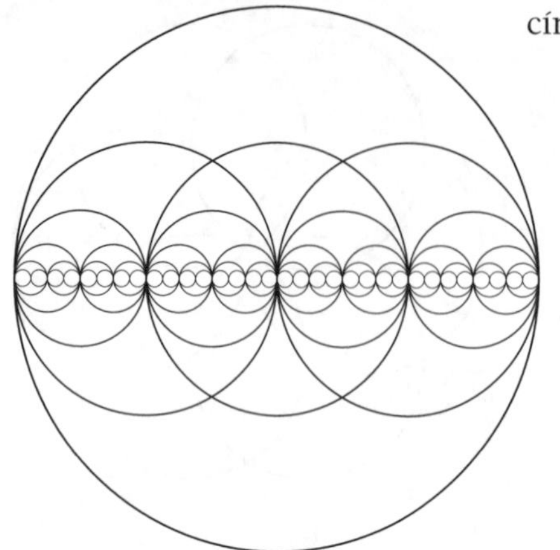
Ilustração 10-27. Uma série de círculos.

círculos menores exatamente dentro desse padrão (Ilustração 10-30). Essa é uma verdade eterna.

Vocês veem isso na Flor da Vida, onde há sete círculos principais ocultos dentro do círculo maior. Essa relação de 7 por 1 também é a base do padrão do Fruto da Vida. Na Flor da Vida, o Fruto está oculto de tal maneira que, quando se completam todos os círculos incompletos ao redor da borda exterior, mais uma rotação em vórtice *além* dessa leva ao Fruto da Vida — *do lado de fora* do padrão (vejam a Ilustração 6-12).

Mas há um modo de obter o Fruto da Vida *dentro* do sistema. Tudo o que se precisa usar é o *raio* do círculo do meio (ou de qualquer um dos sete) como o *diâmetro* dos seus novos círculos, começando o primeiro novo círculo no centro do padrão original de sete círculos. Então os alinhamos e, depois de traçar os doze círculos além e ao redor do círculo central, temos o Fruto da Vida *dentro* do padrão (vejam a Ilustração 10-31).

Vocês podem ver que chegam diretamente ao Fruto da Vida indo *para dentro* em vez de para fora como fizemos nos capítulos anteriores. Podem ver a incrível harmonia que envolve essa geometria. Não acontece o mesmo na música? A oitava tem sete notas, e *dentro* da oitava existem as cinco outras notas da escala cromática.

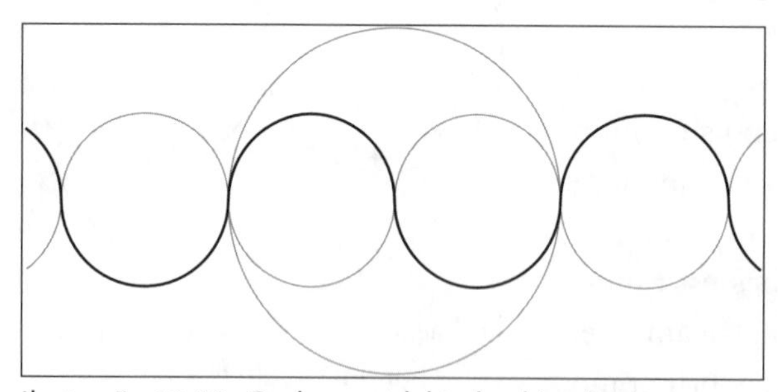
Ilustração 10-28. Onda senoidal indo além de si mesma.

Em seguida, fui instruído a dar continuidade a esse processo, assim, na Ilustração 10-32, usei o raio dos cír-

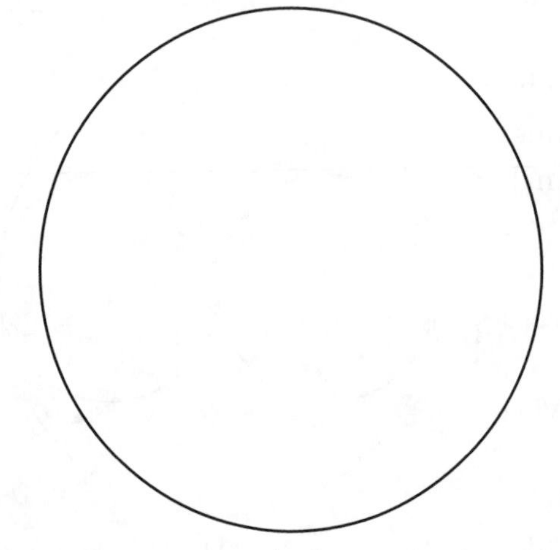
Ilustração 10-29. Um círculo, o padrão básico.

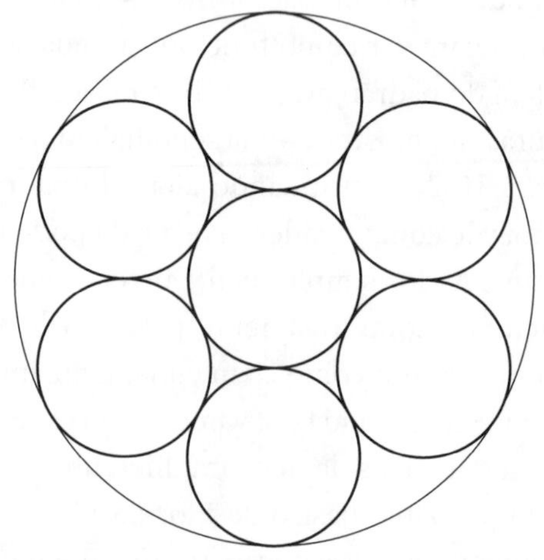
Ilustração 10-30. Sete círculos em um.

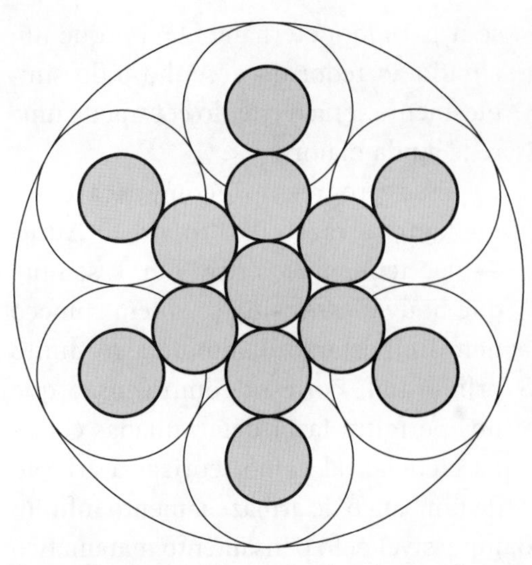

Ilustração 10-31. Treze círculos dentro de sete círculos.

Ilustração 10-32. Indo para mais um raio interior, ou reproduzindo na metade do tamanho.

culos menores como o diâmetro de uma série de círculos ainda menores e os expandi por toda a página.

Vocês começam a ver algo que não está definido ainda, mas parece que o Fruto da Vida é holográfico. Em outras palavras, vocês veem 13 círculos ligados a 13 círculos ligados a 13 círculos ligados a 13 círculos e assim por diante — pequenos Frutos da Vida em toda a volta, perfeita e harmonicamente dispostos sobre a página.

Uma vez mais, se desenharmos uma série de círculos ainda menores usando a proporção de raio para diâmetro, obtemos a rede de círculos da Ilustração 10-33.

Deliberadamente não estendi a rede sobre todo o padrão para que não se perdessem na imagem. Vocês podem ver novamente que ela continua se repetindo, 13 círculos ligados a 13 círculos e assim por diante. Se continuarem a fazer isso, a rede continuará se reproduzindo eternamente, para dentro, em perfeita harmonia dentro de cada padrão e totalmente holográfica, no que é chamado de uma progressão geométrica. Pode-se ir *para dentro* eternamente, e pode-

Ilustração 10-33. Entrando em mais um raio.

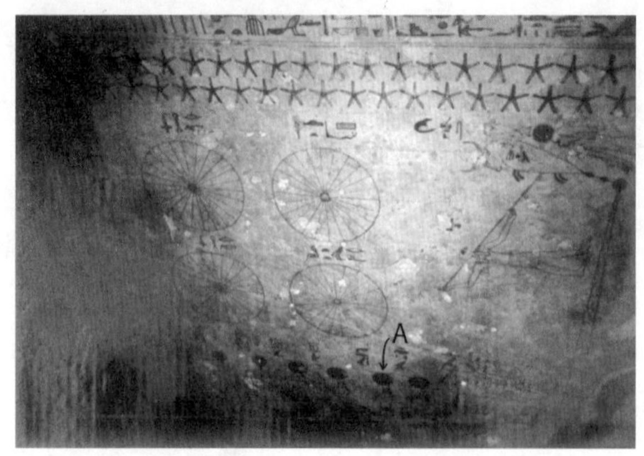

Ilustração 10-34a. Rodas egípcias no teto.

se ir *para fora* eternamente, porque um círculo ao redor do desenho todo simplesmente seria o círculo central de uma rede ainda maior.

Essa progressão geométrica é semelhante à razão da Proporção Áurea — não tem começo nem fim. E sempre que houver essas situações sem começo nem fim, estarão diante de algo muito primordial. Foi essa compreensão que nos permitiu fazer determinadas coisas na ciência, tal como teorizar a criação de um banco de armazenamento infinito para um computador, que seria considerado impossível pelo pensamento matemático convencional.

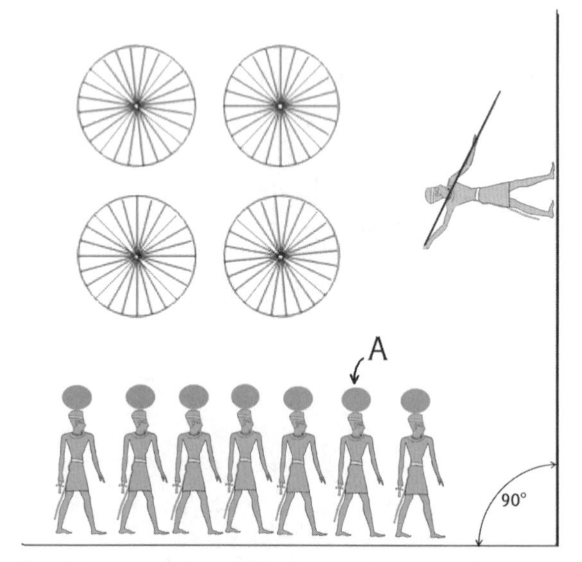

Ilustração 10-34c. Simplificação esquemática das rodas no teto.

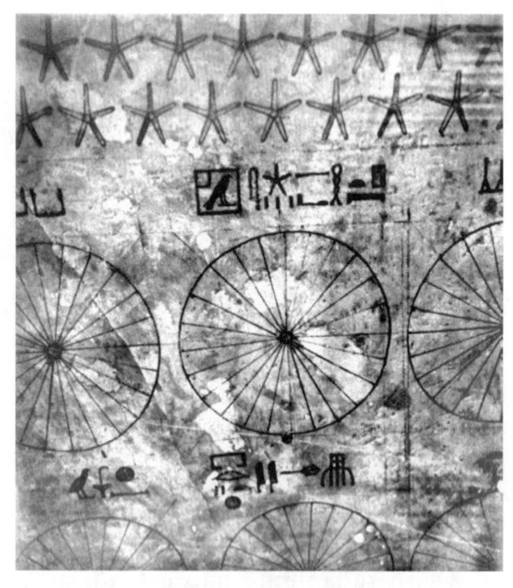
Ilustração 10-34b. Detalhe das rodas em outro teto.

Agora que compreendemos como funciona essa nova rede, vamos ver o que representam aquelas rodas encontradas nos tetos dos túmulos egípcios que lhes mostramos no capítulo 2 (páginas 69 e 70). Aqui estão duas daquelas fotografias (Ilustrações 10-34a e b) e uma simplificação esquemática (10-34c). Ninguém sabe o que são elas. Talvez o que segue dê uma resposta. (Vejam o texto explicativo mais adiante, na página 96).

Primeiramente, observem na Ilustração 10-35 a bela harmonia geométrica dessa rede circular da Ilustração 10-32 sobre a Flor da Vida. Vejam como essa rede se encaixa à perfeição. Vejam como ela prova a sua própria origem — a Flor da Vida!

Ilustração 10-35. A Flor da Vida e a nova rede.

Ilustração 10-36. A estrela dentro da estrela do Fruto da Vida.

Ilustração 10-36b. A estrela dentro da estrela do Fruto da Vida com um giro de 90 graus.

Agora vejam como a estrela dentro da estrela do Fruto da Vida se move harmonicamente sobre essa rede (Ilustração 10-36). Na Ilustração 10-36b, girei a estrela dentro da estrela e toda a rede a 30 graus. Ainda podem ver a estrela tetraédrica inscrita na esfera, mas a veem deitada sobre o próprio lado. A Ilustração 10-37 é uma rede polar do capítulo 8. Vejam ou sintam como esses dois padrões internos do Fruto da Vida podem ser sobrepostos e que eles são harmônicos.

Como observação marginal, esses dois desenhos, quando sobrepostos, são uma visão superior parcial do seu campo energético pessoal, que tem cerca de 16,5 metros de lado a lado, cerca de 8,2 metros a partir do seu centro até a circunferência. Vocês contêm todas essas formas geométricas ao seu redor. Se observarem atentamente esses vários desenhos, verão que eles todos podem ser sobrepostos, encaixados uns sobre os outros, uma vez após outra, indefinidamente. Enquanto examinarem esses desenhos, começarão a ver surgir uma única imagem, todas da Flor da Vida.

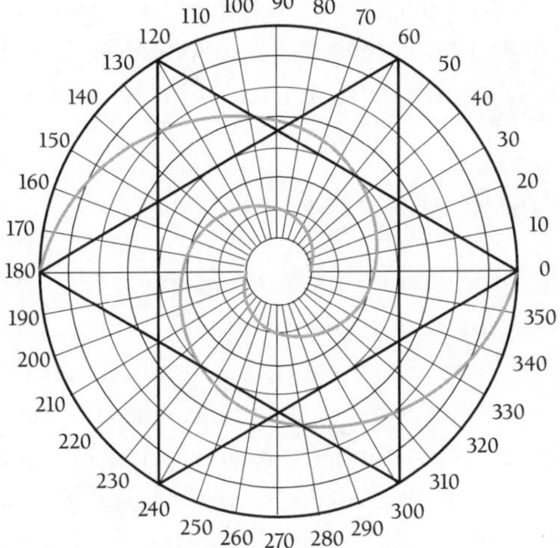

Ilustração 10-37. A estrela tetraédrica inscrita em um círculo e sobre a rede polar, do capítulo 8, página 288.

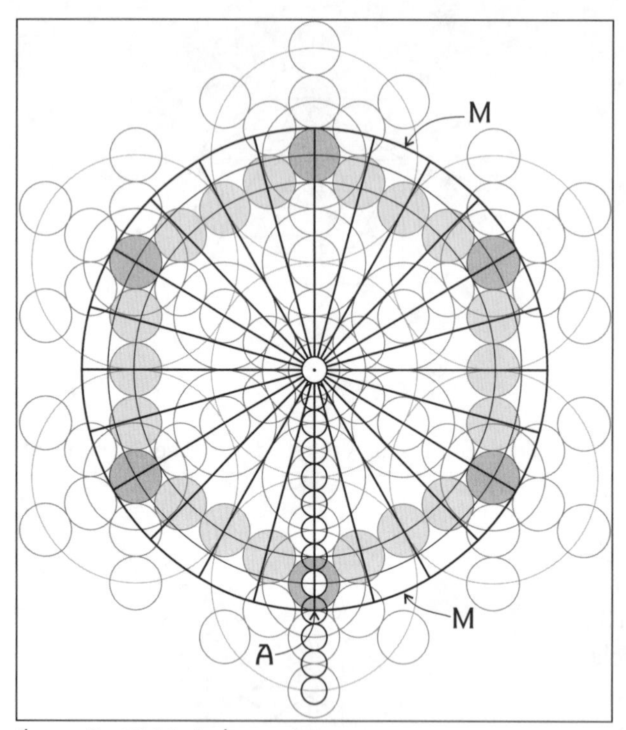

Ilustração 10-38. A chave secreta.

Já vimos como a imagem da Ilustração 10-38 está ligada a harmonias musicais (vejam a página 287 do volume 1). E vimos como as harmonias musicais e os níveis dimensionais se inter-relacionam, e que as diferenças nos ciclos por segundo entre as notas musicais e os comprimentos de onda de dimensões ou universos sucessivos obedecem a proporções exatas iguais (vejam as páginas 73-76 do volume 1). Depois de saberem que esse desenho está ligado às harmonias musicais e sonoras, poderão estudar esta ilustração (10-38) para compreender melhor as rodas nos tetos dos túmulos no Egito.

Observem primeiro que há uma série de círculos sombreados nesta rede que circundam o centro segundo um padrão hexagonal e que eles estão ligados entre si. Exatamente 24 dessas esferas pequenas tocam-se mutuamente. Se descessem na escala mais um nível até o círculo de tamanho menor seguinte, como o pequeno no meio do desenho, descobririam que há exatamente nove diâmetros desses círculos menores entre o centro e a borda do círculo externo em M, que contém os 24 círculos ligados. O mais externo desses nove círculos está indicado pela seta A, e a conta dos nove inclui o *raio* do círculo central e o do círculo externo como um diâmetro. Vocês podem ver esses nove diâmetros; não precisam medi-los. Agora observem o círculo escuro exterior, mostrado pelas setas M, que se encaixa perfeitamente ao redor daquelas 24 esferas e as 24 linhas radiais que cruzam apenas 12 dos centros desses círculos. As outras 12 linhas radiais estão na circunferência dos círculos de maior tamanho seguintes.

Rodas no Teto

Aquele círculo M e as 24 linhas radiais produzem uma imagem que é idêntica às rodas no teto egípcio (Ilustração 10-39) mostrado novamente aqui.

Lembram-se de terem visto lá no começo uma fotografia dessas rodas no teto? Ela se encontrava entre as primeiras fotografias que lhes mostrei (página 69 do volume 1) e eu disse que aquelas eram a prova de que os egípcios conheciam as informações que se encontram na Flor da Vida e que aqueles não eram apenas alguns desenhos engraçados em um teto egípcio. Agora vou mostrar-lhes o que acredito que elas sejam, pelo menos à maneira do cérebro direito, assim serão capazes de entender como pensavam os antigos.

Eu medi meticulosamente cada parte dessas rodas do Egito. Se medirem o diâmetro do pequeno eixo no meio e alinharem os círculos de mesmo tamanho que partem do centro para a borda da roda, encontrarão exatamente nove diagramas, mostrando que as proporções entre o círculo pequeno do meio, o círculo exterior e os 24 raios são idênticos ao das duas imagens anteriores (Ilustrações 10-37 e 38).

Ilustração 10-39. As rodas A, B, C e D ilustram como os raios das rodas se alinham ou não se alinham entre si.

A seta A (Ilustração 10-34a, mais claramente em 10-34c) aponta para o Ovo da Metamorfose sobre a cabeça das figuras, que dão uma guinada a 90 graus e mostram a progressão da ressurreição, creio eu, com base nas geometrias acima. Essas rodas são as chaves. Elas exibem as proporções que indicam e localizam precisamente o nível dimensional para onde esses antigos egípcios foram. Eles deixaram um mapa nesses tetos antigos.

Notem que cada roda gira de maneira diferente (Ilustração 10-39), de modo que os raios de uma nem sempre estão alinhados com os da roda seguinte. As linhas entre as rodas B e C parecem estar alinhadas precisamente, mas entre as rodas A e B e as rodas B e D as linhas estão desalinhadas. Elas todas estão viradas ligeiramente num ângulo diferente. Tenho certeza de que indicam o nível ou mundo dimensional para o qual eles foram.

No entanto, não importa como as observarem, seja o que forem essas rodas, o fato de que eles as pintaram sobre as paredes significa que entendiam a geometria mais profunda dentro da Flor da Vida. Ganhei um imenso conhecimento ao chegar a esses desenhos; pode não ter sido por acaso. Assim, do meu ponto de vista, nós *sabemos* que eles sabiam sobre a Flor da Vida. Em última análise, os egípcios sabiam disso que estamos tratando aqui, e muito provavelmente eles compreendiam a Flor da Vida em relação aos níveis da vida que nós, nos tempos modernos, só agora estamos começando a nos lembrar e entender.

A Geometria das Rodas Egípcias

Agora, para concluir a compreensão geométrica dessas rodas no teto e outros hieróglifos egípcios, apresento o seguinte. Existem dois outros hieróglifos egípcios

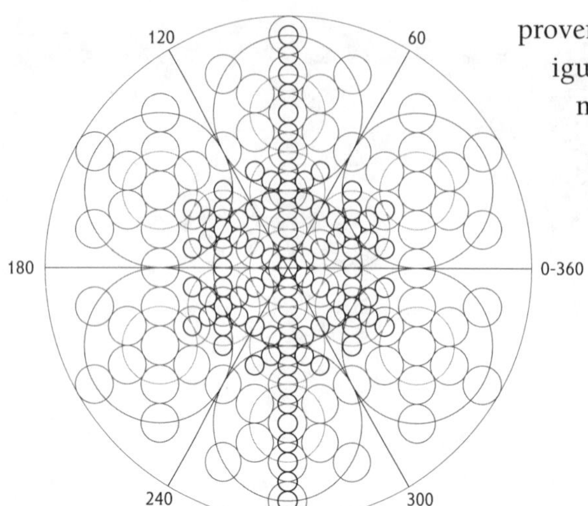

Ilustração 10-40. O Fruto da Vida com seis divisões.

provenientes desses mesmos desenhos que são igualmente importantes, e está claro para mim que eles devem ser integrados se quisermos de fato entender mais sobre o que os egípcios queriam expressar.

Na Ilustração 10-40, retorno a um desenho mais antigo que mostra o padrão do Fruto da Vida em uma progressão mais profunda. Observem que essas seis divisões separam o desenho em exatamente seis partes, cada uma delas exatamente a 60 graus.

Na Ilustração 10-41, na parte inferior e na parte superior do arco de 60 graus, vocês podem ver os círculos que definem exatamente esse arco. Então, se desenharem as linhas para o meio do arco definido pelo centro de cada padrão do Fruto da Vida, chegarão às seis divisões secundárias seguintes, o que resulta em divisões de 30 graus sobre a roda exterior. Isso divide o círculo exterior em 12 divisões, e é, é claro, a roda que os antigos egípcios usavam no templo de Dendera para definir a carta astrológica, dividir o céu e agrupar os padrões estelares.

Continuando na Ilustração 10-42, os círculos sombreados no arco superior de 60 graus definem o arco de 15 graus de cada lado da linha central em 90 graus, de 75 a 105 graus. O que resta nesse arco superior de 60 graus são exatamente dois arcos de 15 graus, dividindo a roda exterior em exatamente 24 divisões — a geometria exata encontrada nos tetos funerários do Egito.

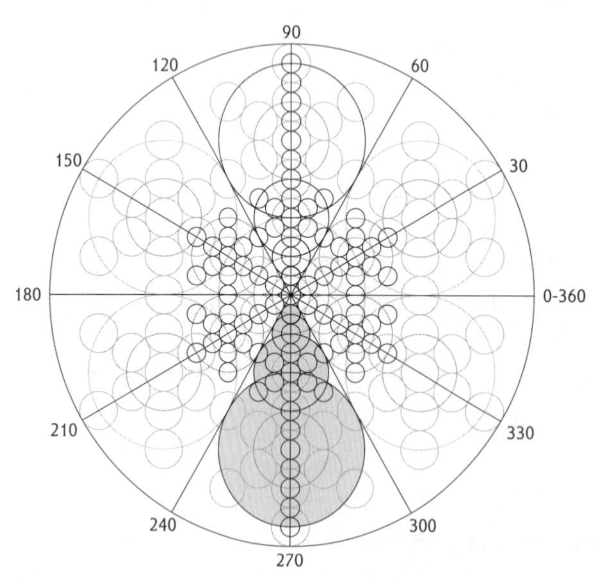

Ilustração 10-41. Os círculos sombreados mostram o ângulo de 60 graus, ao passo que as linhas que atravessam o centro do Fruto da Vida mostram o ângulo de 30 graus.

Considerando que essas rodas de 24 divisões também foram encontradas nos tetos com estrelas de cinco pontas que representam as estrelas, só faria sentido que elas estivessem relacionadas à carta astrológica de Dendera, pela qual os egípcios marcavam o seu caminho para o céu. Mais provas sobre essa ideia podem ser vistas diretamente na carta astrológica de Dendera (Ilustração 10-43). Observem que do lado de fora há oito homens e quatro mulheres sustentando a "roda". Isso representa as 12 divisões do céu. No entanto, observem também que são ao todo 24 mãos segurando a roda. Então observem que diretamente dentro da roda há 36 imagens. Todas as três divisões principais da roda estão nessa imagem de Dendera: 12, 24 e 36.

Além disso, se examinarem a Ilustração 10-44, verão algo bem impressionante. A princípio, esse desenho parece um pouco confuso, mas ele se revela com clareza. Observem primeiro a linha em 30 graus e vejam os sete círculos (a começar do número 0) partindo do número central até chegar ao número 6. O círculo branco de número 1 era usado para definir as seis divisões de 60 graus. O círculo branco de número 2 era usado para definir o arco de 30 graus da roda externo de 24 divisões. O terceiro círculo decompõe a roda externa em arcos de 20 graus e, quando dividido ao meio, produz arcos de 10 graus, os mesmos 10 graus do gráfico polar que se acredita ser originário do Egito. (Se não for, poderia ser.) Observem a linha a 150 graus com o seu círculo sombreado de número 3. Finalmente, os dois círculos sombreados de cada lado desse círculo sombreado de número 3 definem o mesmo ângulo de 10 graus, dividindo todo o arco de 60 graus em divisões de 10 graus, as quais, quando concluídas em todas as seis divisões, resultam no círculo externo de 36 divisões do gráfico polar.

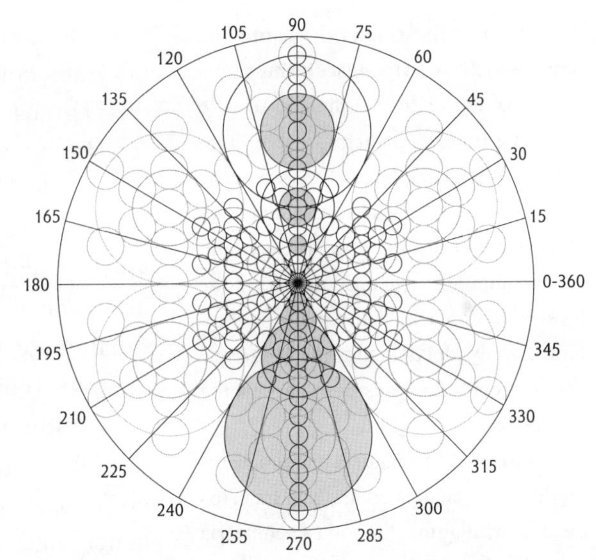

Ilustração 10-42. Os círculos entre 75 e 105 graus no alto da roda também mostram o ângulo de 30 graus.

Ilustração 10-43. A carta astrológica de Dendera.

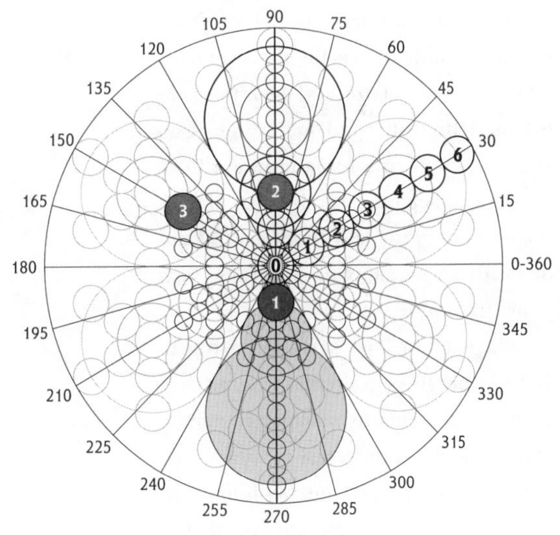

Ilustração 10-44. Os círculos, de 0 a 6, mostram os diferentes ângulos das diferentes rodas.

Atualização: Alguns dias antes da impressão deste livro, descobrimos uma anomalia ao verificar a matemática do diagrama final. A princípio, eu pretendia reescrever completamente essa parte, mas então decidi que os pesquisadores futuros poderiam precisar desse exemplo e compreender como um erro pode levar a descobertas ainda maiores. Portanto, resolvi deixá-lo, porque a essência está correta, e simplesmente apresenta a evidência.

Antes de mais nada, a geometria sagrada é uma ciência exata. Não há erros de maneira alguma. Em toda a geometria sagrada, observei sempre que quando alguma coisa "parece certa", provavelmente está — mas nem sempre. Entretanto, sempre que se revela algo em progressão geométrica em um determinado desenho, todas as progressões correlatas dentro daquela primeira progressão também devem ser corretas. Nunca vi isso *não* se comprovar.

Portanto, qual era o problema?

Ao efetuar as primeiras seis divisões do círculo externo em 0, 60, 120, 180, 240 e 300 graus na Ilustração 10-40, elas estavam absolutamente perfeitas. O segundo conjunto de seis linhas, criando as 12 divisões na Ilustração 10-41, também está perfeito. Está claro que a progressão circular, conforme ressaltado em 90 e 270 graus, separa essas linhas em exatamente 60 graus, e a linha central em duas divisões exatas de 30 graus. Isso é positivo.

No entanto, ao observar a Ilustração 10-42, a progressão circular interna *dentro* da progressão original aparentemente não continua em progressões sucessivas. A matemática mostra que as linhas em 75 e 105 graus não se encaixam perfeitamente no círculo. Cada linha está desviada por cerca de meio grau — um

Observem a matemática. O primeiro círculo é de 60 graus completos. O segundo círculo é a metade de 60 graus = 30 graus (os 24 círculos exteriores). O terceiro círculo é um terço de 60 graus = 20 graus (o círculo de 36 divisões). Se continuarmos, o círculo seguinte, o quarto, seria um quarto de 60 graus = 15 graus (círculo de 48 divisões). O quinto círculo é um quinto de 60 graus = 12 graus (círculo de 60 divisões). Finalmente, o sexto círculo é um sexto de 60 graus = 10 graus (círculo de 72 divisões).

O último cria o gráfico polar diretamente, e deve-se notar que, ao dividir o círculo exterior em 72 divisões, cria-se a plataforma para entrar na geometria pentagonal, uma vez que o ângulo do pentágono é de 72 graus. Agora a geometria feminina começa a tomar forma.

Esse assunto mal foi considerado, mas parece muito interessante. A roda de 12 divisões define o céu; a roda de 36 divisões define a Terra; e a roda de 24 divisões está entre a Terra e o céu.

valor tão pequeno que mal se percebe. Portanto, o que isso significa?

Quando as rodas foram medidas, presumiu-se que as divisões fossem iguais, mas talvez não seja esse o caso. Se os antigos egípcios estivessem usando rodas para mapear o espaço e a Terra, o que é importante? É mais importante que as divisões sejam iguais ou que elas se conformem às geometrias reais? Se eles estivessem usando esse padrão com base na Flor da Vida, então a progressão geométrica seria importante, uma vez que não importa até onde a progressão se expanda no espaço, o mapa será perfeito.

Isso significa que alguém deve ir ao Egito e medir com extrema precisão aquelas rodas para conhecer a verdade. Se doze das linhas estão perfeitas e doze estão desalinhadas um pouco e se conformam a essas geometrias, então surgirá uma compreensão mais profunda do Antigo Egito. Poderíamos recriar o mapa.

Há outras possibilidades, mas descobrir quais vai depender de vocês.

Ao fim deste livro, haverá uma breve mensagem ao mundo anunciando um novo serviço na internet, a qual nos permitirá descobrir a verdade não só de algo parecido como o exposto acima, mas também sobre a verdade de praticamente qualquer assunto.

Os meus votos são de que vocês se tornem pesquisadores espirituais em busca da verdade. Pois com a verdade descobriremos não só o que significam as rodas nos tetos do antigo Egito, mas também nosso verdadeiro ser. ✧

ONZE

Influências Antigas sobre o Mundo Moderno

Este é o retângulo na Proporção Áurea (Ilustração 11-1; vejam também o capítulo 7) desenvolvido a partir das pirâmides, que pode ser reconhecido somente quando visto do ar. Essa espiral na Proporção Áurea aproxima-se do complexo das pirâmides de quase 2 quilômetros de distância (em A) e passa sobre o centro ou vértice de cada uma das três pirâmides do complexo de Gizé. A espiral de Fibonacci parece quase idêntica quando passa sobre as pirâmides. Conforme vimos no capítulo 8, a sequência de Fibonacci aproxima-se da Proporção Áurea. O que isso significa é que a sua origem se encontra em um lugar ligeiramente diferente daquele da Proporção Áurea. Elas partem de pontos diferentes mas logo se tornam praticamente idênticas.

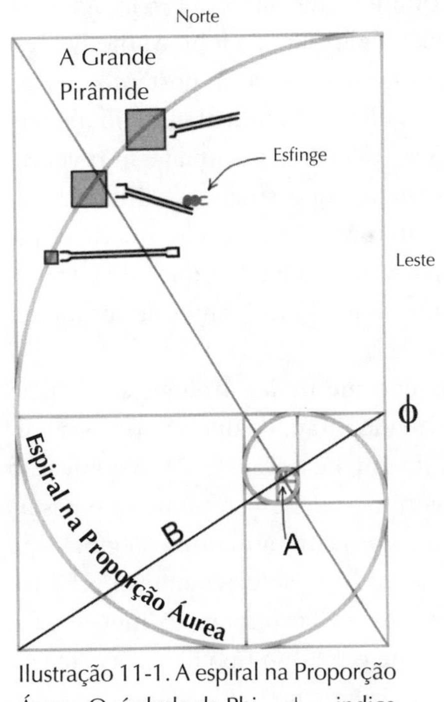

Ilustração 11-1. A espiral na Proporção Áurea. O símbolo do Phi — ϕ — indica um dos dois lugares onde a borda vertical direita é cortada ao meio na razão Phi do seu comprimento.

A ligação da espiral na Proporção Áurea com o complexo de Gizé foi descoberta mais ou menos recentemente, por volta de 1985, embora a origem da espiral de Fibonacci tenha sido descoberta mais ou menos uns dez anos antes e recebido o nome de a Cruz Solar. Até onde sei, não se atribuiu nenhum nome à origem da espiral de Proporção Áurea.

Essa espiral na Proporção Áurea em Gizé é muito interessante. Os egípcios colocaram um pilar de pedra sobre o centro exato ou origem dessa espiral, assim como de cada lado — três pilares. Não vi pessoal-

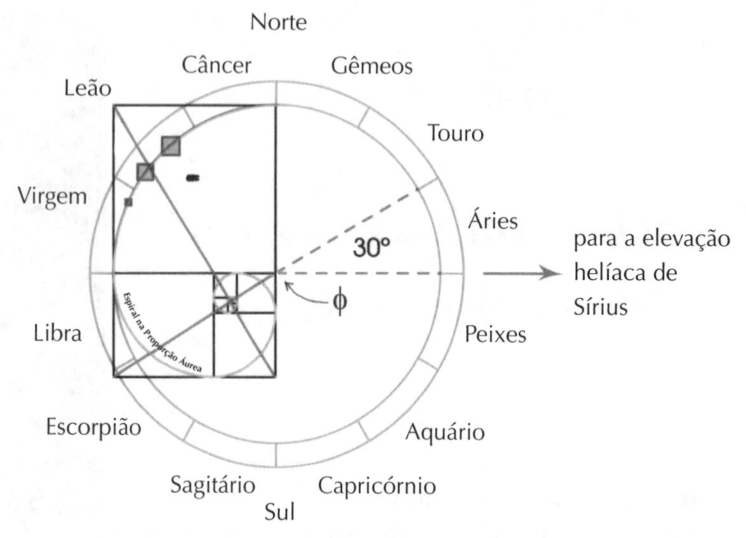

Ilustração 11-2. Roda astrológica egípcia, a Ilustração 11-1 vista com maior distanciamento.

Atualização: Alguns anos atrás, descobrimos o grande segredo de toda a disposição do complexo de Gizé. Era a construção que estava localizada ao lado do "buraco" de onde pensávamos inicialmente que saíam as espirais. Desde essa época, descobrimos muito mais.

Originalmente, eu disse que a construção próxima ao buraco era um retângulo na Proporção Áurea porque isso é o que dizem os relatos egípcios. No entanto, por causa de determinadas pesquisas que vimos fazendo, evidenciou-se que isso não podia ser verdade. Portanto, enviei alguém ao Egito para medir essa construção e dizer-me o que ela realmente era.

Descobriu-se que era um quadrado com quatro outras câmaras ao seu redor. Estava nas proporções exatas do desenho do corpo de Leonardo.

Nessa construção havia quatro pilares. Dois estavam no início exato de duas espirais de Fibonacci. Uma passava exatamente sobre o topo das três pirâmides e sem dúvida era a origem da espiral de Fibonacci que fora descoberta antes. A mente esse pilar ainda. (Na verdade, passei bem ao lado dele da primeira vez que estive no Egito, mas não sabia que estava lá.) De acordo com uma pesquisa de McCollum (*Giza Survey*: 1984), feita em 1984, há três pilares ali. Quando John Anthony West esteve lá, disse que havia *quatro*, portanto eu não sei — o número deles está aumentando ou alguém se enganou. Esses pilares não só marcam o centro do vórtice, mas também assinalam a linha diagonal B muito, muito precisamente; eles queriam que soubéssemos sobre essa linha. Por quê? Precisamos apresentar alguns antecedentes antes de responder a essa pergunta.

Existe uma enorme roda astrológica ligada ao complexo da Grande Pirâmide que só pode ser calculada a partir do ar (Ilustração 11-2). A confecção dessas rodas astrológicas que só podem ser vistas do alto não era algo incomum entre os egípcios, a julgar pelos druidas, que se originaram no Egito. Os druidas foram para Glastonbury, na Inglaterra, e criaram exatamente o mesmo tipo de vista aérea da roda astrológica existente no Egito, com a diferença de serem mais desenhadas. A que existe na Inglaterra mostra claramente os diversos signos no chão, mas só pode ser vista do ar. Foram encontradas na

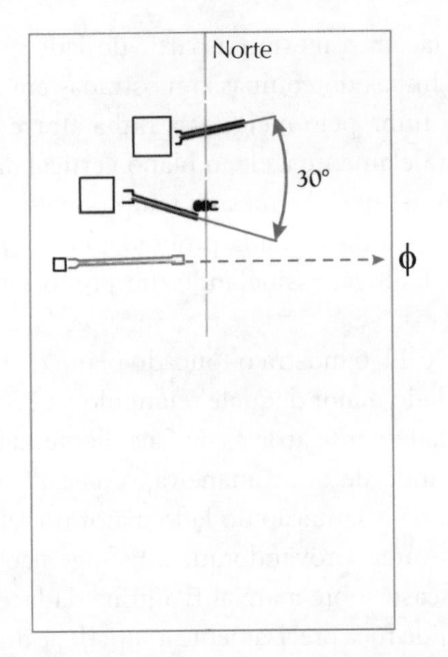

Ilustração 11-3. As duas rampas, mostrando o ângulo de 30 graus.

outra espiralava pelo deserto na direção oposta. Esse desenho seguia um padrão de treliça quadrada, o mesmo ao redor do corpo de Leonardo. A partir dessa rede, tudo no complexo de Gizé foi definido. Era a chave de tudo em Gizé, e possivelmente de todos os importantes lugares sagrados do mundo.

Os outros dois pilares pareciam estar colocados em uma posição completamente arbitrária, mas não estavam. Esses dois pilares eram a origem de uma série de progressões geométricas pentagonais que definem a posição da Grande Pirâmide propriamente dita e tudo no complexo de Gizé, mas usam um sistema diferente do que o exposto acima. Uma contraprova, talvez?

Mostramos essas informações ao governo egípcio. A resposta foi a remoção dessa construção e a destruição de todos os sinais da sua disposição original! É como se nunca tivessem existido. A construção dos antigos egípcios que é a chave de todo o Egito está agora destruída. Só Deus sabe por quê. Acho que eles não queriam que as pessoas soubessem onde tudo estava.

Inglaterra umas cinco ou seis outras rodas astrológicas feitas pelos druidas, que só podem ser vistas a partir do alto. Portanto, parece ter sido um traço egípcio-druida a criação dessas rodas.

Existe uma prova adicional localizada no templo de Dendera no Egito. No alto do teto se vê uma roda astrológica completa semelhante à que conhecemos e usamos. Portanto, sabemos que os egípcios conheciam e usavam a roda astrológica. A única coisa que era realmente diferente era a direção do movimento do céu. A roda se movia em sentido contrário, em relação às observações modernas.

A outra informação mostrada nesse desenho é que o ângulo entre a rampa que sai da Grande Pirâmide e a rampa que sai da segunda pirâmide é exatamente de 30 graus (Ilustração 11-3). Essa é uma informação importante, que usaremos em breve.

A partir da pesquisa de McCollum, vemos que a rampa da Ilustração 11-3 que sai da terceira pirâmide aponta exatamente para o outro ponto de razão Phi sobre o lado maior do retângulo na Proporção Áurea que contém todas essas geometrias. Essa é uma prova adicional de que os egípcios conheciam as implicações geométricas das espirais em movimento a partir desses estranhos buracos no deserto.

A posição da Esfinge parece ser aleatória, simplesmente situada ali no meio do nada — quem sabe por que ou para quê? No entanto, agora vocês sabem sobre o retângulo na Proporção Áurea ao redor do complexo de Gizé que só pode ser reconhecido quando visto do ar. Se dividirem verticalmente ao meio esse retângulo (Ilustração 11-4) — ponham o compasso sobre o lado direito e desenhem um pequeno arco no

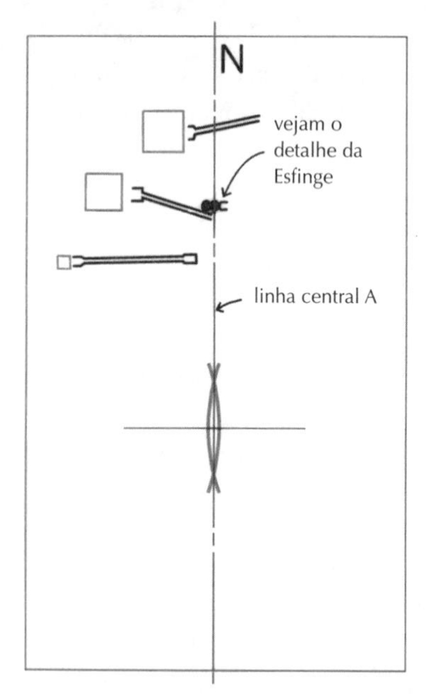

Ilustração 11-4. A posição da Esfinge. Vejam a linha bissetriz vertical, criada pelo centro conhecido do retângulo na Proporção Áurea (vejam as linhas curvas de cada lado feitas pelo compasso). Essa linha assinala a frente vertical do toucado da Esfinge.

meio, depois façam o mesmo a partir do lado esquerdo (conforme as linhas do compasso mostradas em A) — e traçarem uma linha pelo meio, essa linha atravessa exatamente, e paralelamente a ele, o plano vertical da frente do toucado da Esfinge. Ao mesmo tempo, se estenderem a linha da base sul da segunda pirâmide, ela roça o ombro direito da Esfinge, assinalando um ponto específico (Ilustração 11-5).

A Ilustração 11-6 mostra o toucado plano da Esfinge. E o centro do lado maior daquele retângulo na Proporção Áurea passa exatamente através da face dianteira do toucado. Expressando de outra maneira, o *toucado* assinala o centro exato da orientação do lado maior do retângulo na Proporção Áurea, provando que a Esfinge não foi posicionada ao acaso sobre a areia. E a linha da face sul da segunda pirâmide roça precisamente a superfície do ombro direito da Esfinge.

Essas duas linhas que assinalam esse ponto sobre a Esfinge são evidenciais, não casuais. Aqueles de vocês que se interessam pela obra de Edgar Cayce devem lembrar-se de que cerca de sessenta anos atrás ele disse que algum dia descobriríamos um aposento associado com a Esfinge que levaria aos registros que são a prova da existência de civilizações superavançadas na Terra, remontando a milhões de anos atrás, e que a entrada desse aposento estaria localizada na pata direita da Esfinge. Para ser mais exato, a disposição das pirâmides em relação à Esfinge não é casual, uma vez que a Esfinge é mais antiga do que as pirâmides.

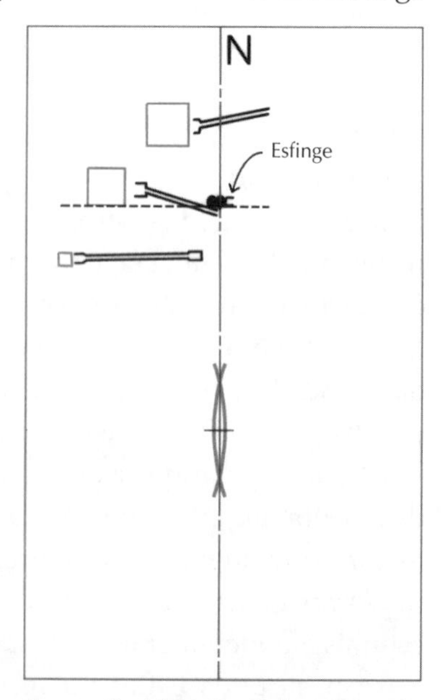

Ilustração 11-5. O alinhamento entre o ombro/pata direita da Esfinge e a segunda pirâmide é mostrado pela linha horizontal interrompida neste retângulo na Proporção Áurea.

Enquanto estávamos no Egito, Thoth nos contou que haveria 144 pessoas — 48 grupos de três pessoas cada — que viriam do Ocidente para o Egito. E que cada um desses grupos de três teria algo específico a fazer lá. Finalmente, um determinado grupo dentre esses se encaminharia até a Esfinge e entraria nesse aposento especial contendo o que Edgar Cayce chamou de Sala dos Registros. Thoth disse que a voz daquelas pessoas abriria o caminho para um dos três corredores existente no fundo da areia que levaria à Sala dos Registros. Esse aposento, os cientistas japoneses já encontraram; Thoth disse que haveria um pote de barro no canto com alguns hieróglifos dentro que lhes indicaria quais dos túneis deveriam percorrer. Até mesmo o pote de barro foi encontrado pelos instrumentos japoneses, juntamente com um rolo de corda.

Quando estive lá em 1985, com duas outras pessoas, a Esfinge repousava bem e segura sobre o terreno, sem nenhum problema. Fomos instruídos por Thoth para produzir um tipo de som especial por um túnel que se situa diretamente atrás da Esfinge, a cerca de uns 400 metros atrás. Era para produzirmos um som específico durante um certo período de tempo e então parar e sair, o que fizemos.

Ilustração 11-6. A Esfinge com o toucado plano. Os andaimes mostram a ocorrência de uma reconstrução ou estabilização.

Não direi que fomos responsáveis pelo que aconteceu, mas quando voltamos lá em 1990, a Esfinge inclinava-se na direção do ombro direito. A Esfinge começou a girar, não um pouquinho, mas bastante, e o ombro ou pata direita começou a fender-se. Os egípcios fizeram tudo o que puderam para retificá-la, conforme podem ver pelos andaimes na Ilustração 11-6. A outra coisa é que a cabeça da Esfinge parece estar querendo cair. Thoth disse que ela cairia *mesmo* um dia, e quando isso acontecer, deixará exposta uma esfera de ouro no seu pescoço que é uma espécie de cápsula do tempo. Ele não se estendeu muito sobre o assunto. Portanto, essas eram duas coisas que estavam criando problemas para os egípcios — tentar segurar a cabeça da Esfinge e impedir que a pata direita se rompa.

Agora, uma informação final: Thoth disse que embaixo do complexo de Gizé há uma cidade capaz de abrigar 10 mil pessoas. Ele disse isso mais ou menos em 1985, e eu me pronunciei publicamente sobre o assunto já em 1987. As pessoas que viveram nessa cidade seriam pessoas que alcançaram a condição de imortais e tornaram-se parte do que chamamos de mestres ascensionados. Elas constituíam o que os antigos egípcios chamavam de Fraternidade Tat. Cerca de seis anos atrás, o seu número chegou a mais de 8 mil. Essa cidade subterrânea é o lugar onde a Irmandade Tat vivia isolada, enquanto o resto da humanidade continuava a evoluir. Mencionamos esse assunto no capítulo 4. Agora, eu gostaria de apresentar-lhes uma atualização sobre o que tem acontecido com essa cidade nos últimos cinco anos. É importante saber, mas como isso não pode ser provado, por favor guardem o seu julgamento até que a verdade seja finalmente revelada.

O que vou dizer em seguida sobre a cidade subterrânea no Egito é altamente controvertido, e a maioria das autoridades egípcias não reconhece nada a respeito disso. Elas dizem que não passa do produto da imaginação de alguém. A história dirá. Pelo que eu sei e vi, elas não estão dizendo a verdade. O Egito tem muito boas razões para que vocês não saibam nada sobre essa cidade, pelo menos ainda não.

Atualização: Thoth apareceu para mim por volta de 1992 e disse que precisaria deixar a Terra, e que o seu trabalho comigo estava acabado, pelo menos por enquanto. Disse que sentia muito, mas que os acontecimentos na Terra tinham se acelerado e que os mestres ascensionados, a Fraternidade Tat e o que muitos chamam de Grande Fraternidade Branca (que são todos a mesma coisa) estavam prestes a arriscar-se em uma nova área da consciência, uma área em que nenhum ser humano jamais entrara até então. O que quer que acontecesse, ele disse, determinaria o resultado da evolução humana para sempre. Nunca mais o vi desde essa ocasião. (Vejam a atualização no fim desta parte, porque ele já retornou.)

Thoth explicou-me que, no verão de 1990, ele e os demais mestres ascensionados decidiram que a consciência da Terra estava prestes a alcançar uma massa crítica em janeiro de 1991, durante a janela egípcia de 10 a 19 de janeiro. Ele disse que isso começaria em agosto de 1990 e que no mês seguinte o resultado estaria definido. Disse que a população humana ainda se encontrava altamente polarizada, mas que chegara um "momento" especial em que poderia acontecer uma grande mudança.

Eles viram que isso era possível naquele momento em que nós, a Terra, poderíamos nos tornar um só em espírito e ascender a um nível superior de consciência exatamente no meio da janela egípcia. Thoth esclareceu que os mestres ascensionados realmente não tinham certeza sobre o que aconteceria. Dependeria do coração dos povos da Terra. Os mestres ascensionados decidiram partir todos de uma vez como uma bola de luz viva, dando à Terra um tremendo impulso na direção de um novo nível de consciência. A sua decisão de partir para um nível de vida superior seria para o bem de toda a humanidade.

Entretanto, quando chegou o mês de agosto de 1990, Thoth disse-me que os mestres ascensionados não sabiam ao certo se faríamos a mudança (naquele momento) e que não haveria uma outra janela oportuna por algum tempo. Eles suspenderam os seus planos de partida. Mais tarde, em agosto, o Iraque e os seus colaboradores foram a única energia em todo o mundo a deixar a união em nível externo. Em setembro de 1990, o mundo declarou guerra contra o Iraque. E em exatamente 15 de janeiro de 1991, exatamente no meio da janela egípcia quando os mestres ascensionados esperavam que o mundo se uniria, nos unimos em todo o planeta, com exceção do Iraque, para fazer a guerra em vez da paz. Perdemos a oportunidade de união por apenas um país. Essa união, entretanto, não era só de países, mas basicamente dos povos do mundo.

Em vez disso, saímos para a guerra naquele dia — 15 de janeiro de 1991 —, e a janela oportuna egípcia lançou-nos mais profundamente nas trevas e não para a luz.

Thoth e os mestres ascensionados reagiram, estabelecendo outro plano no qual apenas 32 mestres de cada vez deixariam a Terra e tentariam encontrar um lugar no universo para o qual a humanidade finalmente deva se trasladar. Partir em grupos pequenos daria tempo para programar determinados acontecimentos na experiência humana para (novamente) dar força a esses acontecimentos. Thoth e a esposa, Shesat, tomaram parte do primeiro grupo a partir. Quase diariamente ou semanalmente, os mestres viajavam em grupos pequenos para as dimensões superiores e para um novo modo de ser, algo que um dia o restante da humanidade fará. À medida que eles deixavam a cidade sob a Grande Pirâmide, pouco a pouco a cidade foi se tornando deserta. No final de 1995, só um pequeno grupo de sete seres ficou para trás para proteger a cidade.

Quando a cidade se esvaziasse, ela então poderia ser usada para um outro propósito — mostrar ao mundo moderno que a vida é mais do que conhecemos e que há uma grande esperança para a humanidade.

Agora vamos falar sobre os rumores. Há poucas provas sobre o que vou comentar em seguida, portanto guardem isso apenas como uma possibilidade até que o mundo venha a saber de toda a verdade.

Em novembro de 1996, fui contatado por uma fonte no Egito informando-me de que acabara de ser descoberta uma coisa que estava além de tudo o que jamais fora encontrado no Egito. Essa pessoa me disse que uma estela de pedra (uma laje de pedra com inscrições) saíra do chão entre as patas da Esfinge em plena luz do dia. Essa estela falava da Sala de Registros e de um aposento embaixo da Esfinge.

O governo egípcio imediatamente removeu a estela de modo que ninguém visse o que estava inscrito nela. Em seguida, mandou escavar entre as patas e foi aberto o aposento sob a Esfinge que os japoneses haviam descoberto em 1989. Lá estavam o pote de barro e o rolo de corda. A pessoa disse que os emissários do governo entraram por um túnel que partia desse aposento e dava num aposento redondo, do qual saíam três outros túneis. Em um desses túneis que se dirigia para a Grande Pirâmide, os funcionários do governo encontraram duas coisas nunca vistas até então.

Primeiro encontraram um campo de luz, um lençol de luz que bloqueava a passagem naquele ponto. Quando os funcionários do governo tentaram passar através desse campo luminoso, não conseguiram penetrá-lo nem um pouco. Nem mesmo uma bala podia atravessá-lo.

Além disso, se algum dos funcionários do governo tentasse aproximar-se fisicamente desse campo luminoso, a cerca de um metro da luz começaria a sentir-se enjoado e vomitava. Se tentasse prosseguir assim mesmo, sentia-se como se fosse morrer. Ninguém, até onde sei, foi capaz de tocar o campo.

De cima da terra, o governo descobriu algo logo depois desse campo luminoso que era também extremamente incomum. Descobriram um prédio de doze andares naquele local — doze andares no fundo da Terra!

A combinação dessas duas coisas — o campo luminoso e o prédio de doze andares — era demais para o governo egípcio controlar. Então pediu ajuda estrangeira. O governo egípcio decidiu que um homem em especial (a quem não vou nomear) era a pessoa que seria capaz de desligar o campo luminoso e entrar no túnel. Ele faria isso em conjunto com outras duas pessoas. Uma dessas pessoas era um amigo que eu conhecia muito bem, portanto pude acompanhar os acontecimentos de perto. O meu amigo levou para lá uma equipe dos estúdios da Paramount, com a permissão de filmar a abertura desse túnel único. A Paramount filmara a abertura do túmulo do rei Tut, portanto o estúdio tinha um relacionamento muito bom com o Egito.

Eles planejaram entrar, ou pelo menos tentar entrar, no túnel em 23 de janeiro de 1997. O governo cobrou vários milhões de dólares da Paramount, que concordou em pagar. Entretanto, no dia anterior ao planejado para a entrada, os egípcios resolveram que queriam mais dinheiro e pediram mais 1,5 milhão de dólares por baixo do pano, o que deixou a Paramount indignada. A Paramount negou-se a pagar, então tudo parou. Por cerca de três meses fez-se silêncio.

Então, um dia, ouvi dizer que um outro grupo de três pessoas entrara no túnel. Ouvi dizer que tinham entrado e desligado o campo luminoso usando a voz e os nomes sagrados de Deus. A pessoa mais importante do grupo, que é famosa e não quer que o seu nome seja mencionado, foi para a Austrália e exibiu um vídeo sobre a passagem pelo túnel e pelo prédio de doze andares, que se revelou mais do que simplesmente um prédio. A construção seguia sempre em frente por quilômetros embaixo da terra e era realmente o limite de uma cidade. Eu tinha três bons amigos na Austrália que assistiram a esse filme.

Depois, outra pessoa entrou, Larry Hunter, que é arqueólogo egípcio há vinte anos. O sr. Hunter entrou em contato comigo e começou a contar uma história quase idêntica à que eu recebera das minhas fontes no Egito, a não ser pelo fato de que era mais detalhada. Ele disse que a cidade tem 10 quilômetros por 13 quilômetros na superfície e doze andares de profundidade, e que os perímetros da cidade são delineados por templos egípcios especiais e distintos.

O que comento em seguida coincide com a obra de Graham Hancock e Robert Bauval, no seu livro *Message of the Sphinx*. Graham e Robert levantaram a hipótese de que as três pirâmides de Gizé distribuíam-se sobre o solo na exata disposição das três estrelas do Cinturão de Órion. Na verdade, eles acreditavam que a distribuição de todos os templos egípcios correspondia à localização das principais estrelas da constelação de Órion, mas nunca foram capazes de provar totalmente essa teoria.

O sr. Hunter, porém, conseguiu provar que isso era verdade e eu vi as evidências. Usando o conhecimento da navegação pelas estrelas que obtivera quando estivera na Marinha, o sr. Hunter descobriu um templo em todos os locais que correspondiam a todas as principais estrelas da constelação de Órion. Ele usou o sistema GPS para localizar esses pontos sobre a Terra com uma precisão de 15 metros, e esteve pessoalmente em cada lugar onde um templo deveria assinalar uma estrela. Assim o fato foi confirmado. Em cada lugar *havia* um templo — o que era surpreendente — e cada templo era feito de uma substância especial não encontrada em nenhum outro templo em todo o Egito. Essa substância também é o que foi usado para criar as pedras da fundação das três pirâmides de Gizé, incluindo a Grande Pirâmide. Ela é chamada *pedra de cunhar.* É um calcário que parece ter moedas misturadas à rocha. É diferente de tudo o que existe, encontrada apenas nesses templos que se distribuem por uma área sobre a superfície de 10 por 13 quilômetros.

Para ser claro, essa é uma teoria que não é aceita pelo governo egípcio, mas a cidade subterrânea que Thoth disse existir, com capacidade para abrigar 10 mil pessoas, é, de acordo com o sr. Hunter, assinalada por templos feitos dessa substância especial, e os templos coincidem com o padrão estelar da constelação de Órion.

Pelo que vimos, acredito que isso seja verdadeiro, apesar de as autoridades egípcias afirmarem ser fantasia. Tenho a mente aberta. A verdade acabará sendo conhecida. Acredito mesmo que, se isso *for* verdade, essa descoberta arqueológica terá um efeito capaz de elevar a consciência humana quando a cidade subterrânea for revelada. Agora, vamos retornar ao relato sobre o Egito. ✧

A Elevação Helíaca de Sírius

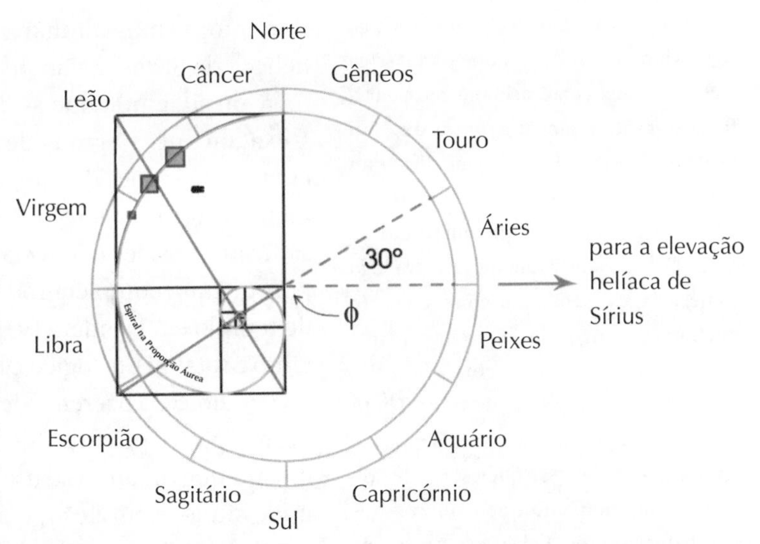

Ilustração 11-7. A disposição circular do complexo compreendendo as pirâmides e a Esfinge. Observem como o retângulo na Proporção Áurea e a espiral do complexo de Gizé tocam o centro da roda astrológica em Phi (ϕ).

Aqui estão as pirâmides e o retângulo que cerca todo o complexo (Ilustração 11-7). Observem as duas linhas principais que atravessam exatamente o centro do círculo em Phi (ϕ). Se traçássemos esse círculo sobre o solo, ele teria um diâmetro de cerca de 4 quilômetros. Os pesquisadores de McCollum que descobriram essa relação, juntamente com quase todos quantos já escreveram sobre o complexo de Gizé, escolheram o leste como a direção para a qual estão voltadas as pirâmides e a Esfinge. Mas agora sabemos que isso não é certo. As pessoas sempre acreditaram que as pirâmides estivessem alinhadas com o norte-sul magnéticos, mas atualmente os computadores mostraram que as três pirâmides nunca estiveram alinhadas desse modo. Elas se desviam desse alinhamento por um valor minúsculo. As pessoas dizem que a razão de estarem desalinhadas esse tanto é por causa da deriva continental.

Mas esse "desvio mínimo" não está fora de maneira alguma — ele é exatamente correto. As três faces das pirâmides orientadas para o leste estão sobre uma linha que converge em um único ponto no horizonte — em outras palavras, um arco. O ponto sobre o horizonte por acaso é o ponto da elevação helíaca de Sírius, que não é o leste verdadeiro. Esse é o momento sobre o qual comentamos no capítulo 1 (página 37), em que, em 23 de julho, a estrela Sírius eleva-se por cerca de um minuto antes do nascer do Sol, aparecendo como uma brilhante estrela vermelha. É o momento em que a Terra, o nosso Sol e Sírius formam uma linha reta.

Ilustração 11-8. Uma cópia da roda astrológica egípcia do teto do templo em Dendera.

Ainda mais impressionante é que os *globos oculares* da Esfinge estão olhando para o mesmo ponto exato. Isso foi o que os computadores mostraram. Isso faz sentido porque a antiga religião egípcia e o calendário sótico fundamentavam-se na elevação helíaca de Sírius. Sírius era da maior importância para a própria existência deles.

Atualização: Em janeiro de 1999, os anjos vieram e disseram que os mestres ascensionados começariam a retornar à Terra durante a janela egípcia, de 10 a 19 de janeiro de 1999. Eles me disseram que trariam consigo o conhecimento de um novo universo completamente diferente. Os anjos disseram que a Terra logo começaria a receber um conhecimento inteiramente novo, um conhecimento que a humanidade nunca imaginara antes.

Então, em novembro de 1999, Thoth me procurou pela primeira vez depois de muitos anos. Ele disse que estava de volta e que no momento certo voltaríamos a trabalhar juntos. Foi interessante que alguns dias depois, durante uma palestra, um rapaz me procurou com um presente. Ele me deu uma pena de íbis cor de laranja, sendo que a íbis é o símbolo de Thoth.

Shesat veio no mesmo momento que o marido Thoth e também começou a comunicar-se comigo. Ela permaneceu comigo por duas semanas. O que ela tinha a dizer era sobre o meu principal propósito para vir a essa oitava das dimensões. Ainda estou aprendendo sobre essa lição, portanto vou esperar para comentar o que ela me apresentou.✧

Portanto, vamos alinhar esse desenho pela elevação helíaca de Sírius, e não pelo leste.

Considerando que as duas rampas foram situadas a exatamente 30 graus de distância, vamos dividir o círculo em seções de 30 graus, o que cria os doze segmentos da carta astrológica (30 x 12 = 360 graus). Já sabemos que eles conheciam plenamente a astrologia, porque uma completa roda astrológica estava no teto do templo em Dendera (vejam a Ilustração 11-8), portanto é totalmente lógico colocar esses doze segmentos no círculo. Se o fizerem, terão uma muito possível roda do tempo. A pesquisa de McCollum, por exemplo, mostra que, quando se usa essa teoria, a Grande Pirâmide situa-se em Leão, e a linha do tempo do ponto relativo a Áries no grau zero fica em 10800 a.C. (Essa é exatamente a época em que Edgar Cayce disse que ela foi construída.)

Virgem e Leão, Aquário e Peixes

Observando a vista aérea das pirâmides com a roda astrológica sobreposta (Ilustração 11-7), as três pirâmides estão fisicamente em Leão e Virgem sobre a roda. Acontece que isso simplesmente é onde estamos fisicamente neste momento em nossa órbita na precessão dos equinócios. Mais do que isso, originalmente a Esfinge era metade leão e metade mulher, e acredita-se que durante a IV Dinastia a face da Esfinge foi reesculpida na forma de um homem com uma barba — que caiu. Atualmente, ela tem uma espécie de rosto masculino sem barba, mas originalmente era de mulher, e combinava Leão (o leão) com Virgem (a virgem) — uma confirmação adicional de que esse traçado astrológico é exato.

Além disso, o mapa da pesquisa de McCollum mostra que, se fossem traçadas linhas a partir das pirâmides, dos seus vértices, cantos etc. através do círculo da roda para o lado oposto, resultaria num aspecto de datas precisas entre Aquário e Peixes, que é o período no tempo em que nos encontramos atualmente — a Era de Peixes passando para a Era de Aquário. Portanto, essa é mais uma coisa a ser considerada. No entanto, ninguém que eu conheça fez pesquisas suficientes ainda para ser capaz de calcular isso. Com os computadores atuais, devemos ser capazes de fazer isso com extrema exatidão. Quem sabe um de vocês não fará esse trabalho?

A Implicação dos Quatro Cantos

No começo deste capítulo indagamos por que os antigos egípcios assinalaram uma determinada linha (vejam a linha B na Ilustração 11-1) ligada ao retângulo na Proporção Áurea que compreende a Grande Pirâmide. Depois dissemos que precisávamos fornecer-lhes mais informações antes. Talvez o que segue possa ser uma resposta.

Houve uma astróloga que teve uma ideia impressionante sobre essa diagonal, que tinha a ver com as estrelas e uma região específica dos Estados Unidos. Quando essa astróloga soube que havia uma carta astrológica na areia ao redor da Grande Pirâmide, quis saber sobre a linha diagonal em A (vejam a Ilustração 11-7) que parecia ser tão importante para os antigos egípcios. Não posso explicar direito o que ela fez porque não sou astrólogo, mas ela pegou a roda astrológica e relacionou-a com o polo Norte e alinhou-a de alguma forma com o Cairo. Depois, ela observou para onde a outra extremidade da linha apontaria. Ela marcava um ponto específico sobre o planeta Terra. No entender dela, era a região dos Quatro Cantos dos Estados Unidos, no encontro dos estados de Utah, Colorado, Novo México e Arizona. Para os hopis e outros povos indígenas, a região dos Quatro Cantos é assinalada por quatro montanhas, que criam uma área muito menor.

Durante anos eu meditei sobre essa informação, esperando para ver o que resultaria dela, esperando para ver se surgiria algo que de alguma forma ligasse o Egito aos Quatro Cantos. Então, alguns anos atrás, um rapaz me procurou e contou uma história impressionante. Escutei porque, segundo a história, de alguma forma os egípcios estavam ligados aos Quatro Cantos (vejam a atualização ao lado).

O Experimento Filadélfia

Agora vamos passar para um assunto que pode parecer completamente diferente e sem nenhuma relação — mas que na verdade está relacionado a tudo o que há neste livro.

Atualização: O que vou lhes contar a seguir é altamente controvertido. Pode ser verdade e pode não ser. Mas valerá a pena se alguém dentre vocês pesquisar a verdade.

Um rapaz me procurou e começou a contar esta história. Ele disse que existe uma montanha dentro do Grande Canyon chamada o Templo de Ísis. Vocês podem imaginar por que ela recebeu esse nome. Em 1925, foi feita uma grande descoberta nessa montanha. A história foi contada no jornal *Arizona Gazette*, creio, em 1925, e num livro publicado, segundo me lembro, em 1926. O rapaz foi ao jornal ainda existente e encontrou o microfilme com o arquivo que mostra o que se descobriu nessa montanha. Há cerca de seis páginas dedicadas ao assunto. Eu vi com os meus próprios olhos. (Talvez os leitores possam ajudar-nos a dar as referências exatas tanto para o artigo quanto para o livro, que tinham "Egypt" como parte do seu título e imagem de um disco-voador na capa.)

O jornal afirma que foram encontradas múmias e hieróglifos egípcios nas paredes "dentro" da montanha chamada de Templo de Ísis. Eu vi as fotografias de onde tiraram as múmias e vi os hieróglifos. O jornal informou que o Smithsonian Institute estava fazendo o trabalho de campo e citou a instituição afirmando que se tratava do maior achado da história americana. Publicou-se um livro sobre esse assunto cerca de um ano mais tarde, mas não me lembro do seu título. Depois, fez-se silêncio sobre o caso por cerca de 68 anos, até 1994.

O rapaz afirmou que primeiro encontrou o livro de 1926 contando sobre a descoberta, depois pesquisou o artigo de jornal de 1925. Ele me contou a seguinte história sobre uma caminhada pelo Grande Canyon para encontrar esse lugar. É importante saber que essa montanha do

Templo de Ísis está localizada no Grande Canyon em uma área restrita ao público, a não ser que se obtenha uma permissão especial sob certas condições. Assim mesmo, só é permitida a entrada de grupos pequenos na região. Não existe água lá, a não ser em duas fontes localizadas bem longe dali. É preciso levar a água consigo, o que limita o seu tempo de permanência lá. Além disso, faz tanto calor ali que até a sobrevivência é difícil, a não ser que se tenha treinamento apropriado.

Contou-me que ele e um amigo foram até a área. Ambos eram montanhistas experientes, com treinamento em sobrevivência. Segundo ele, assim que ele e o colega se aproximaram da montanha, encontraram uma pirâmide de pedra verdadeira feita por mãos humanas não muito longe da montanha. Ela era grande o bastante para causar uma forte impressão nos dois pesquisadores. Para chegar ao Templo de Ísis, eles precisaram escalar uma parede vertical de rocha com uns 240 metros de altura. Uma vez que eram montanhistas profissionais, isso não os intimidou, pois estavam preparados.

De acordo com o artigo original do *Arizona Gazette*, havia 32 grandes entradas para o templo muito acima do nível do solo. O meu amigo disse que elas continuam lá, mas parecia como se alguém tivesse tentado destruí-las. Eles escolheram uma das "entradas" que parecia em melhores condições e escalaram até ela.

A maioria de vocês no mínimo deve ter ouvido falar do Experimento Filadélfia. Esse experimento foi realizado pela Marinha americana em 1943, quase no fim da Segunda Guerra Mundial. Um fato interessante é que no início ele foi chefiado por Nicola Tesla, que morreu pouco antes que o experimento fosse concluído. A participação de Tesla nesse experimento, penso, foi da maior importância, mas nunca saberemos, uma vez que o incidente foi fortemente abafado pelo governo. Tesla foi substituído por John von Neumann, que normalmente é conhecido como a pessoa que estabeleceu e supervisionou esse experimento.

O experimento era uma tentativa de tornar invisível um navio da Marinha americana. Isso, é claro, daria uma vantagem inacreditável na guerra. Basicamente, o navio seria levado a outra dimensão e voltaria a esta. Acredito que Tesla tenha entrado em contato com os cinzentos e aprendera o segredo da viagem interdimensional com eles. Segundo relatado, perguntaram a Tesla de onde ele tirara as ideias para esse experimento e ele respondeu que as recebera dos extraterrestres. Estou certo que as pessoas da década de 1940 simplesmente pensaram que ele estivesse brincando.

Entendo que muitas pessoas pensem que essas informações venham da imaginação de pessoas instáveis. No entanto, se quiserem (e eu tenho), podem obter um exemplar do relatório original (na época ultrassecreto) que o governo ainda possui. Entretanto, a maior parte do texto do relatório foi apagada por razões de "segurança nacional". Ainda assim, sobrou muito texto visível para provar que o experimento aconteceu de verdade e mostrar boa parte da sua natureza.

Pelo que aprendi com esse documento, e com muitas pessoas que o analisaram — e a maior parte pela meditação com os anjos —, o Experimento Filadélfia estava ligado energeticamente a outros experimentos sobre tempo, espaço e dimensão. O primeiro experimento foi realizado em Marte, há praticamente um milhão de anos, quando os marcianos vieram pela primeira vez à Terra no início da Atlântida. O experimento seguinte foi concluído no fim da Atlântida, cerca de 13 mil anos atrás, que criou o Triângulo das Bermudas e causou grandes problemas até nas regiões mais distantes do espaço. Esse experimento, conforme eu disse no primeiro livro, saiu completamente do controle, porque ao tentar criar um Mer-Ka-Ba sintético para dominar a Atlântida, os marcianos não se lembravam exatamente de como fazê-lo.

Esse Mer-Ka-Ba sintético descontrolado no Triângulo das Bermudas, que está localizado próximo a Bimini, desde então tem causado problemas de verdade no espaço exterior mais longínquo. O motivo principal pelo qual os cinzentos vieram originalmente para a Terra foi para resolver esse problema. Eles eram os que estavam sendo mais afetados por esse experimento ilegal. Muitos dos seus planetas estavam sendo destruídos. Posteriormente, os cinzentos tentaram usar-nos para criar uma raça híbrida para salvar-se, mas os seus experimentos conosco não tinham relação nenhuma com o problema original.

Os cinzentos, tentando resolver esse problema do Mer-Ka-Ba descontrolado próximo a Bimini, ajudaram os humanos a fazer o primeiro experimento moderno para resolver o problema do Triângulo das Bermudas. Ele foi realizado em 1913, mas não funcionou. Na verdade, acredito que tenha piorado as coisas e provavelmente seria a causa da Primeira Guerra Mundial em 1914. Exatamente quarenta anos depois (esse período de tempo é decisivo), os militares americanos realizaram o Experimento Filadélfia em 1943, durante a Segunda Guerra Mundial. De novo, em 1983 (quarenta anos depois), foi realizado o Experimento Montauk, tentando resolver os problemas causados pelo Experimento Filadélfia. Um pequeno experimento foi finalmente concluído em 1993 (um harmônico do ciclo de 40), para acelerar o componente masculino do problema original causado pelos atlantes.

Quando chegaram lá, descobriram que a abertura avançava uns 12 metros pela montanha, mas onde o caminho se achava obstruído por escombros. Entretanto, acima dessa entrada havia um corte perfeitamente redondo de cerca de 1,80 metro de diâmetro por mais ou menos meio metro de profundidade que fora feito por mãos humanas. Definitivamente, seres humanos estiveram ali para fazer aquele corte. Eles não encontraram hieróglifos.

A sua água estava acabando e eles voltaram na hora certa. Ele disse que se ficassem por mais um dia teria sido fatal, pois a fonte onde poderiam obter mais água estava seca.

A outra parte interessante desta história é que uma outra "montanha" do Grande Canyon, na mesma latitude e a pouco mais de 1 quilômetro dali, está sendo escavada pelo governo americano. Esse local é tão importante para o governo que é proibido sobrevoar a área a uma altitude inferior a 3 mil metros! Toda a montanha está cercada pelos militares, que isolaram a área. O que será que encontraram?

Realmente, a única razão de ter escutado essa pessoa sobre esse possível sítio egípcio foi porque sabia sobre a linha diagonal sobre o planalto de Gizé que apontava para a "área dos Quatro Cantos nos Estados Unidos", indicando que algo proveniente do Egito e importante parecia estar localizado ali.

Por que estou lhes contando isso? Porque acredito que o Egito acabará representando um papel importante na revelação da consciência da Terra, e não quero que se perca o que sei sobre isso. ✧

Todos esses experimentos estão interligados. É importante compreendê-los porque eles foram todos experimentos supradimensionais baseados na ciência do Mer-Ka-Ba. O Experimento Filadélfia baseou-se nos campos contrarrotatórios da estrela tetraédrica, muito semelhantes ao que estamos ensinando aqui. O Experimento Montauk baseou-se nos campos contrarrotatórios do octaedro, outra possibilidade.

Um dia eu conduzi um curso em Long Island, no estado de Nova York, e enquanto estava no curso comentei sobre o Experimento Filadélfia. Imediatamente depois daquele curso, estava programado para conduzir um outro no fim de semana seguinte, assim fiquei hospedado por alguns dias na casa da mulher que patrocinara o primeiro curso.

Na manhã seguinte, ela comentou: "Você viu o filme *O Experimento Filadélfia?*" Eu nem sequer sabia que houvesse tal filme, então assisti ao vídeo. Naquela noite ou na manhã seguinte, recebi um telefonema de um homem chamado Peter Carroll — na ocasião, ele era o treinador do New York Jets. Ele disse que soubera do meu nome por meio de uma pessoa e ouvira falar que eu comentara sobre o Experimento Filadélfia. Ele perguntou se eu gostaria de encontrar-me com um dos sobreviventes desse experimento.

Eu já tivera contato com um dos engenheiros originais do Experimento Filadélfia, e esse engenheiro não conseguiu acreditar que eu realmente soubesse e entendesse o que eles fizeram. Ele ficou tão entusiasmado com isso que nos presenteou com algumas peças do equipamento original e mostrou exatamente como fizeram. Tudo se baseava na estrela tetraédrica. Agora, alguém me convidava para conhecer um sobrevivente.

Fui até a casa do Peter e lá conheci duas pessoas — Duncan Cameron, uma das pessoas que supostamente sobreviveram ao Experimento Filadélfia, e Preston Nichols, que escrevera na época um livro sobre esse experimento. Aquele foi um encontro muito esclarecedor.

Eles usaram Duncan e a sua coluna vertebral em 1943 para fazer esse experimento, pondo um campo de Mer-Ka-Ba sintético em torno dele. Posteriormente, quando o experimento foi tentado novamente em 1983, foi chamado de Experimento Montauk, do qual Preston alega ter sido um dos engenheiros originais. Quando ele afirmou isso, eu argumentei: "Certo, se você for quem diz ser, então me conte exatamente como fez aquilo?" Ele explicou em detalhes como foi feito. Era mesmo verdade, com base no alto conhecimento que ele tinha da geometria do Mer-Ka-Ba. Assim, desconfio que Preston é quem ele diz ser.

Então Duncan entrou na sala. Ele tinha a coisa mais estranha acontecendo ao redor dele. Ele tinha dois campos de Mer-Ka-Ba girando ao seu redor e os dois estavam fora de controle. Eles oscilavam e mudavam constantemente de posição um em relação ao outro. Giravam muito lentamente e não tinham as fases conectadas para atuar em conjunto.

Quando entrou na sala e aproximou-se do *meu* campo, Duncan parou e não conseguiu aproximar-se mais. Ele parecia ser repelido quase como dois ímãs repelem um ao outro. Ele tentou aproximar-se, mas estava dão desequilibrado que não conseguia chegar perto do meu campo. Ele era forçado a recuar. Finalmente, ele acabou tendo de se afastar uns 10 metros de mim pelo corredor para sentir-se bem e então conversamos a essa distância. Ele ficou a quase um metro distante do campo do meu Mer-Ka-Ba. Precisávamos quase gritar através da sala. Eu não tinha nenhum problema para me aproximar *dele*, mas quando o fiz, ele sentiu-se muito mal e pediu para eu me afastar.

Estou dentro do meu campo vivo do Mer-Ka-Ba o tempo todo, e a primeira coisa que ele quis saber foi: "O que é esse anel preto ao redor do seu campo?" Com aproximadamente 16,50 metros de diâmetro, o Mer-Ka-Ba giratório tem um fino anel preto onde o campo gira a nove décimos da velocidade da luz. (Vejam de novo aquela fotografia da galáxia do Sombrero do capítulo 2, na Ilustração 11-9.)

Observem o anel preto externo, onde a galáxia gira com maior velocidade. Quando as coisas começam a alcançar a velocidade da luz, não se vê a luz. A luz está presente, mas começa a tornar-se preta em relação a onde você se encontra. Isso me mostrou que Duncan realmente conseguia ver o meu Mer-Ka-Ba e isso em si é muito raro.

A próxima observação que fiz foi que Duncan não tinha corpo emocional. Indaguei-lhe sobre isso e ele disse que o governo lhe deu LSD e usou a sua energia sexual para despojá-lo de toda e qualquer emoção. Nunca tinha visto ninguém nesse estado antes. Esse, é claro, era o problema que ele tinha com os seus dois Mer-Ka-Bas. Ele tinha dois porque estava ligado aos dois experimentos, Filadélfia e Montauk. Nenhum deles foi criado com ou por amor, portanto eles estavam completamente desequilibrados.

Preston estava sentado ao meu lado e notei que ele suava e que roía as unhas como se estivesse muito amedrontado. Indaguei-lhe sobre isso, e ele disse que sim, estava muito preocupado no momento. Parece que os Mer-Ka-Bas que criaram os experimentos Filadélfia e Montauk agora estavam ligados, e por causa de algumas informações que eles tinham, estavam preocupados que esses Mer-Ka-Bas retornassem à Terra e causassem muito mal. Ele estava preocupado com a própria vida e a vida dos outros.

Depois de ir embora, conversei com os anjos. Consegui ver exatamente o que estava errado com os Mer-Ka-Bas de Duncan e pensei ser muito fácil consertá-los. Mas os anjos não me deixaram interferir. Eles disseram que no ano de 2012, em 12 de dezembro, aconteceria um teste para um novo experimento: duraria doze dias e resolveria todos os problemas, devolvendo o equilíbrio a todas as coisas. Eles me disseram para não ajudar.

Entretanto, Al Bielek, outro sobrevivente do Experimento Filadélfia e irmão de Duncan, telefonou-me dois dias depois, perguntando se eu poderia ajudar Duncan. Não poderia ajudar. Eles precisariam esperar mais alguns anos e tudo ficaria bem.

Ilustração 11-9. A galáxia do Sombrero.

Tratei desse assunto por causa da natureza desses experimentos. Conforme disse, eles se basearam na ciência do Mer-Ka-Ba. A esta altura, o governo americano está usando essas informações com outros propósitos além de tornar armas de guerra invisíveis. Eles descobriram que podem afetar as emoções humanas e controlar a mente das pessoas. É importante que vocês saibam, porque vocês, no seu Mer-Ka-Ba, podem ser imunes ao que eles estão fazendo, usando o conhecimento apresentado neste livro.

Os governos deste mundo estão fazendo muitos experimentos com as suas populações, sem mencionar os problemas ambientais da Terra. Conhecendo e usando o poder com corpo de luz humano, vocês podem produzir equilíbrio não só para si mesmos, mas também para todo o mundo. É sobre esse assunto — aprender a usar o seu corpo de luz e como isso pode mudar tudo — que estou chamando a sua atenção. Vocês são mais do que sabem. O Grande Espírito vive dentro de vocês, e sob as circunstâncias certas, por meio de vocês todas as coisas são possíveis. Vocês podem curar a si mesmos e ao mundo, e ajudar na ascensão da Mãe Terra para o próximo mundo, se o seu amor for grande o bastante.

DOZE

O Mer-Ka-Ba, o Corpo de Luz Humano

A Escola de Mistérios Egípcia estudou todos os diversos aspectos da vivência humana, mais do que poderíamos ser capazes de comentar aqui. No entanto, o aspecto que era fundamental a toda a formação egípcia nos mistérios era o Mer-Ka-Ba. O Mer-Ka-Ba, o corpo de luz humano, era tudo! Sem esse conhecimento e essa vivência, seria impossível alcançar os outros mundos, do ponto de vista deles.

"Mer-Ka-Ba" tem o mesmo significado em vários idiomas. Em zulu, tem a mesma pronúncia que em inglês. O líder espiritual dos zulus, Credo Mutwa, afirma que o seu povo chegou à Terra vindo do espaço em um Mer-Ka-Ba. Em hebraico é *Mer-Ka-Vah,* significa tanto o trono de Deus quanto um carro, um veículo que transporta o corpo e o espírito humanos de um lugar para outro.

Em egípcio, a palavra "Mer-Ka-Ba" na realidade são três palavras: *Mer* é um tipo especial de luz, um campo luminoso em contrarrotação; *Ka* significa espírito (pelo menos aqui na Terra recebe a conotação do espírito humano); e *Ba* significa "a interpretação da Realidade", que aqui na Terra normalmente significa o corpo humano. A reunião dessas palavras, na minha interpretação do Mer-Ka-Ba, é "um campo de luz contrarrotatório que interage e transporta o espírito e o corpo de um mundo para outro", embora seja muito, muito mais do que isso. É o padrão de criação propriamente dito que deu origem a tudo o que existe.

Vocês sabem disso. Não é nada realmente novo para vocês. Vocês simplesmente se esqueceram por um momento no tempo. Vocês têm usado o Mer-Ka-Ba zilhões de vezes à medida que a sua vida se desenrolava através da criação de espaço/tempo/dimensão. E vocês irão lembrar-se outra vez assim que for preciso.

Este capítulo irá tratar indiretamente do corpo de luz humano, ou o Mer-Ka-Ba. Vamos comentar sobre a mecânica interna e os fluxos de energia do corpo de luz, ao passo que no próximo capítulo vamos apresentar a compreensão da meditação do Mer-Ka-Ba propriamente dita — um modo de vivenciá-la de verdade, depois lembrar. Provavelmente, isso irá ajudar você a conhecer essa estrutura interna, primeiramente no sentido de trabalhar com o seu corpo de luz. Se não julgar necessário, então, é claro, passe para o próximo capítulo.

Que fique bem claro que vocês podem recriar ou ativar o seu corpo de luz sem esse conhecimento. Vocês podem recriá-lo com amor e fé apenas, e para algumas pessoas esse é o único modo de fazê-lo. Admito essa possibilidade, mas o meu compromisso aqui na Terra é promover esse caminho, usando o conhecimento masculino, porque alguns de vocês só são capazes de entender pelo hemisfério cerebral esquerdo. O caminho feminino está mais dentro da biosfera terrestre, e é o masculino que precisa desesperadamente de equilíbrio.

Vamos começar com os pontos de energia mais internos chamados chakras, e pouco a pouco vamos para a parte externa, para explicar todo o campo de energia humano. É muita informação; há muito pouca coisa que eu possa fazer para simplificar um assunto tão complicado.

Antes de começarmos, há uma última imagem que precisa ser vista, ou vocês nunca entenderão. Não importa quanto tentem conhecer e compreender o Mer-Ka-Ba por meio da geometria sagrada, nunca será o bastante. Existe uma outra metade que é vivencial, e ela só pode ser vivida quando estiverem mergulhados no amor. O amor é mais do que simplesmente necessário; o amor é a própria vida do Mer-Ka-Ba. Sim, o Mer-Ka-Ba é vivo. Não é nada menos do que vocês, e vocês estão vivos. O Mer-Ka-Ba não é algo separado de vocês; ele *é* vocês. Ele é o conjunto de linhas de energia que permitem que a energia da força vital, o prana, o chi, flua para dentro e para fora de você de volta a Deus. É a sua própria ligação com Deus. É o que une vocês e Deus como uma coisa só. O amor é a metade da luz que gira ao redor de vocês; o conhecimento é a outra metade. Quando o amor e o conhecimento se tornam uma coisa só, o Cristo torna-se presente, sempre.

Se vocês pensam que nestas páginas encontrarão algo útil para ajudá-los em um dos projetos da sua mente, nunca conhecerão a verdade. Ela só pode ser vivida. Se estão buscando um mecanismo para ter a prática do Mer-Ka-Ba, apresento-lhes o seguinte.

As Geometrias do Sistema de Chakras Humano

Se o caminho masculino foi a sua escolha, então é imperativo conhecer e compreender o sistema de chakras humano ao trabalhar com as energias sutis que circulam dentro e ao redor do corpo humano. Geralmente, essas energias estão unidas e são chamadas de corpo de luz humano.

O *chakra* é um ponto de energia dentro e às vezes fora do corpo que tem uma característica específica. Quando uma pessoa se concentra em um determinado chakra, todo o seu mundo é colorido pela energia daquele chakra. É como uma lente pela qual tudo na existência é interpretado.

Embora cada chakra seja diferente, tanto energética quanto sensorialmente, todos eles têm determinados aspectos que são iguais. Também existe uma energia subjacente fluindo através do sistema de chakras e ligando-os que é extremamente útil compreender.

O sistema de chakras humano baseia-se em oito chakras ao longo da coluna vertebral. Existe um sistema mais integral de treze chakras, que vamos analisar posteriormente. Entendam que existem muitos chakras menores, sobre os quais não vamos comentar, tais como os das mãos e dos pés.

Em primeiro lugar, vamos nos concentrar no fluxo de energia que sobe pela região da coluna vertebral, depois ramificá-lo em muitos assuntos correlatos. No próximo capítulo veremos os campos de geometria sagrada de luz que envolvem o seu corpo e que constituem a base do Mer-Ka-Ba vivo.

Vamos estudar a origem geométrica do sistema de oito chakras, que se baseia na estrutura do Ovo da Vida, o mesmo padrão de energia das oito células originais do corpo humano discutidas no capítulo 7. Observem também que as oito células originais, o sistema de oito chakras, e os oito circuitos elétricos internos do corpo humano vistos na medicina chinesa estão todos relacionados ao cubo ou à estrela tetraédrica, dependendo do ponto de vista de cada um. Os circuitos elétricos têm muitos condutores ligados a todas as células do corpo. Na medicina chinesa, esses circuitos são chamados meridianos. Um estudo completo do sistema de chakras deve incluir esse conhecimento, mas aqui não é o caso, porque esse é um estudo muito complexo e realmente não é necessário para o nosso propósito. Aqui vamos apresentar apenas o que é necessário para acionar o seu Mer-Ka-Ba.

O Ovo da Vida Desdobrado e a Escala Musical

Visualizem o Ovo da Vida, a forma com as oito esferas na forma de uma estrela tetraédrica (Ilustração 12-1). Agora desconectem todas as esferas e abram-nas em uma cadeia (Ilustração 12-2). No entanto, isso deve ser feito em uma sequência específica, mantendo os meios passos na sequência. O que obtêm é o sistema humano de oito chakras — os chakras primários que sobem pelo corpo e através dele. A energia humana, desde a sexual até a elétrica, circula segundo o padrão que podem ver aqui.

Ilustração 12-1. O Ovo da Vida.

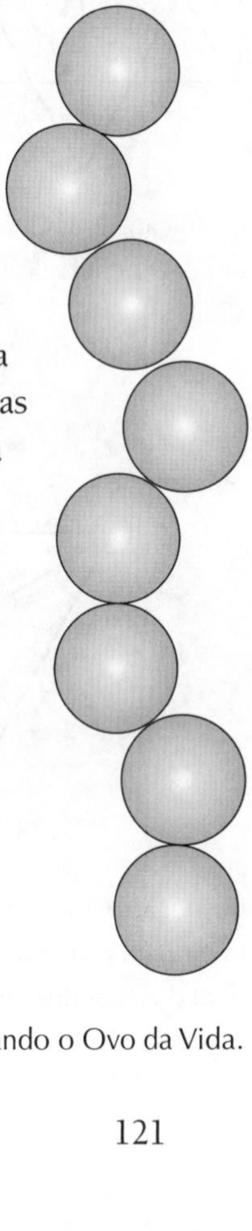

Ilustração 12-2. Desdobrando o Ovo da Vida.

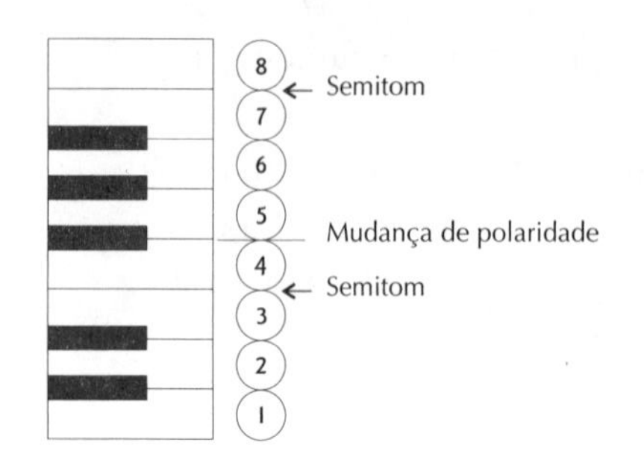

Ilustração 12-3. O Ovo da Vida desdobrado musicalmente. À esquerda está uma oitava sobre um teclado. A escala de *dó* usa as teclas brancas, facilitando a visualização dos semitons (em relação às teclas pretas) e dos dois tetracordes que compõem a escala maior. A escala maior tem passos intermediários (semitons) entre 3 e 4 e entre 7 e 8.

Ilustração 12-4. O tetraedro em 3-D dentro do Ovo da Vida.

Vocês têm a mesma mudança de direção nos meios passos entre o terceiro e o quarto chakras e o sétimo e o oitavo chakras. E ainda se observa essa mudança especial entre o quarto e o quinto chakra, os chakras do coração e do som. Esses movimentos também são encontrados na harmonia musical. Considerar a estrutura da escala musical ajudará vocês a aplicar essa estrutura ao sistema de chakras humano. Vamos observar a música para entender o que acabamos de dizer.

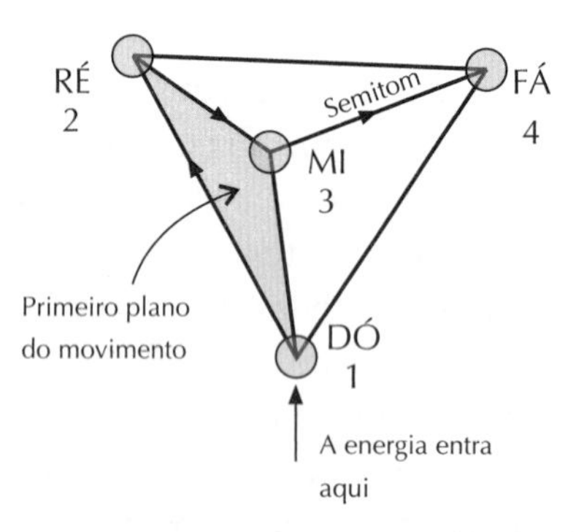

Ilustração 12-5. O tetraedro feminino. Do ponto inferior, *dó*, é escolhido um plano para chegar a *ré* e *mi;* uma mudança de direção (semitom) é necessária para chegar a *fá* no último vértice do tetraedro, completando o primeiro tetracorde da escala.

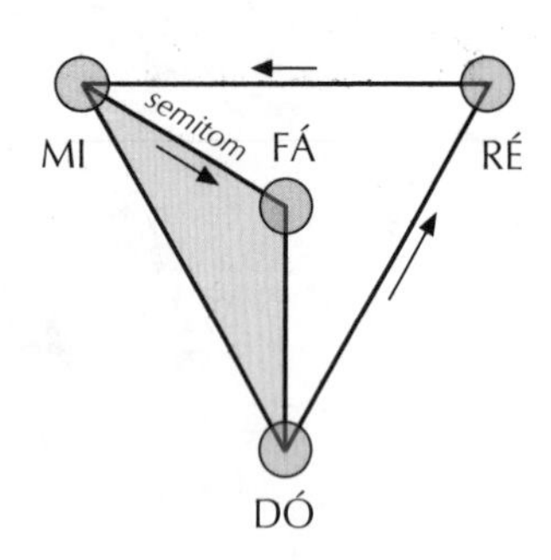

Ilustração 12-6. A base do tetraedro é escolhida para o plano do movimento. O vértice final do tetraedro deve então ser *fá,* aqui visto no centro "superior".

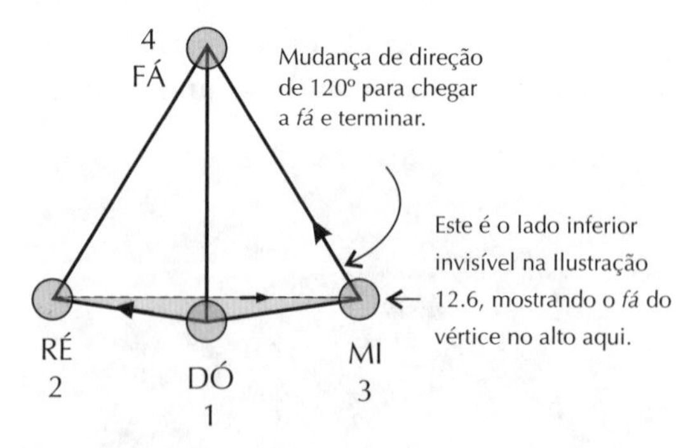

Ilustração 12-7. O semitom entre as terceira e quarta notas. Uma mudança de direção de 120 graus é necessária para passar para outro plano e chegar a *fá* no último vértice remanescente.

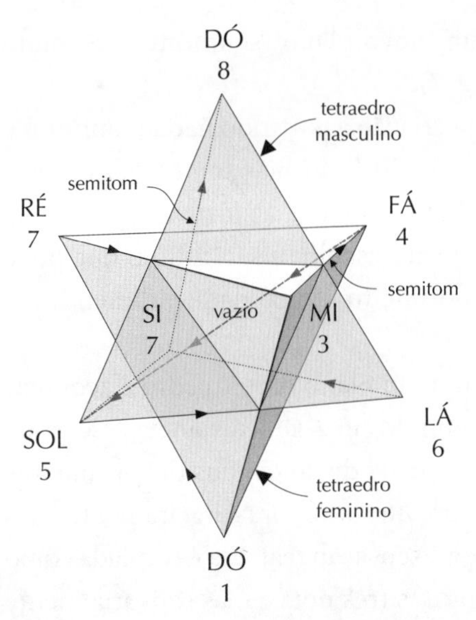

Ilustração 12-8. A energia circulando entre os tetraedros.

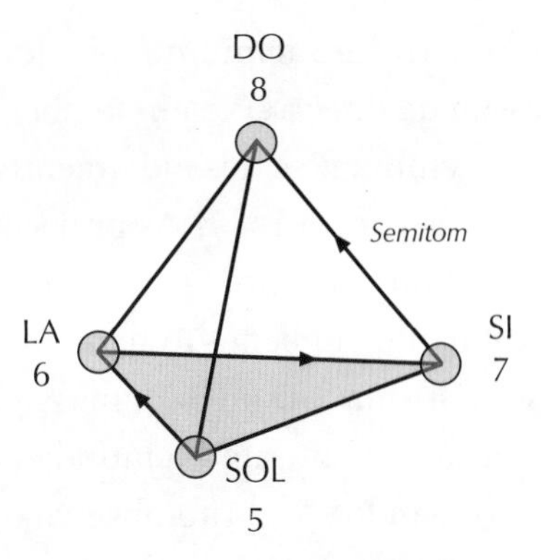

Ilustração 12-9. O tetraedro masculino, fazendo a sua mudança de direção para *dó,* a primeira nota/vértice do tetraedro seguinte (feminino).

Na escala musical de qualquer tom maior existe um semitom entre a terceira e a quarta notas e a sétima e a oitava notas (Ilustração 12-3). Esses semitons são embutidos nos instrumentos de sopro como a flauta pela posição dos orifícios. Do mesmo modo, há um lugar especial entre a quarta e a quinta notas de que fala Gurdjieff. É o lugar onde a polaridade se inverte, mudando de feminino para masculino. Usando o Ovo da Vida desdobrado, mostramos como a energia circula pela música e por essa forma, que é igual nos chakras do corpo.

A energia do Mer-Ka-Ba, os dois tetraedros encerrados na forma de vida humana (Ilustração 12-4), movem-se da seguinte maneira (Ilustração 12-5): 1 *(dó)* vai para 2, 3 ou 4, depois para um dos outros dois vértices, deslocando-se por uma superfície plana para fazê-lo. Para alcançar o vértice remanescente, ela deve então mudar de direção — o semitom.

Usando o sistema ocidental clássico da oitava como é mostrado sobre o piano, a nota *dó* entra na estrela tetraédrica do Ovo da Vida na ponta (vértice) inferior do tetraedro feminino. A energia é masculina quando vem da oitava anterior, mas deve mudar para feminina porque acabou de entrar no novo tetraedro "feminino". A polaridade se inverte de novo quando se desloca para o tetracorde ou tetraedro seguinte (vejam as Ilustrações 12-6 e 7). A energia que entra em um vértice tem três planos (A, B ou C) para prosseguir (vejam a Ilustração 12-6). Para mostrar o fluxo de energia aqui vamos começar no meio/topo. Depois que é escolhido um plano (C), ela deve mover-se naquele plano triangular, que lhe dá as duas notas seguintes, *ré* e *mi,* nas outras duas pontas sobre aquele plano.

O movimento acontece sobre um plano triangular e a distância entre as notas é exatamente a mesma. Entretanto, para alcançar a quarta e última nota, *fá,* e concluir esse tetraedro feminino, ela deve passar para um novo plano (semitom), mudando assim de direção (vejam também a Ilustração 12-7).

Lembram-se dos movimentos da Gênese e da criação a partir do nada (capítulo 5, final da página 191)? As projeções do espírito no Vazio — formas sombreadas — são o mesmo conceito. Quando o espírito está no Vazio, ou nada, as formas que ele cria realmente também são nada. As regras que o espírito escolheu são tudo o que pode ser visto em 2-D ou 3-D, mas devem ser em 2-D primeiro. A realidade bidimensional é primária, anterior ao mundo em 3-D.

Quando o espírito observa o movimento sobre um plano do tetraedro e acontece uma mudança de direção, a forma sombreada do mundo em 2-D (a distância percorrida é vista como um sombra) aparece a cerca de metade da distância dos dois primeiros movimentos sobre o plano triangular. Geometricamente, a sombra é ligeiramente mais comprida do que a metade, e acredito que essa seja a sensação real. Ela é rotulada como semitom. Na verdade, é a mesma distância das outras três notas, mas sensorialmente para o espírito, parece como a metade de um movimento, o que resulta neste mundo com um semitom entre *mi* e *fá*, porque, conforme dissemos, o mundo em 2-D é o início. Agora o primeiro tetraedro feminino está terminado.

A esta altura, a energia deve mudar do tetraedro feminino para o masculino (vejam a Ilustração 12-8). Ela faz isso passando de *fá* diretamente através do centro da estrela tetraédrica (dos tetraedros masculino e feminino entrelaçados), ou o "vazio", para chegar a *sol*, a primeira nota do tetraedro masculino. Ao fazer isso, ela muda de polaridade de feminino para masculino.

A energia se move exatamente como fez no tetraedro feminino, mas o plano sobre o qual ela deve se mover é restrito ao plano horizontal na base do tetraedro masculino (*sol, lá, si*). Depois de escolher um dos três vértices disponíveis para *sol* (5 à esquerda), ela escolhe *lá* e *si* para concluir o plano.

A energia deve agora mudar de direção novamente para completar-se, assim como fez no tetraedro feminino. Ela faz essa mudança direcional (Ilustração 12-9) para alcançar a última nota, *dó*, que se torna a primeira nota do tetraedro seguinte. A morte se torna nascimento, a transição de uma forma para outra. O masculino se torna feminino, e o procedimento começa outra vez.

Outra vez? Sim, porque há um complexo de estrelas tetraédricas — no mínimo mesmo uma cadeia de estrelas tetraédricas — em todos os sistemas que estamos discutindo. Assim como na música, existem oitavas acima e abaixo dessa, que teoricamente continuam eternamente. O mesmo que acontece na música acontece na consciência e até mesmo nos níveis dimensionais de que tratamos no capítulo 2. Quanto à energia que percorre os chakras, é a mesma coisa também. Existem sistemas de chakras acima e abaixo do sistema que vocês sentem. Isso pode ser considerado a base geométrica da imortalidade. O espírito simplesmente continua subindo e descendo à vontade, deixando um mundo (corpo) apenas para entrar em outro.

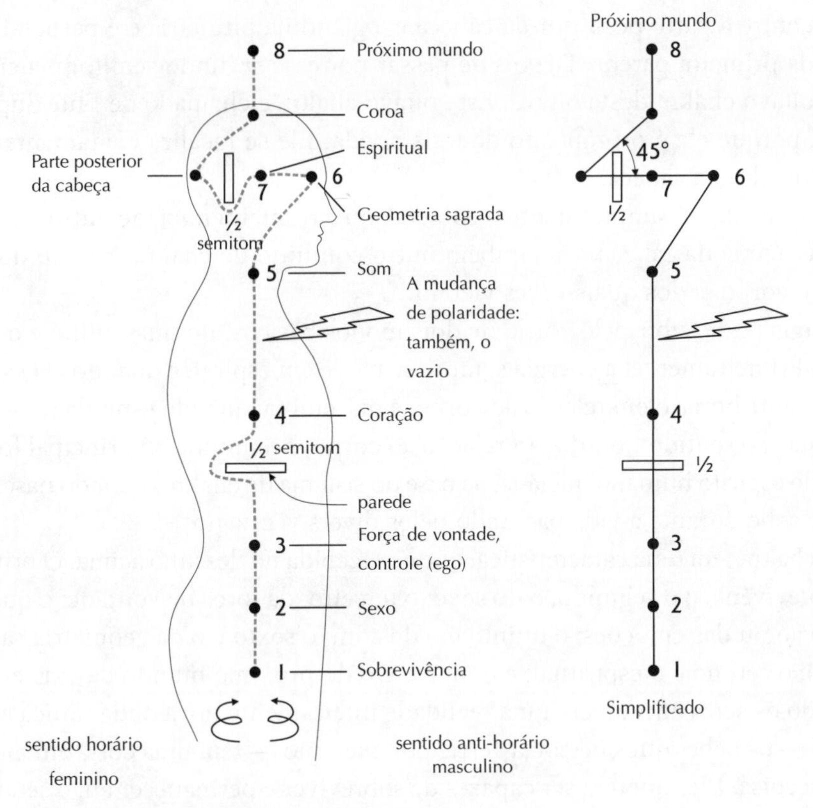

Ilustração 12-10. O sistema humano de oito chakras.

Os Chakras Humanos e a Escala Musical

Vamos observar os chakras humanos (Ilustração 12-10) e ver como eles se comportam exatamente da mesma maneira como a escala musical. (A posição dos chakras não está perfeita nesse desenho.)

Avançando topograficamente sobre a superfície do corpo, observem os três pontos dos chakras inferiores. O primeiro acha-se próximo à base da coluna vertebral; o segundo está 7,23 centímetros acima, topograficamente; e o terceiro 7,23 centímetros acima do anterior. Essa é uma média para *todos* os seres humanos, e é a mesma distância média entre os nossos olhos, muito embora pessoalmente cada indivíduo possa ser diferente. Depois do terceiro chakra ocorre uma mudança de direção na "parede" mostrada acima desse chakra, a que chamaremos de semitom.

Esse semitom é decisivo para a evolução humana e se revela apenas quando o espírito está pronto e dominou a sua posição nesse novo mundo. Para o espírito no corpo, esse semitom está oculto, não perceptível. Simplesmente, o espírito não pode vê-lo enquanto não chega o momento certo.

Depois que o espírito encontra esse semitom e o ultrapassa, a energia flui para o coração, para a garganta, para a glândula pituitária e para a glândula pineal, antes de encontrar outra parede/semitom que novamente impede o fluxo. Essa "parede" está localizada entre a parte posterior da cabeça e a glândula pituitária e é perpendicular ao plano da primeira parede. Depois de passar por esse segundo semitom, a energia chega ao oitavo chakra desta oitava. Este oitavo chakra é chamado de Ente Supremo em hindi, porque ele é o propósito de toda a vida. Ele se localiza exatamente a um palmo acima de sua cabeça.

O oitavo chakra é simplesmente o começo, ou a primeira nota, de outro conjunto de chakras acima da cabeça. Há também outro conjunto de chakras abaixo dos que existem no corpo, e dos quais vocês vieram.

A energia pode subir pelo corpo de dois modos básicos, um masculino e o outro feminino. Primeiramente, a energia sempre se move em espiral, e quando ela espirala no sentido anti-horário em relação ao corpo, é masculina; quando espirala no sentido inverso, que é o sentido horário em relação ao corpo, é feminina. O principal foco de interesse do espírito humano inicia-se na base do sistema de chakras quando nascemos, depois ele sobe durante a vida passando pelos diversos estágios.

Cada chakra tem uma característica, que é percebida no desenho acima. O primeiro é o da sobrevivência; o segundo, o do sexo; o terceiro, da força de vontade; o quarto é o do coração ou das emoções; o quinto é o do som; o sexto é o da geometria sagrada da criação; o sétimo é o espiritual; e o oitavo é o do próximo mundo da existência.

Quando os seres entram em uma realidade inteiramente nova onde nunca estiveram antes — os bebês que chegam à Terra, por exemplo — têm uma coisa em mente e uma única coisa. Eles querem ser capazes de sobreviver e permanecer ali; o seu único interesse é ser capaz de sobreviver nesse mundo novo, portanto eles fazem tudo o que podem para permanecer. Conforme mencionamos, o primeiro chakra torna-se como uma lente através da qual a nova realidade é interpretada; e a interpretação requer todo o seu interesse, simplesmente tentar permanecer nesse mundo novo.

No momento em que é alcançada a sobrevivência, torna-se evidente para o espírito que mais um ou dois chakras estão disponíveis. (Na realidade são dois, mas o espírito poderá ver apenas um.) O restante dos chakras não está visível por causa da parede do semitom. O semitom oculta os chakras superiores ao espírito, pelo menos até que o espírito tenha aprendido a dominar os chakras inferiores e a sabedoria mostre o caminho para a compreensão superior.

Depois de alcançada a sobrevivência, surge o desejo de fazer contato com os seres dessa realidade — isso é instintivo. Quando se é um bebê, isso normalmente é interpretado como fazer contato com a mãe, especialmente com o peito dela nessa realidade, mas na verdade é sexual por natureza.

À medida que se cresce, o desejo de contato torna-se puramente sexual; deseja-se o contato físico com os seres desse mundo. Nos mundos superiores, isso adquire conotações diferentes, mas basicamente o que se faz é localizar a vida desse novo mundo e fazer contato com ela. Assim, chamamos esse chakra de chakra sexual. Depois de sobreviver e fazer contato com os seres, o terceiro chakra torna-se disponível, o qual tem a ver com o desejo de aprender a manipular e controlar a nova realidade, ou o que se pode chamar de força de vontade. Há o desejo de saber como as coisas funcionam, quais são as leis existentes nesse novo mundo. Como se faz isso? Passa-se o tempo todo tentando descobrir as coisas físicas. Usando a força de vontade, começa-se a tentar controlar o mundo material. Nos mundos superiores, o material é diferente do material da terceira dimensão, mas ainda há uma correspondência entre os mundos.

À medida que o tempo passa, os esforços para entender a realidade são interpretados de muitas maneiras. Quando se é um bebê, existe um período especialmente interessante, geralmente chamado de "a idade terrível dos 2 anos", em que se quer saber *tudo* sobre o mundo ao redor e experimentar para ver o que se pode ou não fazer. A criança pega tudo, quebra, atira no ar, procura outra coisa — em resumo, faz tudo que não devia fazer. Essa criança continua assim até ficar satisfeita com o que compreendeu do novo mundo.

A criança não sabe que existe uma mudança de direção depois do terceiro chakra; existe algo como uma parede ocultando os quatro chakras seguintes. Ela não tem consciência das muitas outras lições dos chakras que virão. A vida oferece muito mais, mas a criança está totalmente alheia a isso. Na Terra, mesmo quando nos tornamos adultos, podemos não saber que existem centros superiores no corpo. Grande parte do mundo ainda vive nos três primeiros chakras. No entanto, isso está mudando rapidamente, porque a Mãe Terra está acordando.

A Parede com uma Passagem Oculta

Deus pôs ali essa parede, ou semitom, ou mudança de direção, para que não soubéssemos disso enquanto não tivéssemos dominado todos os centros inferiores até um certo grau. Portanto, quando crescemos, permanecemos apenas nos três chakras inferiores. Pode ser que estejamos em todos eles de uma vez ou talvez mais em um e parcialmente nos outros, ou pode acontecer uma mistura ou combinação equilibrada de todos os três.

Esse padrão se aplica a uma pessoa, a um país, um planeta, uma galáxia, enfim, a tudo o que esteja vivo; em qualquer nível da existência ocorre esse mesmo padrão de movimento. Vamos considerar um país como os Estados Unidos. Somos um país inteiramente novo em um mundo velho; somos jovens em relação aos países da Europa e de outras regiões; somos apenas um bebê. Até a década de 1950, a imensa maioria das pessoas desse país se achava em um dos três chakras inferiores — não todo mundo, é claro, mas a maioria das pessoas. Elas estavam preocupadas com controle, dinheiro, materialismo, casas, carros, sexo, alimento, especialmente com aspectos da sobrevivência, procurando guardar dinheiro bastante para sentir-se seguras. Aquele era um mundo realmente materialista. Então, na década de 1960, a mudança de consciência começou a alterar rapidamente o que era considerado normal. As pessoas começaram a meditar e a entrar nos chakras superiores.

Se vocês forem a um país velho como a Índia, o Tibete e partes da China, lugares que existem há muito, muito tempo e que, como países, conseguiram ultrapassar a parede com a passagem oculta para chegar ao nível seguinte, verão que eles passaram para o quarto, quinto, sexto e sétimo chakras. E quando passaram por esses quatro centros superiores, eles finalmente chegaram a outro bloqueio depois do sétimo chakra, que impede o progresso a partir dali.

A parte inferior do nosso corpo tem três centros, e a parte superior tem quatro. Depois que um país ou uma pessoa ultrapassam esse primeiro semitom, nunca mais serão os mesmos novamente. Depois que *sabem* que há algo mais, eles passam o resto da vida tentando descobrir como voltar aos centros superiores, mesmo que tenham apenas uma vaga ideia dos mundos superiores.

Em termos de uma pessoa ou de um país, no entanto, depois que se passa pelo primeiro semitom, subindo para o coração, para as correntes de som, para as geometrias e para a natureza espiritual das coisas, o que às vezes acontece é que se deixa de preocupar com os centros inferiores da consciência. Realmente, a pessoa ou o país não mais se preocupam muito com o seu lado material — se a sua casa é bonita ou qualquer outra coisa do gênero. Eles estão mais preocupados com as informações e as vivências que adquirem sobre a natureza desses centros superiores. Assim, quando se observa às vezes esses países, eles parecem quase devastados fisicamente, porque todo o seu interesse está voltado para descobrir do que trata a Realidade dos mundos superiores. Um exemplo desse tipo de país é a Índia.

Depois que um país realmente alcançou o sétimo chakra e se concentrou nele, o que é muito difícil, a sua única preocupação é com o que acontece depois da morte, o próximo nível da vida. Esse foi o caso do Egito Antigo.

A passagem ou semitom entre esses dois grupos de chakras encontra-se em um local (numa direção) onde, em condições normais, você nunca a encontraria; você nem sequer saberia que ela existe. Pode ser que você precise passar por alguns períodos na vida antes de sequer saber da existência de uma passagem para esses chakras superiores — especialmente se levar uma vida simples, convencional. Mas inevitavelmente, em especial num país ou pessoa que estejam voltados para o aspecto espiritual, essa passagem é encontrada.

Maneiras de Encontrar a Passagem Secreta

Penso que no começo — no *novo* começo, depois da queda durante os momentos finais da Atlântida — os humanos começaram a vivenciar esse nível superior da consciência que se perdera. Aconteceu por meio de experiências de quase-morte, porque a morte era uma experiência pela qual todos passavam. Quando alguém morre, atravessa a primeira passagem e encontra outros mundos, outras interpretações da Realidade. Essa pessoa pode conhecer outra realidade por apenas um curto intervalo de tempo, então algo acontece. Em vez de morrer totalmente, ela volta para o próprio corpo. No entanto, ela ainda guarda aquela lembrança. As pessoas que passam por esse tipo de experiência mudam completamente, e provavelmente fazem praticamente tudo ao seu alcance para descobrir o que lhes aconteceu. Realmente, elas irão questionar esse outro aspecto da vida, que está relacionado aos chakras superiores.

Possivelmente, um outro grupo de humanos que encontrou o caminho para um nível superior foi o daqueles que tomaram alucinógenos. Os alucinógenos são usados em todo o mundo, e ao longo da história por quase todas as culturas religiosas que conheço. Os alucinógenos não são drogas no sentido normal. São muito diferentes das drogas do prazer, como o ópio, a heroína, o *crack* e substâncias semelhantes, que na realidade podem fazer exatamente o oposto dos alucinógenos. As drogas do prazer tendem a intensificar os centros inferiores e fazer você sentir-se bem, mas elas o prendem nesses centros inferiores. Gurdjieff achava que, em termos do caminho espiritual, a cocaína era a pior droga de todas. Não estou julgando ninguém quanto a isso, mas essa era a opinião dele quanto à cocaína, porque ela causa uma ilusão especial e aumenta a sensação do ego. Ela o encaminha para a direção oposta da que a espiritualidade normalmente toma.

No entanto, os alucinógenos fazem algo diferente, e eles normalmente não levam ao vício do organismo como as drogas do prazer. Os incas usavam o cacto-de-são-pedro misturado a um pouco de folhas de coca. (A folha de coca é completamente diferente da cocaína.) Alguns índios americanos usam um alucinógeno chamado peiote, que é legalmente permitido entre eles pois faz parte da sua religião. Em todas as paredes do Egito, em cerca de duzentos lugares, encontram-se imagens do cogumelo *Amanita muscaria*, um grande cogumelo branco com pontos vermelhos. Pelo menos um livro foi escrito unicamente sobre esse assunto (*The Sacred Mushroom*, de Andrija Puharich).

Nos Estados Unidos, na década de 1960, o LSD fez as pessoas atravessarem essa passagem para os chakras superiores — especificamente, o LSD-25. Mais de 20 milhões de americanos tomaram o LSD-25 e foram arrojados aos centros ou chakras superiores. Entre a maioria deles, isso aconteceu totalmente fora de controle, sem nenhuma iniciação. As culturas antigas faziam preparações significativas antes de usar alucinógenos dessa natureza, mas entre os americanos da década de 1960 não se fez preparação nenhuma e houve um grande número de mortes. Eles eram atirados de encontro aos chakras superiores. Na maioria dos casos, eles paravam no do coração; tinham uma grande sensação de expansão e de começar a amar e ser toda a criação.

Entretanto, poderiam ter parado no quinto chakra das correntes de som se começassem a sua experiência com música. Nada teria sido capaz de detê-los. A música automaticamente leva você para o quinto chakra, e muitas vezes foi esse o caso. O quinto chakra é uma experiência totalmente diferente do chakra do coração, assim como o chakra do sexo é extremamente diferente do chakra da sobrevivência.

Se a pessoa nesse estado de experimentação chegasse longe o bastante para atingir o sexto chakra, ela encontraria as geometrias sagradas que criaram o universo. Uma pessoa que chegasse a esse chakra teria inacreditáveis sensações geométricas, onde tudo na vida parece geométrico.

Raras pessoas devem ter encontrado o caminho para o sétimo chakra, que é o espiritual. Nesse nível, realmente só existe uma preocupação: como encontrar o caminho para unir-se a Deus, como entrar diretamente em contato com Deus. Esse é o único interesse que tem a pessoa nesse centro. Nada mais no mundo importa.

No entanto, o problema com os alucinógenos é que a pessoa é sempre atirada de volta para os centros inferiores e para a realidade em 3-D quando passa o efeito da droga. Essas pessoas são mudadas para sempre pela experiência, e normalmente continuam a procurar um meio de retornar a esses mundos superiores, e geralmente *não* por meio de alucinógenos.

A era dos alucinógenos com certeza produziu uma mudança permanente — ela abriu a passagem ou o semitom para a consciência dos Estados Unidos como país. Ela proporcionou às pessoas uma experiência que lhes mostrou que os mundos superiores realmente existem. Desde essa época, milhões dessas pessoas dedicam a vida a tentar retornar a esses lugares superiores sagrados, e ao fazer isso, elas estão mudando o país e o mundo.

Eu penso que a próxima fase da evolução acontecerá quando as pessoas estiverem tentando descobrir como retornar ao estado superior da consciência sem precisar recorrer às drogas. Nós tínhamos os nossos gurus e yogues, meditações de diversas práticas espirituais, experiências religiosas e espirituais em busca do caminho. No final da década de 1960 e na de 1970, estávamos encantados com os mestres espirituais. Há todos os tipos de meditações e caminhos espirituais que levam você a um lugar calmo o bastante para que encontre a passagem e atravesse a parede. Uma maneira não é melhor do que a outra; a única preocupação deve ser com a que funciona no seu caso.

Finalmente, depois de instalar-se no quarto ao sétimo chakras e conseguir dominá-los, você encontra outra parede, que está a 90 graus daquela inferior. Os ângulos que você deve escolher para atravessar a parede superior são diferentes — e enganosos. No entanto, se conseguir encontrar um meio de passar, realmente conseguirá transcender este mundo tridimensional e passar para o próximo mundo, ao qual toda a vida na Terra seguirá um dia. Você morre aqui e nasce em outro lugar. Você deixa este lugar e entra em um novo lugar. O espírito é eterno e sempre existiu. Comentaremos sobre esse novo lugar em breve. Não se trata de algum *lugar* para ir, é na realidade mais um estado de ser.

No Egito, depois que os iniciados passavam por 24 anos de instrução, recebiam um alucinógeno adequado e eram postos no sarcófago da Câmara do Rei por três dias e duas noites (às vezes até por mais um dia). A principal vivência que eles buscavam era encontrar aquela passagem e entrar nos mundos superiores, e depois retornar à Terra para ajudar os outros. Isso se torna evidente a quase todo mundo que busca esses níveis superiores: só existe uma coisa a fazer quando você retorna à Terra — servir a todas as formas de vida, pois fica muito evidente por meio dessa experiência que você *é* todas as formas de vida.

Finalmente, a maioria dos buscadores do mundo procura um caminho diferente da experiência de quase-morte ou das drogas. Eles buscam um caminho que venha da natureza, um caminho que esteja dentro de si mesmos antes de terem sequer nascido. A busca é sempre a mesma. Não importa qual seja a religião ou a disciplina espiritual, não importa qual a técnica ou a modalidade de meditação, não importa quais palavras sejam usadas para descrever as suas experiências, trata-se da passagem, seja a primeira, seja a segunda, esse será sempre o interesse da sua busca.

Os Chakras na Nossa Estrela Tetraédrica

Aqueles oito chakras que se distribuem ao longo do nosso corpo têm duplicatas no espaço ao redor do corpo (Ilustração 12-11). São esferas de energia que têm tamanhos variados, dependendo do tamanho da pessoa. O raio dessas esferas tem o mesmo comprimento da mão da pessoa, medida da extremidade do dedo mais comprido até a primeira ruga do pulso. (A minha esfera tem cerca de 23 centímetros de raio, ou 46 centímetros de diâmetro.)

Elas são esferas de energia reais que se situam nas pontas do campo da estrela tetraédrica que circunda o corpo no espaço. Elas são, na verdade, os chakras "duplicados" no espaço ao redor do corpo. Vocês podem detectar ou sentir as esferas quando entram na área esférica, mas o chakra real é como um pino — é muito pequeno e no centro exato — localizado no vértice de cada ponta da estrela tetraédrica.

Quando tive acesso a um escâner de emissões moleculares (EEM), fomos capazes de ver essas coisas. Dias antes de eu parar de trabalhar no campo da tecnologia, medimos o nosso corpo e nos concentramos no centro dos pontos dos nossos chakras localizados nas extremidades das nossas estrelas tetraédricas. Em primeiro lugar, fizemos a busca com o terminal do sensor do EEM, mas a máquina não detectou nada. Mas quando chegamos ao ponto central, a tela do computador se iluminou. Depois de encontrá-lo, precisamos travar nele; então pudemos tirar uma "fotografia" em micro-ondas, que se parecia com um chakra dentro do corpo. Descobrimos que cada chakra interno tem uma pulsação viva associada a cada um dos chakras externos e ao sistema como um todo. Estava me preparando para descobrir a que essa pulsação estava ligada quando saí, portanto não sei a resposta. É claro que a primeira coisa que teríamos verificado seriam os batimentos cardíacos. Mas o corpo produz outros ritmos, e dessa vez não soubemos.

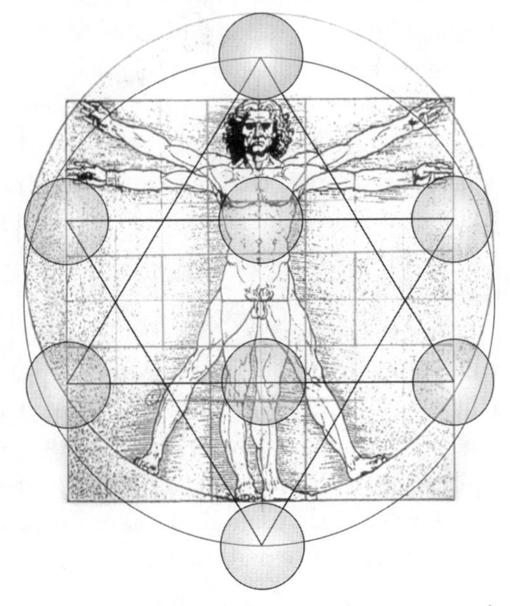

Ilustração 12-11. O cânone de Leonardo com oito esferas.

O Sistema Egípcio de Treze Chakras

Agora vamos estudar as energias expandidas do sistema cromático de chakras, o sistema com treze

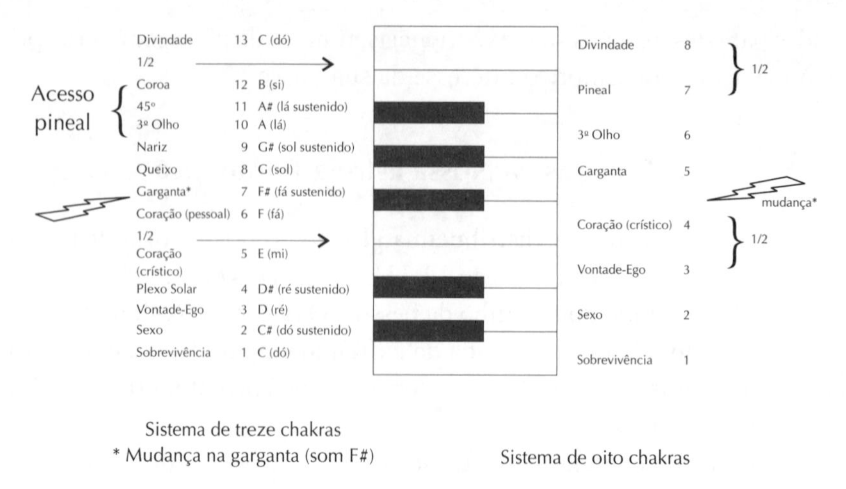

Ilustração 12-12. A escala do piano e os sistemas de treze chakras (escala cromática) e o de oito chakras (escala maior).

chakras. Gostaria de prefaciar esta seção com o reconhecimento de que não é necessário que a maioria de vocês conheça essas informações. Elas são muito complexas, e no caso de alguns de vocês elas só irão dificultar a compreensão dos fluxos de energia no interior do corpo. Ou pulem esta parte ou leiam-na com uma postura de "apenas a título informativo", caso se interessem.

Ao usar o sistema de treze chakras em vez de oito, há algo que precisa ser compreendido, ou ocorrerá uma grande confusão. Segundo o que aprendi, não se pode usar os dois sistemas de uma só vez. Deve-se usar ou um ou outro, mas não os dois simultaneamente. É um mistério, a não ser que se diga que acontece exatamente a mesma coisa na física quântica: pode-se ver a Realidade como constituída ou por partículas (átomos) ou por vibrações (ondas), mas ao tentar sobrepor os dois sistemas de uma vez, nenhum deles funciona.

Por exemplo, o passo do "vazio" entre a quarta e a quinta nota de uma escala acontece entre os chakras do coração e da garganta no sistema de oito chakras. Mas no sistema de treze chakras acontece entre os dois corações, entre o sexto e o sétimo chakra. A razão é que o espírito está usando dois pontos de vista ou sistemas de movimento inteiramente diferentes na estrela tetraédrica. Vamos tentar torná-lo o mais simples possível.

Na escala cromática, observada melhor nas teclas do piano, o acréscimo das cinco teclas pretas às oito teclas brancas constitui o total de treze notas da escala de C maior (Ilustração 12-12). Em outras palavras, quando se acrescenta a escala pentatônica das cinco teclas pretas (C#, D#, F#, G#, A#) à escala de C maior (as teclas brancas: C, D, E, F, G, A, B, C), obtém-se a escala cromática. Todas as outras escalas no piano são semelhantes, mas usam sustenidos ou bemóis. Começando com *dó* (ou C, uma vez que a escala de C é mais fácil de ver no teclado), temos a seguinte escala cromática:

C, C#, D, D#, **E**, **F**, F#, G, G#, A, A#, **B**, **C**

Os semitons estão entre E e F e entre B e C (em negrito). Observem que não existe nota sustenida (preta) entre esses pares. O vazio especial entre a quarta e a quinta nota de uma oitava está entre F e G, onde começa o segundo tetracorde (vejam o raio à direita na Ilustração 12-12). Na escala cromática é diferente, porque o fluxo se baseia em um ponto de vista diferente da estrela tetraédrica. Vamos observar primeiro como a escala cromática está disposta, depois falaremos sobre o fluxo.

A escala cromática tem doze notas, e a 13ª é o retorno, ou a primeira nota da escala seguinte. Em toda oitava existem sete notas, e a oitava é o retorno. Isso significa que o oitavo chakra da oitava e o 13º chakra da escala cromática são a mesma nota e têm a mesma função.

O encaixe desses dois sistemas harmônicos juntos ao sistema de chakras nos dá o sistema cromático de treze chakras, que é muito mais completo do que o sistema de oito. Muitas dúvidas que surgem são resolvidas quando se usa o sistema cromático expandido de chakras. Por exemplo, só com esse sistema encontramos a distância topográfica (na superfície do corpo) de 7,23 centímetros entre os chakras.

Portanto, algumas coisas possíveis quando se usa o sistema de 13 não são possíveis no sistema de oito e vice-versa. Assim, às vezes usaremos o sistema de oito, e às vezes, o sistema de treze. Sempre lhes diremos qual estaremos usando.

Existem muitos outros sistemas de harmonias e escalas, todos os quais são usados de maneiras variadas pela natureza para dispor as relações harmônicas ao nosso redor. Direi, porém, que *todos* os sistemas harmônicos da música derivam de uma única forma geométrica sagrada, mas isso não é necessário saber agora para o trabalho que estamos fazendo. Essa forma geométrica única está relacionada ao tetraedro, mas é complexa demais para ser considerada aqui.

Um dos sistemas de que falamos é o dos níveis dimensionais da criação (capítulo 2, página 71). Se relerem essa parte agora, começará a fazer muito mais sentido.

Descobrindo a Verdadeira Posição dos Chakras

Pudemos observar o interior do corpo com o escâner de emissões moleculares e ver as micro-ondas que partiam de cada chakra e localizá-los com precisão. No entanto, descobrimos que as imagens que partiam desses chakras nem sempre se localizavam onde alguns dos livros dizem que estariam. Por exemplo, muitos livros que li afirmam que o 13º chakra estaria em algum lugar a uns quatro a seis dedos acima da cabeça — mas não havia nada lá! Procuramos, procuramos nesse lugar, porque era o que os livros afirmavam, mas ainda assim não encontramos nada ali. No entanto, quando fomos ao lugar indicado pelas geometrias, que é no comprimento da mão acima do alto da cabeça, pronto, ali estava! A tela do computador se iluminou por causa da atividade.

Outra diferença óbvia foi o terceiro chakra do sistema de oito. De acordo com a maioria dos ensinamentos das artes marciais e muitas filosofias hindus, o terceiro chakra está a um ou dois dedos abaixo do umbigo. No entanto, não encontramos nada ali também — nada! Cansamos de procurar naquela região, mas o encontramos no lugar mais óbvio, também previsto pelas geometrias. Se olhar para o centro geométrico absoluto do umbigo, vocês encontrarão ali o terceiro chakra.

Desconfio que em algum momento da história cometeram essa mentira sem maldade. Tentavam torná-lo secreto porque sabiam que esse chakra é um local muito importante, e acho que distorceram a informação de propósito. O segredo por meio da distorção nas ciências e nas questões religiosas e espirituais, especialmente nos últimos 2 mil anos, tem sido uma constante.

Um Mapa dos Chakras na Superfície do Corpo

Outra coisa que os egípcios afirmam sobre o sistema de treze chakras é que os centros são encontrados topograficamente — sobre a superfície do corpo — e espaçados igualmente. Os chakras verdadeiros não são espaçados igualmente dentro do tubo respiratório, mas os *pontos de entrada* são espaçados igualmente sobre a superfície do corpo. E eles estão separados exatamente pela distância entre os centros dos olhos. A distância entre os seus olhos é a mesma distância entre a extremidade do nariz e a extremidade do queixo e diversos outros locais pertinentes do seu corpo. Se estiverem com sobrepeso, isso não vai funcionar, mas podem tentar.

Façam dessa distância a sua unidade de medida, então deitem-se sobre uma superfície plana, rígida, como o chão, e ponham um dedo no seu períneo. Isso localiza o chakra da sobrevivência, o primeiro chakra. (O períneo é o pedaço de pele localizado entre o ânus e a vagina nas mulheres, e entre o ânus e o escroto nos homens.) Medindo a partir dali um comprimento sobre a superfície do corpo, irão marcar o segundo chakra, o chakra sexual, que se localiza sobre ou logo depois do osso pubiano.

Medindo para cima a partir do chakra sexual, descobrirão que o seu polegar irá direto para dentro do umbigo, localizando o terceiro chakra.

Uma medida além do umbigo, e o seu polegar irá exatamente para dentro da boca do plexo solar, o quarto chakra do sistema de 13 chakras.

Subindo mais uma medida, chegarão ao quinto chakra, o chakra crístico, o primeiro chakra do coração. Ele se localiza um pouco acima do esterno.

Tomando a medida seguinte, ela marcará exatamente o sexto chakra, que é o segundo chakra do coração. O primeiro chakra do coração, que é mais primordial, é o amor universal incondicional por toda forma de vida. É o amor por Deus, ao passo que o sexto chakra é o amor por *parte* da vida. Se você se apaixona por uma pessoa, sente isso nesse centro superior. Mesmo que se apaixone por um planeta, desde que seja uma parte da Realidade, não importa o tamanho, você o sente no coração de cima.

Ambos os chakras do coração estão nas teclas brancas da escala cromática. Isso é muito interessante, porque acontece que é exatamente onde o semitom está localizado — entre eles no sistema de treze chakras (vejam a Ilustração 12-12).

Medindo mais uma vez (lembrem-se, vocês precisam estar deitados sobre uma superfície plana), verão que o seu polegar cairá sobre o pomo de adão, se forem do sexo masculino. É claro que no sexo feminino esse não será o caso, portanto será mais difícil de encontrar. Esse é o sétimo chakra da escala cromática.

Ao tomar a medida seguinte, ela cairá sobre o seu queixo, que é o chakra número oito. O ponto do chakra sobre o queixo é realmente muito importante. Raramente se comenta sobre isso, embora o iogue Bhajan tenha falado a respeito nas suas palestras aos discípulos. Ele o considera um dos chakras mais importantes.

Medindo novamente, chega-se ao nariz, que é o ponto do nono chakra. E quando se toma a medida seguinte, toca-se o terceiro olho, o décimo chakra.

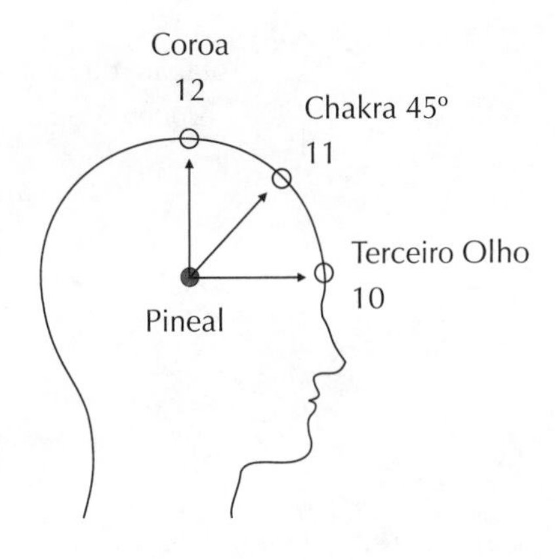

Ilustração 12-13. Os três chakras da glândula pineal.

Mais uma medida, e marca-se pouco acima do alto da testa, o 11º chakra, o lugar que chamamos o chakra 45 graus, sobre o qual comentarei mais adiante.

Uma nova medida para o alto da cabeça e vocês tocam o chakra da coroa, que é o chakra número doze. Então, a distância de uma mão acima da cabeça marcará o seu 13° chakra, o fim deste sistema e o início do seguinte.

A razão de chamarmos o 11º chakra de chakra 45 graus tem a ver com o modo como o 10º, o 11º e o 12º centros estão ligados à glândula pineal (Ilustração 12-13). Lembram-se de quando falei sobre a glândula pineal como um olho? Bem, parece que, quando a glândula pineal "olha" ou projeta energia para a glândula pituitária, ela produz a percepção do terceiro olho. Existe uma outra linha de energia que se projeta da pineal para onde está localizado o 11º chakra; essa se situa num ângulo de 45 graus (em média) da projeção da pituitária. Acredito que sejam exatamente 45 graus, mas não posso prová-lo. Depois, existe outra projeção, que vai direto e para fora da coroa. Todos esses três últimos chakras concentram-se na glândula pineal ou projetam-se a partir dela.

Eis aqui outra contradição entre os dois sistemas de chakras. O sistema de oito considera a pineal como o chakra do qual se passa para o próximo mundo. No sistema de treze, esse chakra tem três pontos de acesso e tem meios de trabalhar com essa energia que são diferentes do simples sistema de oito.

Outra observação interessante: no sistema de oito, o primeiro semitom encontra-se entre o coração universal e a garganta (som). Entretanto, o primeiro semitom no sistema de treze localiza-se entre o coração *universal* (o amor por toda forma de vida em toda parte) e o coração *pessoal* (o amor por alguém ou alguma coisa). Está entre o quinto e o sexto chakra nesse sistema. Essa diferença entre a consciência crística e o amor pessoal da consciência humana é uma das áreas de compreensão mais importantes do trabalho espiritual; e acontece de estar exatamente onde ocorre a mudança de direção. O próximo semitom acima, entre o 12º e o 13º chakras, também é um local decisivo, e esse novamente é diferente do sistema de oito. É um local decisivo

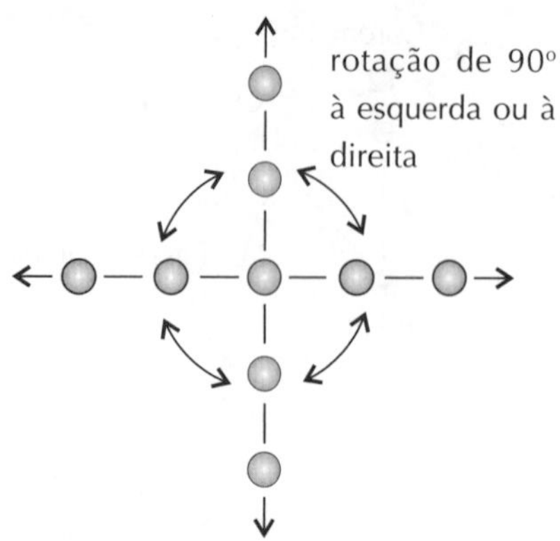

Ilustração 12-14a. Visão superior dos cinco canais, vistos como uma linha horizontal que gira para cima pela coluna vertebral.

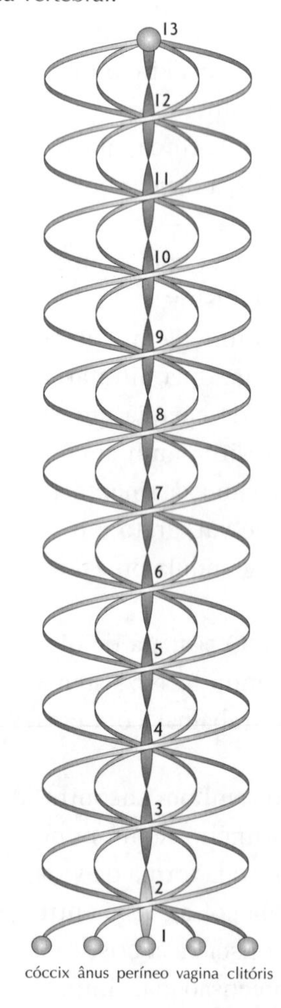

Ilustração 12-14b. Rotação da espiral de luz que sobe pelos chakras, uma mulher vista de lado.

porque é quando se passa de um mundo ou uma dimensão para outra. No entanto, os dois semitons (e os próprios chakras em si) proporcionam as lições essenciais da vida.

Um Movimento Diferente sobre a Estrela Tetraédrica

Parece como se o espírito tivesse decidido que havia mais do que um caminho para mover-se pela estrela tetraédrica. Quando usamos o sistema de oito chakras, é bem simples, mas ao usar o sistema de 13 chakras, o espírito torna-se muito mais complexo. Eu apresentaria uma maneira possível pela qual o espírito poderia mover-se pela estrela tetraédrica e ainda assim cumprir perfeitamente as exigências da Realidade, mas depois de observá-lo, decidi que provavelmente causaria mais confusão do que ajudaria. Portanto, se vocês realmente quiserem saber, façam-no por si mesmos. Experimentem a visão de cima ou de baixo do tetraedro primeiro. Dica: um tetraedro dá apenas as teclas brancas, e o outro, apenas as teclas pretas (sustenidos ou bemóis).

Os Cinco Canais de Luz em Espirais

Os dois sistemas de chakras vistos anteriormente mostram uma compreensão muito simplificada do sistema de chakras completo, que é realmente muito mais complexo do que foi apresentado até aqui. Embora tenhamos comentado sobre um canal ligando todos os chakras através do qual a energia flui, há na realidade *cinco canais diferentes* e quatro outros chakras associados a cada chakra principal. Eles estão dispostos em uma linha horizontal, a 90 graus da vertical (Ilustração 12-14a) e giram em incrementos de 90 graus à medida que sobem pela coluna central (Ilustração 12-14b).

Três desses canais são primários, os dois de fora e o central, e os dois outros são secundários. Isso se relaciona ao cinco tipos diferentes de consciência humana a que Thoth se referiu no capítulo 9. Lembrem-se, a primeira, a terceira e a quinta são consciências de união, e a segunda e a quarta são consciências desarmônicas.

Isso se relaciona posteriormente aos cinco sentidos e aos cinco sólidos platônicos, mas para simplificar não vamos prolongar o assunto.

Antes de podermos discutir esses cinco canais, devemos falar sobre a luz. Compreendendo de que maneira a luz se move através do espaço será mais fácil entender como o prana sobe por esses chakras. Todas as formas de energia têm uma única origem, e essa origem é o prana, ou chi, ou energia da força vital. Ele é a consciência propriamente dita, percepção, espírito — o espírito que começou a sua jornada no Vazio, criando círculos e linhas imaginários.

Estudar a luz é estudar os movimentos do espírito através da sua dança sagrada na natureza. Esta também foi feita pelo espírito. Estivemos estudando os movimentos do espírito, mas agora vamos ser mais específicos na nossa discussão. Vamos estudar primeiro a luz, depois voltaremos a essa discussão dos chakras.

Faça-se a Luz

Este desenho simples na Ilustração 12-15 é o mais importante que já fiz para a minha compreensão da Realidade. Vocês se lembram de quando falei sobre o primeiro dia da Gênese — que provavelmente parece ter sido uns mil anos atrás —, em que saímos do Vazio para o alto da primeira esfera? E de quando chegamos ao alto e formamos a segunda esfera, formamos uma vesica piscis? Na Bíblia, depois do primeiro movimento de Deus sobre "a face das águas", Ele imediatamente disse: "Faça-se a luz". Lembram-se de que eu disse que lhes mostraria que a vesica piscis *é* a luz? Bem, a Ilustração 12-15 mostra as energias de uma vesica piscis. É muito mais complexo do que isso, mas isso é o bastante para mostrar a relação entre ela e a luz.

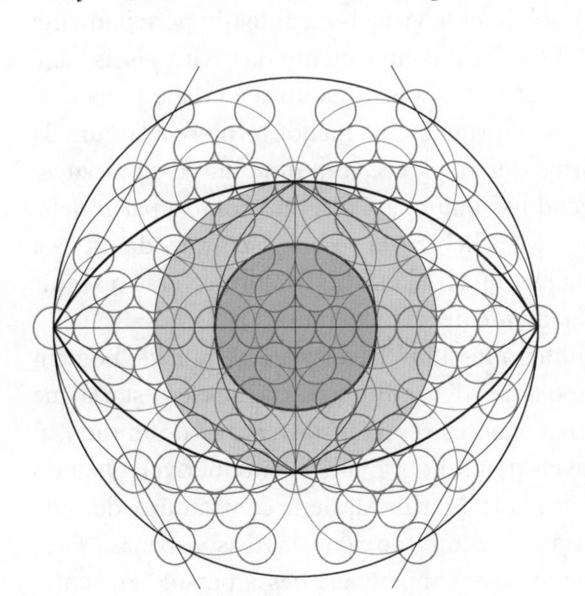

Ilustração 12-15. "O Olho", um desenho na geometria sagrada.

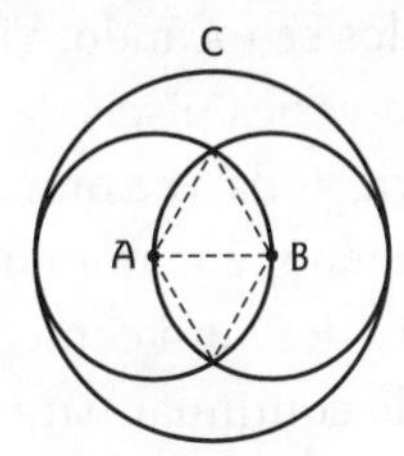

Ilustração 12-16a. Vesica piscis criada por dois círculos, aqui entrelaçados dentro de um círculo maior.

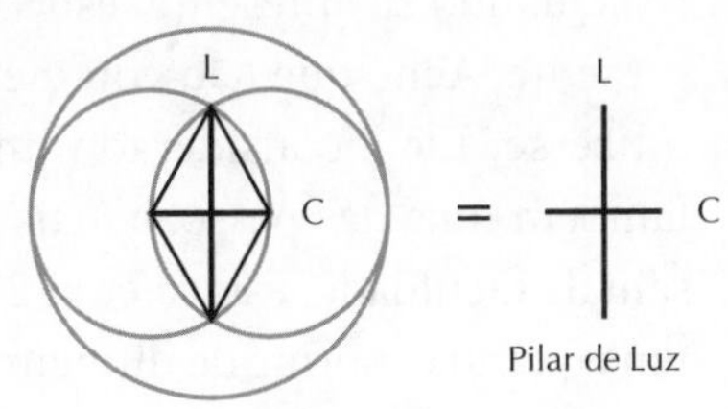

Ilustração 12-16b. O mesmo desenho com um losango e uma cruz dentro da vesica piscis.

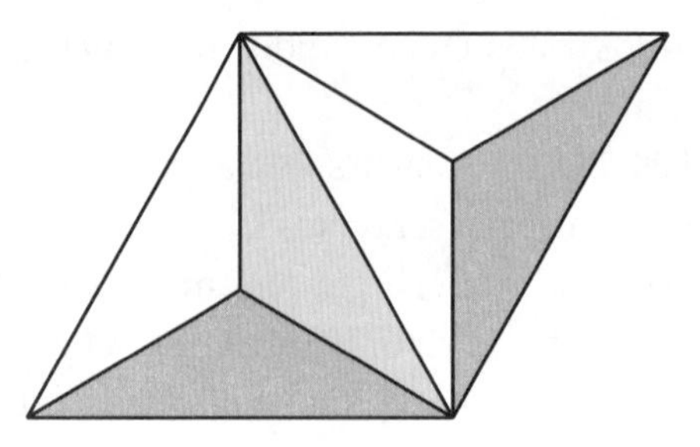

Ilustração 12-17a. Visão superior de dois tetraedros em 3-D com os lados se tocando.

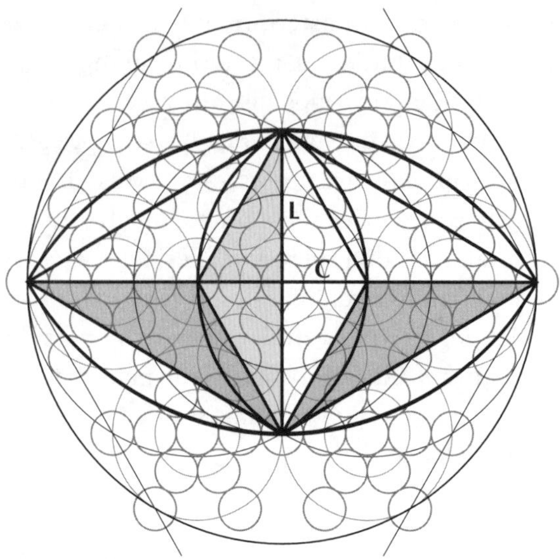

Ilustração 12-17b. Dois tetraedros em 3-D lado a lado.

Na Ilustração 12-16a, os círculos A e B atravessam os respectivos centros um do outro, formando uma vesica piscis, e ambos se encaixam perfeitamente dentro do círculo C. Essa vesica piscis é posteriormente delineada pelas linhas dentro dela, que formam dois triângulos equiláteros. O comprimento (C) e a largura (L) desses dois triângulos juntos formam uma cruz (veja 12-16b). Essa cruz é o fundamento da luz.

Observem agora que esses dois triângulos na realidade são dois tetraedros em 3-D lado a lado (Ilustração 12-17a — imaginem dois tetraedros sobre uma mesa com os seus lados se tocando, vistos de cima), totalmente visíveis e contendo perfeitamente dentro a vesica piscis da Ilustração 12-17b. C é o comprimento da vesica piscis e L é a largura. Toda vez que a vesica piscis gira a 90 graus, uma nova é criada (vejam as cruzes menor e maior na ilustração) e o comprimento da menor torna-se a largura da maior. O desenho começa a criar a forma que se parece com um olho. Essa progressão pode continuar para sempre, movendo-se tanto para o centro como a partir dele. Essa é uma progressão geométrica de relações dentro da vesica piscis que identifica a planta de construção da luz baseada na raiz quadrada de 3. Conforme verão a seguir na Ilustração 12-18, a luz se move exatamente dessa maneira.

Quando eu apresentei este curso muitos anos atrás, havia um determinado homem presente. Acho que não vou mencionar o nome dele porque não sei se ele gostaria que o fizesse. Ele é considerado um dos três maiores especialistas em luz do mundo. É também uma das pessoas mais admiráveis do mundo. É um sujeito incrível. Quando saiu da faculdade, estava com 23 anos de idade; Martin-Marietta contratou-o, deu-lhe uma quantia enorme de dinheiro e uma grande equipe de cientistas. Disse apenas: "Faça o que quiser. Não nos importa". Tamanha é a competência dessa pessoa. Portanto, com esse dinheiro ele estudou a luz. Uma das primeiras coisas que fez foi estudar os olhos, porque os olhos são os receptores da luz.

Se vocês quiserem estudar alguma coisa na natureza, procurem os componentes — nesse caso, a onda de luz e o instrumento que recebe a onda de luz, o olho orgânico —, porque um reflete o outro na sua constituição geométrica. Deve haver uma semelhança entre o olho e a onda de luz, e também nos seus movimentos. Se estiverem tentando construir um instrumento para receber alguma coisa, quanto mais aproximado puderem duplicar o que estão recebendo, melhor poderão recebê-lo.

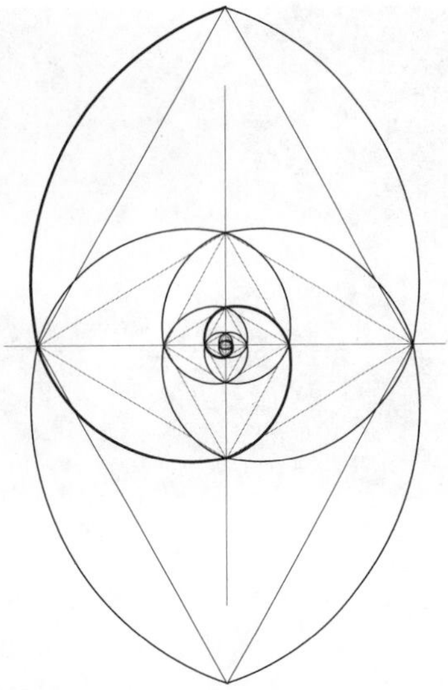

Esse senhor descobriu, depois de estudar praticamente todos os tipos de olhos no planeta, que há seis categorias, assim como cristais. Existem seis tipos diferentes de olhos no planeta Terra, e cada ser vivo dentro de um tipo tem semelhanças tanto geométricas quanto físicas com todos os outros seres vivos dessa categoria.

Ilustração 12-18. Espirais de luz.

Conheci esse cavalheiro quando ele participou de um dos meus cursos, e quanto exibi esta imagem na tela (Ilustração 12-18), ele quase caiu da cadeira. Começou a ficar um pouco zangado e explicou por quê. Vejam, depois de todas as suas pesquisas — estudando e classificando tipos de olhos e de estudos em campos correlatos —, esse foi o desenho a que *ele chegou* como o fio comum entre todos os olhos. Fora assim que ele os classificara. A princípio ele pensou que eu devia tê-lo roubado dele. Atualmente ele sabe que eu simplesmente o recebi de Thoth. Mas como vocês sabem, essa informação não pertence nem pode pertencer a ninguém. Ela pertence a todos nós, e está acessível a qualquer um que faça as perguntas certas. Ela está incrustada em todas as células de todos os seres vivos.

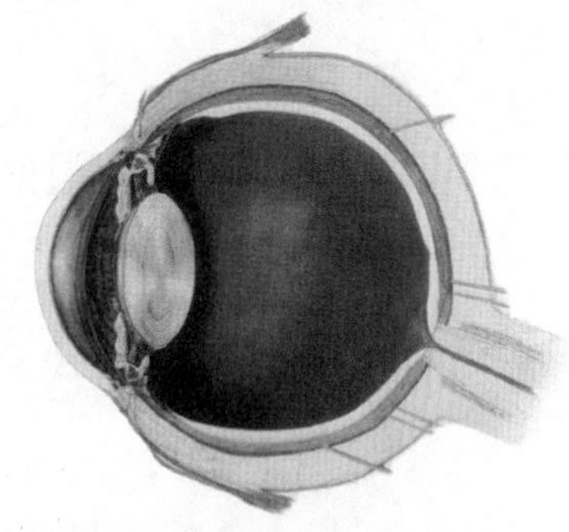

Ilustração 12-19. O olho humano.

Se observarmos os olhos de alguém, vemos ovais, mas o olho na realidade é redondo. É uma bola, uma esfera, e há uma lente em uma parte da superfície (Ilustração 12-19). Na Ilustração 12-15, vocês podem ver a esfera redonda, a forma oval da vesica piscis e o círculo menor da íris. Vocês podem quase *sentir* a correção das geometrias ali com o seu hemisfério cerebral direito.

No entanto, esse desenho do olho é muito, *muito* mais do que simplesmente um desenho. Ele realmente mostra as formas geométricas da própria luz, porque eles são uma coisa só e a mesma coisa. As geometrias que criam todos os olhos e as geometrias de todo o espectro eletromagnético, incluindo a luz, são idênticas. Quando o espírito de Deus fez o primeiro movimento de todos na Gênese, criou a vesica piscis e imediatamente disse: "Faça-se a luz". Não foi coincidência que a luz tenha vindo primeiro.

Uma onda de luz move-se conforme mostrado na Ilustração 12-20. Aqui vocês podem ver claramente a relação entre a vesica piscis e a luz. Um componente elétrico move-se em uma onda senoidal sobre um eixo ao mesmo tempo que um compo-

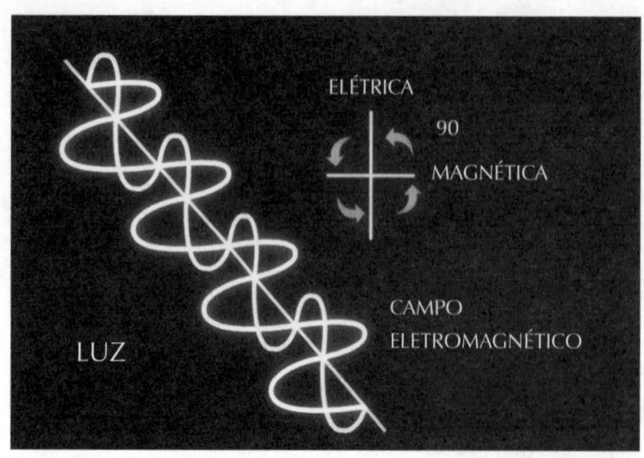

Ilustração 12-20. O movimento de uma onda de luz.

nente magnético move-se a 90 graus em relação a ela, também em um padrão de onda senoidal. Simultaneamente, todo o padrão está girando em segmentos de 90 graus.

Se observarem a Ilustração 12-21, verão a geometria da luz. O eixo longo, ou comprimento, da vesica piscis é o componente elétrico e o eixo curto, ou largura, é o componente magnético, e eles estão na razão da raiz quadrada de 3 um em relação ao outro. No capítulo 2 (página 69), eu erroneamente disse que o comprimento e a largura de uma vesica piscis estavam na Proporção Áurea. Na realidade, eles estão relacionados a um dos números sagrados dos egípcios, a raiz quadrada de 3. Entretanto, quando olhamos para o padrão criado por duas vesica piscis a 90 graus uma da outra, dispostas na Proporção Áurea e no padrão da raiz quadrada de 3, torna-se óbvio que elas são extremamente semelhantes. Talvez a natureza esteja tentando duplicar a Proporção Áurea novamente, conforme faz com as séries de Fibonacci.

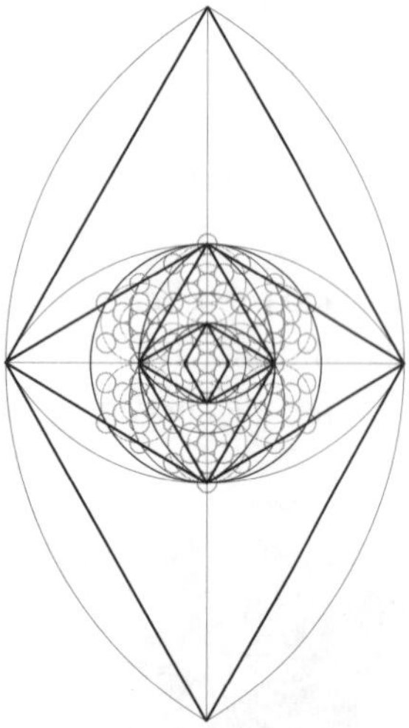

Ilustração 12-21. A geometria da luz.

Quando a luz flui em voltas de 90 graus, ela pode ser considerada geometricamente examinando-se como a vesica piscis gira a 90 graus quando se move para dentro ou para fora da progressão. Se puderem ver isso, então compreenderão a geometria da luz da Ilustração 12-18.

As espirais na Proporção Áurea parecem muito próximas das espirais na raiz quadrada de 3 da vesica piscis, mas observem que os retângulos da Ilustração 12-22a não se tocam realmente como fazem em uma verdadeira vesica piscis.

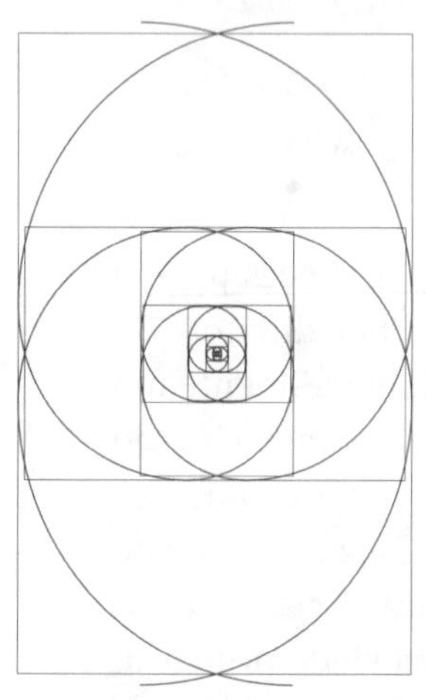

Ilustração 12-22a. A geometria da luz em espirais na Proporção Áurea.

Curiosamente, a Ilustração 12-22b, um desenho de uma verdadeira vesica piscis, é ao mesmo tempo a geometria dos olhos e da luz. É também a geometria de muitos outros seres vivos, como as folhas da Ilustração 12-23. As folhas são criadas pela natureza para receber a luz para a fotossíntese. Nessas folhas, vocês podem ver a mesma geometria que estava na Ilustração 12-18, as espirais de luz.

Agora, vamos ver como o movimento da energia ao subir pelos chakras é semelhante ao movimento da luz. (Repito que essas informações são para determinadas pessoas que as consideram essenciais, e que se desejarem pular ou simplesmente passar por alto esta parte se parecer complicado demais, vocês podem, porque realmente só precisam das informações sobre os fluxos básicos de energia dos sistemas de oito ou treze chakras.)

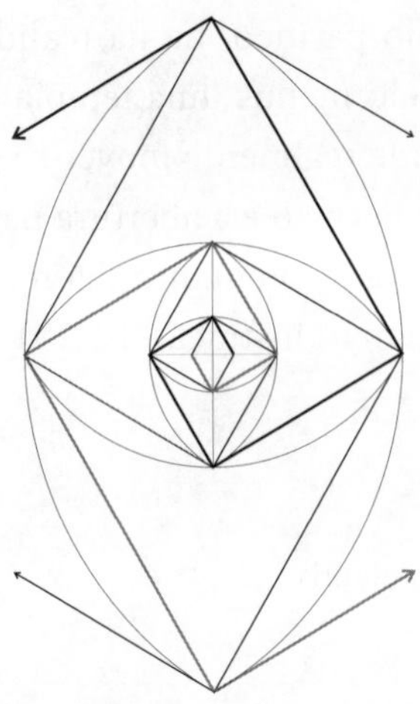

Ilustração 12-22b. Quatro espirais masculinas de raiz quadrada de 3 saindo de uma vesica piscis.

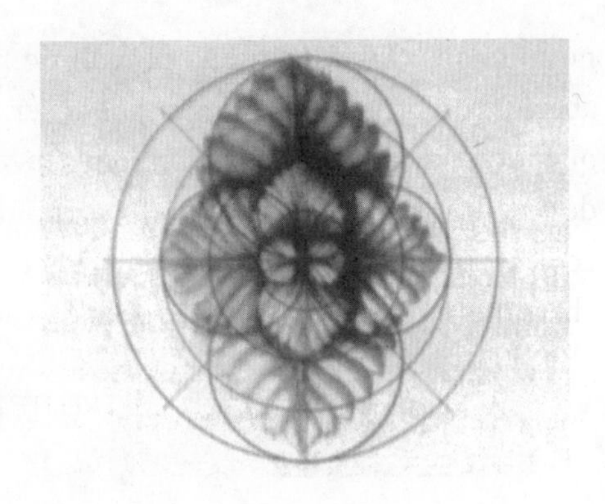

Ilustração 12-23. Folhas e luz.

A Ilustração 12-24a é uma imagem da luz ou energia, de como a luz espirala enquanto sobe pela coluna vertebral, assim como ela se move no espaço, excetuado que no espaço ela se expande continuamente. A Ilustração 12-24b mostra como se parece quando visto de cima.

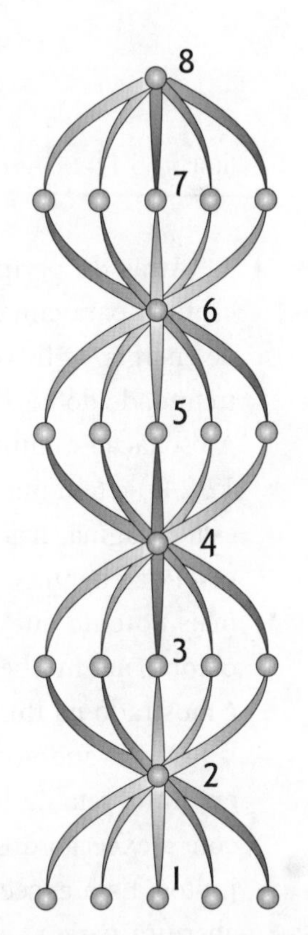

Ilustração 12-24a. Espiral de luz subindo pelos oito chakras.

Agora vejamos o fluxo da energia. Há cinco canais por onde a energia ascende para os chakras. Esses cinco canais sobem espiralados através do corpo em uma de duas maneiras, masculina ou feminina. A energia masculina espirala no sentido anti-horário, e a feminina no sentido horário, vendo-se do centro do corpo.

Vou precisar ser um tanto pitoresco para descrever esses cinco canais. Não há outra maneira de considerá-los. Se vocês estivessem embaixo de uma pessoa, olhando para os seus canais de energia sutil acima (na região genital), veriam cinco canais pelos quais a energia flui através da coluna vertebral. Existem ligações e aberturas muito especiais que aparecem na linha horizontal, a 90 graus em relação ao tubo que passa pelos pontos dos chakras. Essas aberturas são mostradas na parte inferior do diagrama. Essa está na base do tronco da pessoa, no períneo.

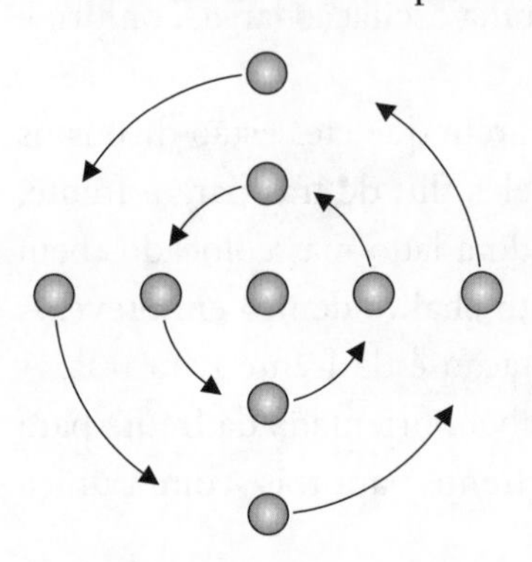

Ilustração 12-24b. A espiral masculina vista de cima. A feminina é invertida, ou no sentido horário, conforme visto ao lado.

Conforme dissemos, o períneo está localizado entre o ânus e a vagina na mulher, e entre o ânus e o escroto no homem. Nessa pequena porção de pele macia do períneo, há na realidade uma abertura interna, embora não possa ser vista. Em pelo menos uma terapia corporal, quando se aplica pressão sobre o períneo, o dedo pode realmente mover-se por cerca de 5 centímetros para dentro do corpo da pessoa. O períneo é a abertura para o tubo central no qual os chakras primários estão localizados. No entanto, há mais quatro aberturas e canais de energia, dois de cada lado (vejam a Ilustração 12-25).

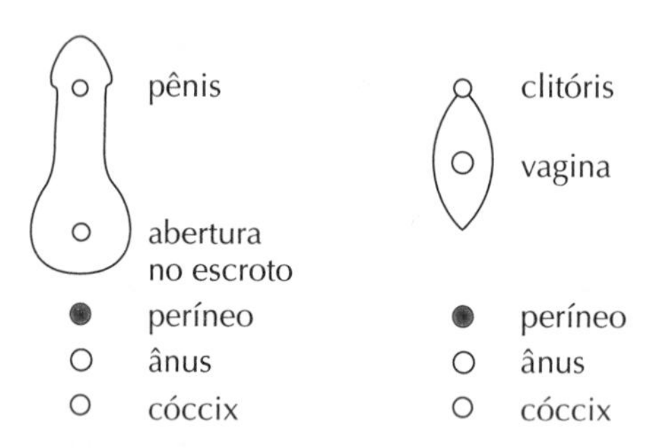

Ilustração 12-25. As cinco aberturas para os cinco canais.

Atrás do períneo há outra abertura, o ânus, que tem um fluxo de energia que espirala para cima conforme mostrado no diagrama; e atrás do ânus há outro fluxo de energia. O fluxo se origina embaixo do sacro, que tem a forma triangular, na extremidade do cóccix. Este ponto se alinha horizontalmente com o ânus e o períneo. A oscilação é muito mais larga a partir daqui (mostrada graficamente na Ilustração 12-24a) e tem um fluxo de energia mais potente do que o ânus. Na frente do períneo está a vagina, nas mulheres, ou a abertura dentro do escroto, nos homens, onde o nível de energia é semelhante ao do ânus. Na frente desses, há um fluxo de energia mais potente que é semelhante em força ao da coluna vertebral; este se origina no clitóris, nas mulheres, ou no pênis, nos homens, e tem uma oscilação larga, conforme é mostrado na Ilustração 12-24a.

Observando os cinco canais na base do tronco, reparem que eles estão dispostos em linha reta da frente para trás. Tudo relacionado a eles flui de trás para a frente, com a exceção dos testículos masculinos, que estão lado a lado mas colocados bem juntos. Essa exceção faz sentido quando virem o quinto chakra dentro em breve. A abertura para a vagina é uma vesica piscis cuja orientação é da frente para trás. A abertura para o pênis também é uma vesica piscis, também orientada da frente para trás. O fluxo do primeiro chakra em si é disposto da frente para trás, com a única exceção mencionada.

Chegamos ao segundo chakra, girando a 90 graus seja no sentido horário (mulher), seja no sentido anti-horário (homem). A vida sempre tenta ajustar-se a essas energias naturais, e vocês podem ver que em muitos casos essas energias direcionais se ajustam às partes físicas do corpo. Na realidade, as partes do corpo se ajustam ao fluxo direcional dos chakras internos.

No nível do segundo chakra (sexual), as tubas uterinas estão localizadas para os lados — a 90 graus em relação à direção do primeiro chakra, que é da frente para trás. Subindo em espiral mais uma vez, chegamos ao terceiro chakra e ao umbigo. Pense no cordão umbilical saindo na direção da frente para trás. À medida que subimos em espiral para o quarto chakra, o plexo solar, ele tem a forma semelhante à de uma vesica piscis e é orientado de lado a lado, a 90 graus em relação ao terceiro chakra.

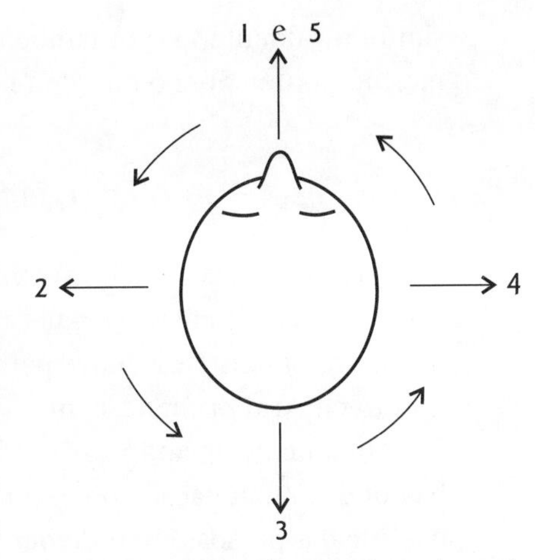

Ilustração 12-26a. Observando a cabeça de cima. Um ciclo completo sobe pela coluna vertebral em cinco movimentos, mostrados pelas setas voltadas para as respectivas direções.

Mais uma rotação nos leva ao esterno logo acima, onde veremos algo diferente de tudo abaixo — a não ser, talvez, do primeiro chakra. Essa diferença pode ser vista quando se observa o padrão giratório.

A Ilustração 12-26a é uma visão de cima da cabeça de uma pessoa que está de frente para o alto da página. Quando começamos essa subida em espiral pela espinha, a energia do primeiro chakra está voltada para a frente (o alto da página). Para ilustrar, digamos que ela gire no sentido anti-horário (mostrado por setas em 26a e 26b). Quando ela chega ao segundo chakra (2), a sua rotação se volta para a esquerda. No terceiro chakra (3), ela se volta para trás (ou a base da página). No quarto chakra (4), o plexo solar, ela se volta para a direita. E quando ela sobe em espiral para o esterno, o chakra do coração inferior (5), ela retornou à sua direção original, voltada para a frente novamente.

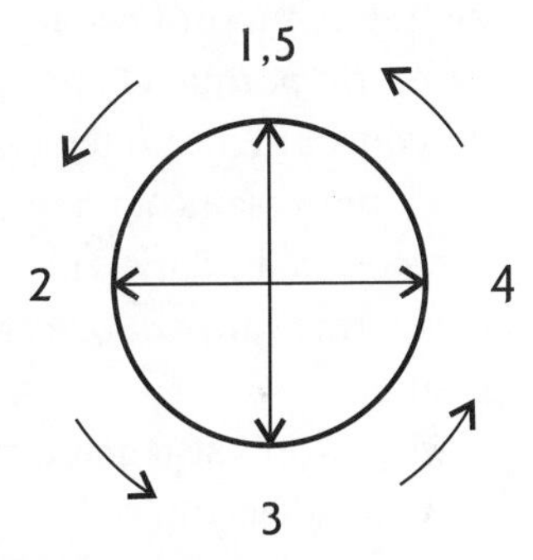

Ilustração 12-26b. Um ciclo completo como um círculo.

Portanto, o chakra do coração é diferente porque ele conhece o padrão inteiro; a energia percorreu um círculo completo de 360 graus. Isso também acontece com uma curva de onda senoidal ou uma onda de luz (vejam 26c); ela tem cinco lugares até completar-se. No chakra do coração inferior, onde o ciclo se completa, encontramos as energias tanto da frente para trás quanto de lado a lado. Ela fez uma cruz nesse lugar muito especial. Os egípcios achavam que esse era um dos centros mais importantes do corpo. É o lugar da integridade, onde vivenciamos o nosso amor por Deus. Nesse centro veem-se os peitos voltados da frente para trás em profundidade mas dispostos lado a lado; ambas as direções acontecem

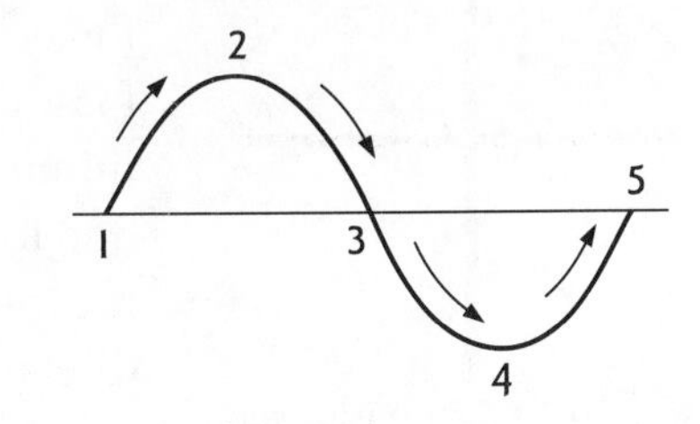

Ilustração 12-26c. Um ciclo completo como uma onda senoidal ou onda de luz.

simultaneamente, o que também vemos nos testículos no primeiro chakra, que é o mesmo ponto sobre o círculo (1 e 5 nas Ilustrações 12-26a ou 12-26b).

A Energia Sexual Egípcia e o Orgasmo

Aqui nos desviaremos um pouco do assunto para discutir um assunto formidável — a importância da energia sexual e o organismo humano. No Egito antigo, acreditava-se que o orgasmo fosse a chave para a vida eterna e que estivesse intimamente ligado ao quinto chakra. Primeiramente, vamos explicar o vínculo com a vida eterna.

Atualmente, quando os seres humanos experimentam a energia sexual e o orgasmo, há pouca preocupação com o que acontece com essa energia quando ela é liberada. A maioria das pessoas em todo o mundo ignora o que acontece com a sua energia sexual depois que sentem o orgasmo. Normalmente, a energia sobe pela coluna vertebral e sai pela parte superior da cabeça diretamente para o oitavo ou 13º chakra. Em alguns casos raros, a energia sexual é liberada para baixo da coluna vertebral, para o centro oculto abaixo dos pés, o ponto oposto ao de cima da cabeça. Tanto num caso como no outro, a energia sexual, a energia da força vital concentrada, é dissipada e se perde. É como descarregar uma bateria por meio de um fio aterrado no chão. A energia sai toda da bateria; perde-se para sempre. É nisso que todos os sistemas tântricos do mundo de que tenho notícia acreditam: que o orgasmo aproxima um pouco mais a pessoa da morte porque ela perde a sua energia da força vital no orgasmo. Mas os egípcios descobriram muito tempo atrás que isso não precisa ser assim.

É por essa razão que os sistemas tântricos hindu e tibetano pedem que o homem evite ejacular. Para tanto, eles falam sobre uns tubos minúsculos invisíveis por onde o esperma sai para os centros superiores quando o aluno aprende a controlar o orgasmo.

Esses dois sistemas e mais o sistema tântrico taoísta chinês estão todos basicamente preocupados com o fluxo da energia sexual, às vezes chamado de correntes sexuais. Eles estão basicamente preocupados com o que acontece quando a energia sexual se move antes do orgasmo, mas todos têm opiniões inteiramente diferentes sobre essa energia em comparação com os egípcios.

Os egípcios acreditavam que o orgasmo é saudável e necessário, mas que as correntes de energia sexual devem ser controladas por meio de um procedimento profundamente esotérico que é diferente de todos os outros sistemas. Eles acreditavam que, se essa energia fosse controlada, o orgasmo humano se tornaria uma fonte de infinita energia prânica que não é perdida. Eles acreditavam que todo o Mer-Ka-Ba ou corpo de luz se beneficia dessa liberação sexual, que sob as condições certas o orgasmo leva diretamente à vida eterna — e que a *ankh* é a chave.

Ilustração 12-27a. Visão superior das energias subindo em espiral no quinto chakra.

O que a *ankh* tem a ver com a energia sexual? É complicado explicar, mas procurarei ir bem devagar. Para ver o que os egípcios levaram milhares de anos para entender, vamos começar com o quinto chakra. Vocês podem ver, a partir do que foi dito na parte anterior, que o quinto chakra é o primeiro lugar onde o sistema giratório dos chakras retorna ao círculo completo. Esse é o primeiro chakra que tem as energias tanto da frente para trás quanto da esquerda para a direita. Se pudessem ver essas energias de cima, elas se pareceriam com isto (Ilustração 12-27a).

Se pudessem ver essas energias em um humano de frente, elas se pareceriam com isto (Ilustração 12-27b).

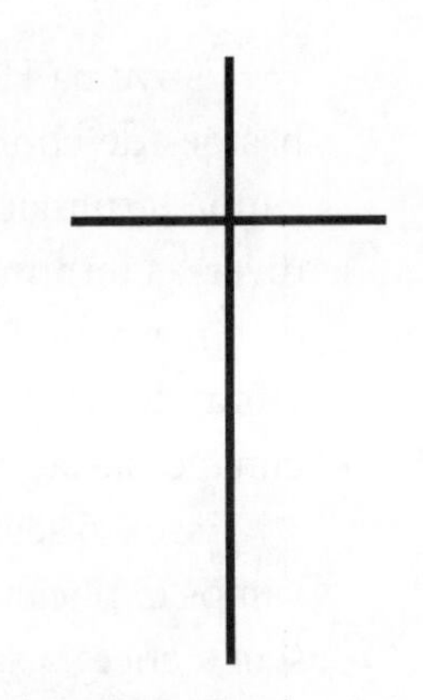

Ilustração 12-27b. Visão de frente dessas energias no quinto chakra.

Observem que ambos os exemplos acima são símbolos cristãos. Entretanto, se pudessem ver as mesmas energias do *lado* de um ser humano, elas pareceriam diferentes do que esperariam. Há um outro "tubo" por onde a energia flui ali que os egípcios descobriam a partir das suas conversas com a Fraternidade Tat embaixo da Grande Pirâmide. Essa informação vem direto dos antigos atlantes. De lado, é assim que se parece o campo de energia do ser humano associado ao quinto chakra (Ilustração 12-27c).

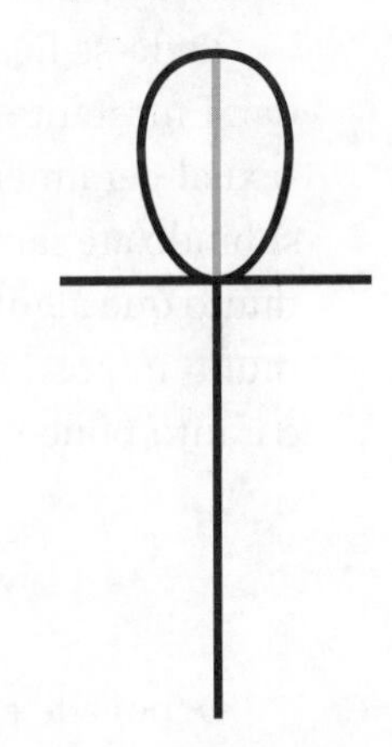

Ilustração 12-27c. Visão lateral no quinto chakra — a *ankh* egípcia.

Acho muito interessante que os cristãos devam ter entendido isso uma vez, pois nos hábitos de muitos padres cristãos, em determinadas épocas do ano que são normalmente associadas à ressurreição, vocês podem ver o seguinte símbolo (Ilustração 12-27d). Esse símbolo mostra todas as três visões — a de cima, a de frente e a de lado de uma vez só. Acredito que os cristãos omitiram a volta completa da *ankh* para não mostrar um vínculo com a antiga religião egípcia. Mas é óbvio que eles sabiam.

Agora que vocês sabem que essa "*ankh*" condutora de energia está localizada no campo energético humano, serão capazes de entender as razões para a conduta sexual dos egípcios.

Deixem-me explicar algo sobre a *ankh* antes de falar sobre as suas relações com a energia sexual. Quando percorri os museus do Egito, observei pessoalmente mais de duzentos bastões egípcios. Na maioria das vezes, esses bastões eram feitos de madeira, embora às vezes fossem usados outros materiais. Eles tinham um afinador em forma de forquilha na extremidade inferior e na extremidade superior podiam ser encaixados quatro tipos diferentes de instrumentos.

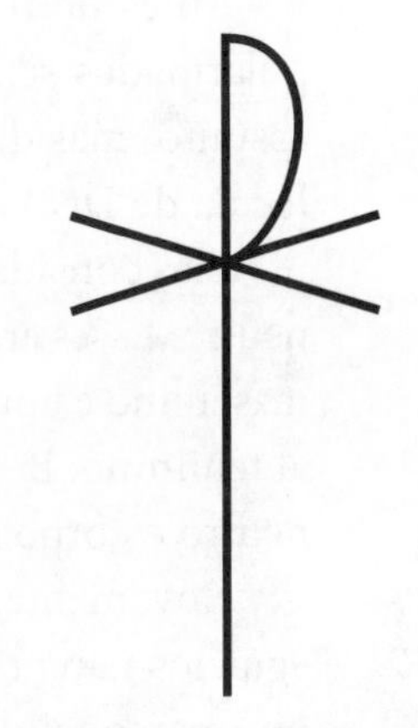

Ilustração 12-27d. O símbolo cristão que incorpora todas as três visões acima.

A terminação a 45 graus que é usada na própria experiência da ressurreição é mencionada no capítulo 5, mas na verdade não discutimos a *ankh*. Essa terminação é impressionante. Enquanto o afinador vibra na extremidade inferior, essa energia normalmente se dissipa muito rapidamente. Mas se a *ankh* for colocada na extremidade superior, a energia parece dobrar-se sobre si mesma em direção ao bastão, descendo de volta ao bastão, e dessa maneira a energia é conservada.

Estive na Holanda uns dois anos atrás e lá algumas pessoas haviam feito muitos bastões de cobre com um afinador de forquilha de alta qualidade na parte de baixo e uma terminação com rosca na parte de cima, de modo que podiam ser parafusadas diversas terminações ali. Fiz uma experiência com esse bastão. Usando-o sem a peça de cima, vibrei o afinador de forquilha e marquei por quanto tempo ele permanecia vibrando. Depois, parafusei a *ankh* e vibrei o afinador novamente. Com a *ankh* em cima, o bastão vibrou quase três vezes mais.

Esse é o segredo por que os egípcios executavam as práticas sexuais especiais que vamos explicar em seguida. Eles descobriram que, se tivessem um orgasmo e deixassem a energia sair por cima ou por baixo da coluna vertebral, ela se perderia. Mas se a energia sexual fosse guiada pela consciência para passar pela "*ankh*" condutora, ela voltaria pela coluna e continuaria a ressoar e vibrar. A energia da força vital não se perderia. Na prática, a energia parece aumentar.

Pode-se ficar falando nisso o dia inteiro, mas basta tentar uma vez só para entender. Entretanto, não é fácil fazê-lo em um teste apenas. Das primeiras vezes, a energia sexual geralmente vai passar em disparada pelo ponto do quinto chakra e continuar subindo até sair do corpo. Portanto, isso requer prática. Depois que se aprende, duvido muito que alguma outra vez vocês vão querer ter um orgasmo de maneira diferente. É muito intenso e parece bom demais. Depois que o seu corpo se lembra da sensação, é muito pouco provável que reverta ao estilo antigo.

As 64 Configurações de Personalidades Sexuais

Depois de experimentarem o que vou comentar agora, poderão adaptá-lo ligeiramente para atender às suas necessidades. Vou começar explicando as práticas sexuais básicas dos antigos egípcios conforme Thoth me contou. Do ponto de vista moderno, é difícil de acreditar como o método deles pudesse ser tão complexo e intrincado.

Antes de tudo, eles não reconheciam apenas duas polaridades sexuais, mas 64 polaridades sexuais *completamente diferentes*. Não vou me aprofundar muito nesse assunto, mas discorrer sobre o padrão simples. Esse padrão foi copiado de uma molécula de DNA humano e dos 64 códons.

Eles consideram quatro padrões sexuais básicos: masculino, feminino, bissexual e neutro. Esses eram decompostos em seguida em polaridades. Masculino: heterossexual masculino e homossexual masculino. Feminino: heterossexual feminino e homossexual feminino. Bissexual: corpo masculino e corpo feminino. Neutro: corpo masculino neutro e corpo feminino neutro. Assim resultam oito padrões sexuais primários.

Novamente, o que vou dizer agora está fora do conhecimento humano normal. Os egípcios não nos viam no nosso corpo simplesmente. Eles percebiam e identificavam oito personalidades completamente separadas. Todas as oito personalidades estão diretamente relacionadas às oito células originais, que compõem os oito circuitos elétricos que levam aos oito chakras primários, que são a base das oito pontas da estrela tetraédrica ao redor do corpo.

Quando um espírito vem à Terra pela primeira vez, ele dispõe os tetraedros ao redor do corpo de maneira que sejam masculino ou feminino. A personalidade que surge é a primeira. No segundo período de vida, o espírito normalmente dispõe os tetraedros no sexo oposto ao do primeiro período de vida. O espírito continuará a escolher uma ponta diferente da estrela tetraédrica para voltar para a frente até que todas as oito pontas e todas as oito personalidades tenham passado pela vida na Terra. Depois dos primeiros oito períodos de vida, normalmente o espírito escolhe um ritmo que mantém o equilíbrio sexual durante os seus períodos de vida na Terra. Um exemplo seria escolher três períodos de vida masculinos seguidos por três períodos de vida femininos, depois continuar nesse padrão. O ritmo poderia ser quase tudo o que o espírito escolhe.

O que acontece em quase todos os casos é que o espírito gosta de uma das duas personalidades masculina e feminina mais do que das outras e as usa com mais frequência. O resultado é que uma personalidade masculina e uma feminina tornam-se dominantes, como um avô e uma avó das outras seis. Então há uma ligeiramente mais jovem, equivalente a uma pessoa na meia-idade. Em seguida, há uma ainda mais jovem que estaria no final da casa dos 20 ou início dos 30. Finalmente, há uma que raramente é usada e que é como um adolescente. O mesmo se aplica a ambos os sexos. Essas oito personalidades juntas constituem o complexo total da personalidade do espírito que vem pela primeira vez à Terra.

Os antigos egípcios combinavam os oito modos sexuais primários e as oito personalidades para criar as 64 configurações de personalidades sexuais associadas ao tantra egípcio. Não somos capazes de atuar nesse campo neste momento. Esse é um assunto fascinante, que requer muitos anos para ser dominado. Os egípcios levavam doze anos para passar por cada uma das configurações de personalidades sexuais, resultando em uma pessoa que tem uma grande sabedoria e compreensão da vida.

Ao fim desse treinamento, o aluno teria uma "conferência" com todas as oito personalidades conscientes ao mesmo tempo para passar a sabedoria do avô/avó às personalidades mais jovens.

Instruções para o Orgasmo

Eis aqui exatamente como alcançar o "ankheamento" associado ao orgasmo humano. O que quer que façam sexualmente antes do orgasmo é inteiramente da sua conta. Não estou aqui para julgar ninguém — e definitivamente os egípcios não o fariam, uma vez que eles acreditam em conhecer todos os 64 modos sexuais antes de entrar na Câmara do Rei para ascender ao próximo nível da consciência. Essa é a ideia *deles,* mas é importante saber que isso não é necessário. Vocês podem alcançar o próximo nível de consciência sem conhecer essas informações. Entretanto, do ponto de vista deles, a ideia do ankheamento é da maior importância para alcançar a vida eterna. Vocês terão de decidir por si mesmos se isso é algo que desejem praticar.

1. No instante em que sentirem a energia sexual prestes a subir pela sua coluna vertebral, inspirem bem profundamente, enchendo os pulmões cerca de 9/10 do total, então prendam a respiração.

2. Deixem a energia sexual do orgasmo subir pela coluna, mas no momento em que ela chegar ao quinto chakra, com a sua força de vontade vocês devem fazer a energia sexual dar uma guinada a 90 graus para fora da parte de trás do corpo. Ela irá então, automaticamente, continuar dentro do tubo da *ankh*. Ela irá lentamente voltar-se até passar exatamente através do oitavo ou 13º chakra a uma mão de comprimento acima da cabeça em 90 graus em relação à vertical. Então ela continuará a fazer a curva até retornar ao quinto chakra, de onde partiu. Geralmente a sua velocidade diminui quando ela se aproxima desse ponto de origem. Se puderem ver a energia, ela chega a ficar muito intensa. Quando ela se aproxima do quinto chakra vindo da frente do corpo, às vezes há um tremendo choque quando ela se conecta com esse chakra. Tudo isso acontece enquanto se está com a respiração presa.

3. No instante em que a energia sexual se reconecta com a sua fonte, acabem de completar a inspiração. Vocês tinham enchido os pulmões com 9/10 da sua capacidade, portanto agora encham-nos o mais plenamente que puderem.

4. Agora expirem muito, muito lentamente. A energia sexual continuará correndo pelo canal da *ankh* enquanto estiverem expirando. Quando chegarem ao fim do seu fôlego, vocês continuarão a respirar muito profundamente, mas nesse momento acontece uma mudança.

5. Nesse ponto, continuem a inspirar fundo, enchendo totalmente os pulmões, mas instantaneamente considerem a energia sexual como o prana vindo dos dois polos e encontrando-se no seu quinto chakra como antes. Estejam conscientes de todo o seu Mer-Ka-Ba e sintam essa energia irradiar para dentro e por todo o seu corpo de luz. Permitam que essa energia também atinja os níveis mais físicos profundos da sua estrutura corpórea, chegando até o próprio nível celular. Sintam todas as células tornando-se rejuvenescidas por essa energia da força vital. Sintam como essa bela energia envolve todo o seu ser e leva a saúde para o seu corpo, para a sua mente e para o seu coração.

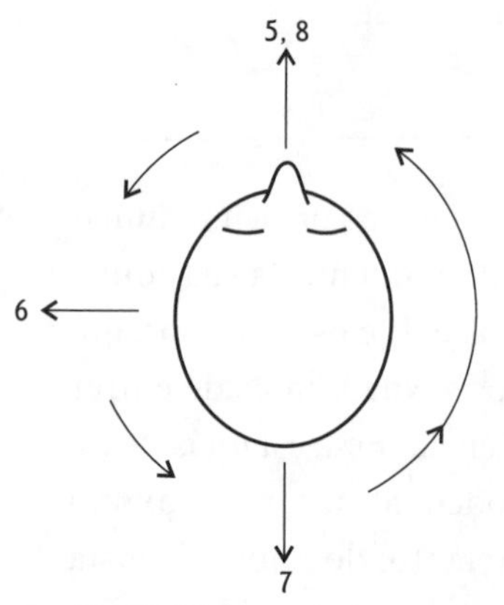

Ilustração 12-28. A espiral ascendente a partir do quinto chakra.

6. Continuem a respirar profundamente até sentirem o relaxamento começar a se espalhar por todo o seu corpo. Então relaxem a respiração até o ritmo normal.

7. Se possível, permitam-se relaxar completamente ou até mesmo adormecer por um tempo depois.

Se isso for praticado por até mesmo uma semana, acredito que vocês mais do que compreenderão. Se for praticado continuamente, começará a curar e fortalecer os seus corpos mental, emocional e físico. Também dará uma grande força e poder ao seu corpo de luz. Se não lhes parecer bem por alguma razão, não pratiquem.

Além do Quinto Chakra

Ilustração 12-29. O cânone humano de Leonardo.

Fisiologicamente, vocês não podem ver os próximos chakras tão claramente quanto os cinco inferiores, mas observaremos o mesmo fenômeno na parte superior do corpo (vejam a Ilustração 12-28). Depois que a espiral sai do quinto chakra, ela gira para a esquerda, para o sexto chakra, que é o chakra do coração pessoal. O coração físico está fora do centro no nosso lado esquerdo e a 90 graus em relação ao quinto, o chakra crístico.

Então a espiral gira para a parte de trás e sobe para o chakra da garganta. O pomo de adão do homem se projeta ao longo desse plano da frente para trás.

Mas quando chega ao oitavo chakra, no queixo, o sistema parece parar. O fluxo é claramente da frente para trás também, como na garganta — não acontece nenhuma mudança a 90 graus. Por quê? Nesse ponto, a energia entra em uma nova configuração, talvez porque se trate do oitavo chakra, que normalmente completa o ciclo no sistema de oito chakras. Um novo e menor sistema de chakras que surge apenas dentro da cabeça define o sistema de treze chakras, ainda que seja separado dele.

O que acontece? Se estudarem o cânone de Leonardo (Ilustração 12-29), verão que a cabeça está desenhada dentro de um dos 64 quadrados que posteriormente são decompostos em uma rede 4 x 4 de 16 quadrados. Nesse desenho, vocês mal podem ver o que estou dizendo, mas se puderem encontrar uma boa reprodução, então verão. Uma rede de 16 quadrados é uma função de uma rede de 64 quadrados em que a cabeça tem exatamente o tamanho de um dos 64 quadrados. Portanto, a cabeça é 1/64 do quadrado ao redor de todo o corpo.

O sistema de chakras segue de baixo para cima por todo o corpo e pela cabeça, mas na cabeça há um minissistema de chakras separado que vai da extremidade do queixo para o alto da cabeça. Parece ser um sistema de oito chakras, mas não tenho toda a certeza de que o sistema de treze também não funcione aqui. Entendam que esse minissistema de chakras existe além e dentro do sistema de treze chakras que começamos a estudar.

Os pontos dos chakras estão localizados na extremidade do queixo, na boca, na extremidade do nariz, nos olhos e no terceiro olho. Os outros três estão dentro da cabeça e não podem ser vistos a menos que estudemos as partes internas do cérebro.

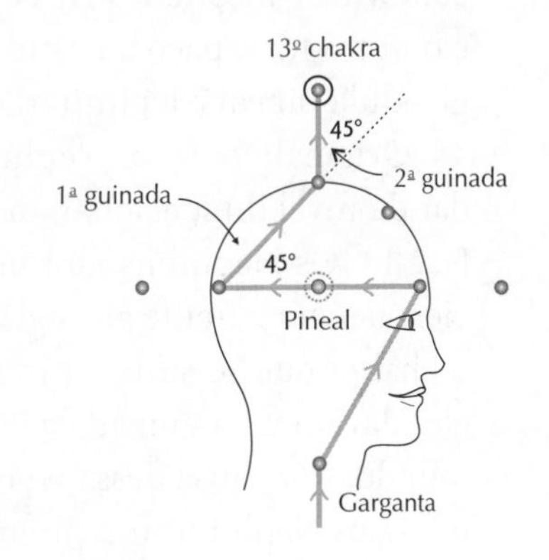

Ilustração 12-30. A ascensão nos tempos modernos.

De novo, vocês podem ver o padrão giratório na forma da parte do corpo. Primeiro, a extremidade do queixo se estende para fora, diretamente para a frente, depois a boca, a vesica piscis, está a 90 graus, estendendo-se da esquerda para a direita. O nariz é voltado da frente para trás a 90 graus em relação à boca, depois os olhos, também vesica pisces, estendem-se para os lados a 90 graus em relação ao nariz. Finalmente, o terceiro olho é o lugar do término, o quinto ponto, assim como o chakra crístico. É por essa razão que esses dois locais, o chakra crístico e o terceiro olho, são tão importantes e exclusivos. Ambos são o quinto chakra e o do término dentro dos seus respectivos sistemas.

Esse era o trabalho em que eu estava envolvido quando Thoth deixou a Terra. Gostaria de ter tido mais tempo com ele para estudar esse assunto, porque isso não se encontra em nenhum livro. Os egípcios nunca escreveram nada sobre isso. Nenhuma das informações sobre o Olho Direito de Hórus foi escrita em nenhuma parte a não ser na Sala dos Registros. Elas eram transmitidas oralmente.

Passando pelo Semitom Final

A Ilustração 12-30 mostra a cabeça, a glândula pineal e o 13º chakra. Finalmente, a nossa consciência está para localizar-se na glândula pineal, e vamos querer subir ao 13º chakra. O caminho mais óbvio é subir direto, mas Deus assegurou que esse *não* fosse o caminho porque é o mais óbvio. Ele mudou o ângulo de modo que não se possa encontrá-lo, portanto é preciso permanecer na glândula pineal até realmente dominá-la. Assim como no desenho do sistema de oito chakras (Ilustração 12-10) — onde há um bloqueio depois do terceiro chakra para que não se possa entrar nos chakras superiores — há um outro bloqueio na direção da parte de trás da cabeça, onde está o meio passo. Empiricamente, é muito difícil entendê-lo. Os tibetanos dizem que não se pode elevar ao 13º chakra a menos que vá para a parte de trás da cabeça primeiro. É preciso encontrar a passagem, e assim que o fizer, é possível passar por ela.

Na realidade, existem cinco chakras em uma linha reta que vai da frente para trás, conforme é mostrado. Três estão dentro da cabeça, um está no espaço atrás da cabeça e o outro no espaço à frente da cabeça. A maioria de nós está familiarizada só com a glândula pineal e a pituitária.

Originalmente, os Nephilins descobriram como ir do 12º chakra para o 13º e mudar de nível dimensional, mas o segredo deles era diferente da maneira como vamos fazê-lo. Os Nephilins iam primeiro para a glândula pineal, depois atiravam a consciência para a frente até a glândula pituitária e continuavam com ela espaço afora até o chakra que se situa na frente da cabeça. Depois de entrar nesse chakra da frente, eles davam uma guinada a 90 graus e subiam diretamente. Isso os colocava em outro mundo. Por causa dessa técnica de mudança rápida que usavam, que tem a forma de um L, os Nephilins tornaram-se conhecidos como os Ls ou Eles. Esse se tornou o seu apelido. Posteriormente, quando os Nephilins começaram se tornar raros na Terra, eles passaram a ser conhecidos como os Anciãos, ou os velhos.

Acredito que a Terra vai fazer isso de outra maneira — a menos que vocês *queiram* seguir o caminho dos Nephilins. Mas eu vou seguir junto com o restante do planeta. O método que vou expor agora é o que Thoth e Shesat usaram para partir. A razão de usarmos esse método de partir é que se trata da maneira mais fácil conhecida. Estas foram algumas das instruções que Thoth me deu no seu último dia aqui.

Nós encontraremos o caminho indo da glândula pineal para o ponto na parte de trás da cabeça. Precisamos atravessar o chakra da coroa para sair, assim desse ponto de trás damos uma guinada a 45 graus para chegar à coroa. Quando chegarmos à coroa, daremos outra guinada a 45 graus para subir ao 13º chakra. Pode ser que sintam o Mer-Ka-Ba tornando-se instável por causa dessa rápida guinada a 45 graus. Não se preocupem, ele irá se estabilizar.

Antes da Queda na Atlântida, dávamos uma guinada a 90 graus; mas esse é um método difícil — é um verdadeiro choque. É mais fácil dar duas guinadas de 45 graus. Quando derem aquela primeira guinada a 45 graus, parecerá que o campo do seu Mer-Ka-Ba está oscilando, e se sentirão realmente estranhos. Vão precisar ficar parados e centrados até que o campo do seu Mer-Ka-Ba se estabilize. Deverão fazer duas mudanças separadas por cerca de um minuto a um minuto e meio. Quando sentirem que ele voltou a se estabilizar, deem outra guinada a 45 graus para conectar-se ao 13º chakra.

Foi isso o que fizeram muitos dos mestres ascensionados durante a sua ascensão. Eles fizeram a primeira mudança, esperaram até que tudo se estabilizasse, e imediatamente fizeram a outra mudança. Só por um instante vocês estarão em uma espécie de terra de ninguém, e isso não é muito estável; não poderão permanecer lá. Só permaneçam lá por apenas um momento e depois vapt!, façam a segunda mudança, que os colocará no próximo nível dimensional, neste caso a quarta dimensão.

Estou lhes dizendo isso outra vez para que se lembrem; isso lhes poderá ser útil em dado momento. Há uma porção de modos de passar diretamente para outras dimensões, mas é preciso ter uma alma mais madura para dar aquela rápida guinada a 90 graus. Fazer essas duas a 45 graus é como usar as rodinhas de apoio quando se aprende a andar de bicicleta. É mais fácil e não há probabilidade de se desequilibrar.

Os Campos de Energia ao Redor do Corpo

Agora vamos observar os campos de energia ao redor do corpo humano que são criados pelo movimento da energia e da consciência *dentro* dos chakras.

O primeiro campo de energia que se projeta do corpo é o prana ou campo de chi, às vezes chamado de campo etérico. Embora ele saia de todo o corpo, é visto basicamente ao redor das mãos, dos pés, da cabeça e também um pouquinho sobre os ombros. Normalmente, é uma luz branco-azulada suave. Imediatamente próximo à pele há um campo preto, e logo além dele começa uma luz azulada clara. Essa luz azulada é o prana ou a energia da força vital do corpo. Se for ao redor das mãos, ela é vista se

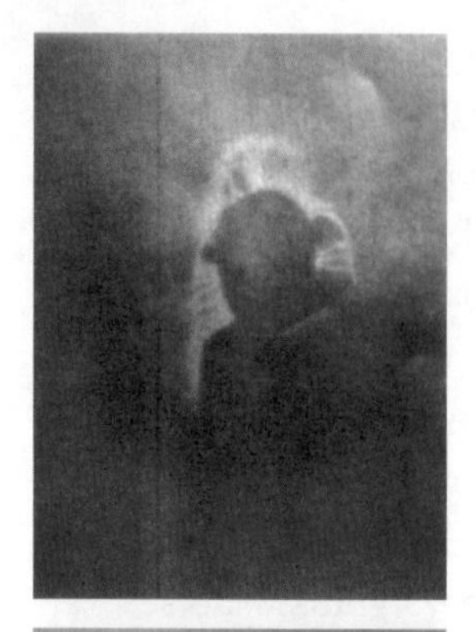

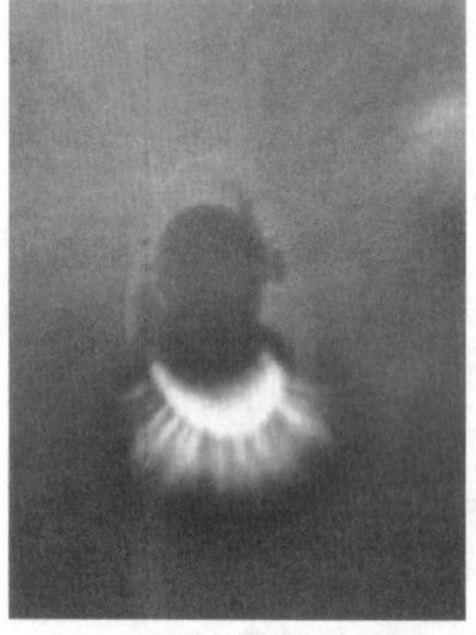

Ilustração 12-31. Fotografias Kirlian da extremidade dos dedos, apontando para baixo.

projetando entre meio centímetro até talvez 8 a 10 centímetros. Mas ao redor do restante do corpo ela normalmente se estende a menos de 2,5 centímetros da pele.

Mesmo que não acreditem nela e nunca a tenham visto, poderão vê-la com facilidade. Vou explicar como fazer se quiserem experimentar. Tudo o que precisam é pegar uma folha de cartolina preta e colocá-la debaixo de uma luz incandescente com um interruptor que possa diminuí-la gradualmente. Mantenham a mão a cerca de uns 2,5 centímetros do papel e vão diminuindo gradualmente a intensidade da luz até não poderem mais ver a sua mão. Esperem 11 segundos. Os seus olhos se acostumarão, e quando estiverem acostumados, vocês verão a sua mão de novo. Quando a sua mão reaparecer, vocês devem ver a aura de prana. Pode ser que precisem repetir o exercício até conseguir.

Então observem, digamos, a última parte do seu dedo médio, com o papel preto a uns 2,5 centímetros atrás dele. Fixem a visão nele e não pisquem. Agora esperem. Dentro de 10 a 15 segundos começarão a ver aquela luz suave azulada brilhar ao redor dos seus dedos.

Depois de verem o campo, vocês podem fazer outras coisas. Podem aproximar a extremidade de um dedo de cada mão, onde as chamas que se projetam das extremidades se encontrem. Depois afastem os dedos e verão as chamas se alongarem feito goma de mascar. Quando os seus dedos estiverem a uns 8 centímetros de distância mais ou menos um do outro, as chamas irão recuar. Podem repetir a experiência quanto quiserem. A maioria das pessoas consegue ver.

Depois podem pegar um cristal — não precisa ser nenhuma peça fantástica — e segurá-lo contra o pulso. Comecem a fazer a respiração iogue profunda e ritmadamente — verdadeiramente profunda e verdadeiramente longa — para adquirir o prana. Vocês verão as chamas nas extremidades dos seus dedos começarem a crescer. Às vezes essas chamas podem estender-se a até 15 centímetros. (Vocês podem realmente ver isso.) Então irão notar que isso está ligado à sua respiração. Quando inspiram, o campo se contrai ligeiramente; quando expiram, ele se expande. Vocês podem ver com os seus próprios olhos como a respiração e campo de prana estão relacionados.

A fotografia Kirlian é feita colocando-se a mão ou o dedo ou uma folha sobre uma chapa carregada, depois expondo-a eletricamente sobre um filme especial. Vocês podem ver esses campos na fotografia. A Ilustração 12-31 é do Human Dimensions Institute, e as imagens são do dedo de uma curadora localmente bastante conhecida. Em cima, quando a curadora está parada sem fazer nada, vocês podem ver a luz azul-esbranquiçada saindo da extremidade do dedo dela e ao redor das bordas. A fotografia de baixo mostra o que acontece depois que ela começa a respirar e a concentrar-se na cura. As chamas azul-esbranquiçadas saem da extremidade do dedo. Neste caso, não é só a respiração que faz isso — também se trata do chakra em que ela está centrada, sobre o que falarei no capítulo sobre a cura.

Além do campo de prana, enquanto este irradia do corpo, há outro campo de energia que não está diretamente associado à sua respiração, mas aos seus pensamentos e emoções. Os seus pensamentos emitem campos eletromagnéticos a partir do cérebro. E as suas emoções também projetam campos eletromagnéticos. Vocês podem vê-los; eles são visíveis. Entretanto, a maioria das pessoas desligou-se deles, portanto não sabemos se eles existem. Atualmente, é possível conectar câmaras ao computador para fotografar a aura, portanto não se trata mais de um processo de adivinhação, mas um fato científico. Examinem a obra da doutora Valorie Hunt para ver até que ponto a ciência se tornou receptiva aos segredos da aura humana.

O desligamento em relação às informações disponíveis é um assunto interessante. É como viver em uma cidade grande onde não se ouvem todos os tipos de buzinas, motores e sirenes da polícia, ruídos de automóveis, pessoas gritando — tudo o que se possa imaginar. Todo esse ruído ensurdecedor continua o tempo todo, mas na vivência humana é ouvido como um zumbido baixo, embora seja realmente alto. Há um zumbido contínuo soando em toda cidade, mas se você viver lá o tempo todo, deixará de ouvi-lo. Você se desliga. Para a maioria das pessoas é como se não existisse. Ainda assim, quando alguém chega de uma floresta ou vai de uma cidade pequena para outra grande, ele parece ensurdecedor. No entanto, isso só acontece porque a pessoa está sensível a ele. Se essa mesma pessoa continuar na cidade por um determinado tempo, logo vai fazer a mesma coisa, desligar-se. Então não vai ouvir nada também. Nós fizemos a mesma coisa com as auras humanas, seja por que razão for. Talvez por ser tão doloroso ver a verdade dos pensamentos e sentimentos das outras pessoas, a maioria de nós desligou a capacidade de ver auras.

Como Ver Auras

Se quiserem realmente ver e conhecer a aura, sugiro que primeiro leiam uns dois livros sobre cromoterapia. Isso lhes dará o significado das diferentes cores, mas conforme descobri, esse significado está dentro de cada um de nós, e todos compreendemos as cores em nível subconsciente. Eu li 22 livros sobre cromoterapia e descobri que todos eles dizem a mesma coisa. Praticamente não existe diferença entre as suas definições, portanto se lerem uns dois ou três, tenho certeza de que captarão a mensagem. O livro de Edgar Cayce *(Auras: An Essay on the Meanings of Colors)* é excelente, simples e direto ao ponto.

Os militares treinam algumas das suas forças especiais para ver auras porque podem então observar alguém e saber exatamente o que essa pessoa está pensando e sentindo — o que, obviamente, pode ser muito vantajoso em termos bélicos. Eles têm uma técnica especial de treinamento, que vou apresentar a vocês.

Peguem várias folhas de cartolina de diversas cores, depois uma folha grande de papel branco, digamos de 60 por 90 centímetros. Vocês observarão um fenômeno da visão que não tem absolutamente nada a ver com auras, mas por meio dessa técnica poderão aprender a ver a verdadeira aura humana.

Ponham o papel branco no chão sob uma lâmpada que tenha um interruptor capaz de diminuir a sua intensidade gradualmente. No meio, ponham um pedaço de cartolina colorida. Usem vermelho da primeira vez. Agora fixem a visão no meio do papel colorido e não pisquem. Esperem 30 segundos. Com os olhos ainda fixos na cartolina colorida, tirem-na rapidamente e continuem olhando para o mesmo lugar sobre o papel branco. Dentro de menos de um segundo vocês verão a cor *complementar* da cor que estavam olhando. Se usaram o vermelho, verão verde. A imagem persistente será sempre diferente da cor original, mas sempre no mesmo formato.

A imagem persistente será brilhante e transparente e parecerá estar flutuando acima da superfície. Se fizerem esse experimento com quatro ou cinco cores diferentes em seguida, o que levará apenas alguns minutos, no momento em que terminarem terão uma determinada sensibilidade para ser capazes de ver esse tipo de imagem colorida — brilhante, transparente e flutuando no espaço. Essas cores são muito parecidas com os campos da aura, a não ser que são mais ideais, porque a aura de poucas pessoas tem cores assim tão nítidas e claras.

Para a próxima parte do treinamento, vocês precisarão de um parceiro; de preferência os dois devem estar usando roupas brancas. Essa é a maneira mais fácil de ver as cores. Com certeza, as roupas não bloqueiam a aura, mas a cor que usarem poderá tornar a aura mais difícil ou mais fácil de ver. Peçam ao parceiro para ficar diante de uma parede branca, depois peguem a luz com o controle de intensidade, regulem-na ao máximo e iluminem o parceiro. Em seguida, peguem uma folha de papel colorido e peçam ao parceiro para segurá-la a uns 2 a 3 centímetros de distância na frente dele, do nariz para baixo. Recuem e olhem para a cor da mesma maneira que antes; fixem a visão nela, contem até 30, depois peçam ao parceiro para tirá-la. Então vocês verão a cor complementar flutuando no espaço na frente do parceiro. Dessa maneira poderão acostumar-se com as cores flutuando no espaço ao redor de uma pessoa, e a sua mente se acostumará com essa ideia.

Depois disso, vocês podem pôr o papel colorido atrás da cabeça ou do ombro, quem sabe uns 30 ou 60 centímetros à frente do parceiro. Façam isso quatro ou cinco vezes, até se acostumarem a ver as cores flutuando ao redor do corpo. Então tirem o papel colorido e continuem observando o parceiro enquanto vão diminuindo a luz bem devagar, muito devagar. Vocês chegarão a um lugar mágico em que o corpo da pessoa começará a ficar muito escuro — então pronto! — todas as cores vão aparecer instantaneamente e vocês verão a aura.

Vocês a verão *toda*. Vocês vão saber que aquelas são as cores *reais* da aura, não as cores complementares que estavam observando antes, porque verão uma diversidade de cores *variando*. O que quer que a pessoa esteja pensando e sentindo na ocasião será projetado naquele momento. Normalmente, vocês vão descobrir que as cores ao redor da cabeça e dos ombros basicamente representam o que a pessoa está pensando.

As cores ao redor do peito e do corpo, envolvendo até as costas, serão basicamente os sentimentos e as emoções do parceiro, embora às vezes possam se sobrepor.

Além de a aura mostrar os pensamentos e emoções da pessoa, há uma terceira possibilidade. Às vezes, um problema físico no corpo aparece na aura. Se algo dentro do corpo estiver doendo, geralmente será mostrado com uma forma colorida na aura. As cores emitidas dos seus pensamentos irão brilhar e mudar com a mudança dos seus pensamentos, e as cores que são as suas emoções normalmente tendem a flutuar ou mover-se. No entanto, as associadas com uma doença ficarão fixas e geralmente terão ângulos ou uma forma, e a forma não mudará. Enquanto o corpo se move, ela ficará fixa num determinado lugar. Às vezes vocês podem não ver uma doença porque a luz dessa doença está totalmente dentro do corpo e não aparece nada do lado de fora. Mas normalmente alguma coisa vai despontar.

Há um médico no Human Dimensions Institute que ministra cursos sobre o diagnóstico de doenças humanas pela leitura da aura. Ele descobriu há muito tempo que, depois que se aprende a ler auras, pode-se simplesmente olhar para uma pessoa e ver todos os seus padrões de aura fixos para saber exatamente se há algo de errado com aquela pessoa. Não é preciso fazer ressonância magnética nem nada. Basta olhar e se reconhece exatamente. A maioria das pessoas consegue fazer isso e ele ensina como fazer. Todas as pessoas são capazes de ver auras, creio, a menos que exista realmente um problema físico ou emocional.

Eis como vocês podem dizer se esses campos são verdadeiros ou não. Em aula eu diria para a pessoa que estivéssemos observando: "Muito bem, pense no seu carro". (As pessoas têm os sentimentos mais variados em relação ao próprio carro.) E imediatamente vocês verão as cores da aura mudarem ao redor da cabeça, onde ela está pensando. E então poderia dizer: "Pense em alguém de quem não gosta". Provavelmente, vocês verão uma cor de barro vermelho, a cor da raiva, porque normalmente temos a raiva associada a alguém de quem não gostamos. Essa cor vai aparecer ao redor da cabeça e dos ombros, talvez até mesmo descendo por todo o corpo. Então se pode dizer: "Pense em alguém que você realmente ame. Faça um esforço. Encontre uma pessoa a quem realmente ame e pense nessa pessoa". Normalmente vocês verão cores rosadas aparecerem ao redor do peito e dourado ou branco no alto da cabeça. Se pedirem para a pessoa pensar sobre assuntos espirituais e Deus, normalmente terão uma porção de dourados e violetas. Essas cores mudam no momento em que a pessoa muda os pensamentos. É assim que vão saber que isso é real.

Depois de terem essa capacidade, poderão recorrer a ela ou não, à vontade. Eu não a uso nunca, a menos que me peçam para fazê-lo. Mas é realmente fácil. É como uma espécie de estereograma; querendo, pode-se apenas olhar o papel normalmente, ou pode-se focalizar de leve e entrar no outro nível, é o que se faz ao ver auras. Vocês podem ou olhar para a superfície do corpo, ou focalizar de leve e olhar ao redor do corpo. Observar o espaço ao redor do corpo é semelhante a ver estereogramas. Vocês podem ver de uma ou de outra forma.

O Restante do Corpo de Luz Humano

A aura humana está contida em um campo oval que circunda o corpo. Fora dele existem centenas de imagens geométricas que são muito, muito específicas. Elas são de natureza eletromagnética (pelo menos nesta dimensão), e vocês podem colocá-las na tela do computador e vê-las se tiverem os instrumentos. Elas são muito difíceis de ver sem os instrumentos. Vocês podem percebê-las com a mente, podem senti-las, mas elas são muito difíceis de ver porque a energia é muito sutil. Depois de fazerem funcionar o Mer-Ka-Ba será mais fácil, porque o Mer-Ka-Ba tem muito poder.

No próximo capítulo vamos estudar esses campos geométricos e esclarecer melhor o assunto. Depois de vistos, eles oferecem a possibilidade de ascensão a mundos de luz que resultarão na imortalidade e no conhecimento direto de Deus.

TREZE

As Geometrias e a Meditação do Mer-Ka-Ba

Resumindo o último capítulo: primeiramente, há o fluxo de energia que passa através dos chakras, e dos chakras os meridianos alcançam cada célula do corpo. Depois há o campo de prana próximo ao corpo, gerado pelo fluxo de energia dos chakras e meridianos. Em seguida, há o campo da aura que se expande até um metro mais ou menos da superfície, gerado pelos pensamentos e sentimentos ou emoções e circundado pelo campo de energia oval. Além dessa oval começamos a ver os campos de luz geométricos que constituem a parte mais volumosa do corpo de luz humano. O Mer-Ka-Ba é um potencial dos campos de luz geométricos e é criado pela consciência. Ele não acontece automaticamente a não ser durante um longo período de evolução, e neste momento da história menos de 0,1 por cento da humanidade tem um Mer-Ka-Ba vivo. Acredito que isso mudará radicalmente ao longo dos próximos anos.

O ser humano é envolvido por numerosos campos de energia geométricos que são de natureza eletromagnética nesta dimensão (Ilustração 13-1). O Mer-Ka-Ba se estende a todas as dimensões possíveis, e em cada dimensão usa as leis dessa dimensão para manifestar-se. Na ilustração ao lado, vocês veem apenas uma de centenas de outras possibilidades que existem ao redor do corpo. Estão olhando para o campo da estrela tetraédrica, que é o primeiro campo geométrico fora da superfície do corpo, às vezes chamada de "abertura" para o Mer-Ka-Ba. Esse campo será um dos que usaremos (pelo menos a maioria de nós) aqui na Terra neste momento da história, mas vamos mostrar a vocês o corpo de luz geométrico mais completo, porque para alguns de vocês

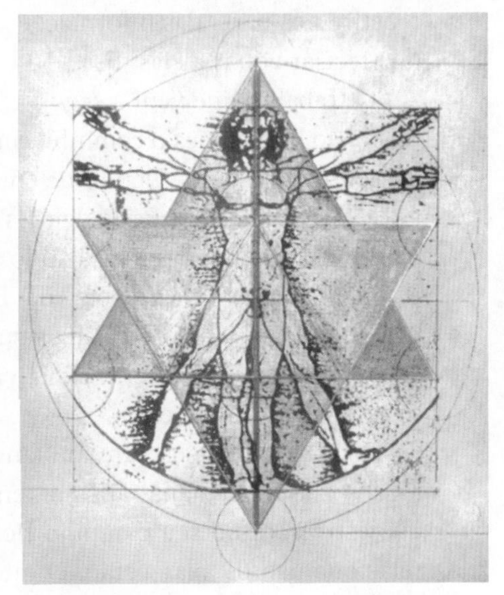

Ilustração 13-1. A geometria da estrela tetraédrica humana.

essas informações se tornarão muito importantes. Para a imensa maioria de vocês, esse primeiro campo da estrela tetraédrica é tudo o que é necessário saber. Depois de chegarem ao próximo mundo, a quarta dimensão deste planeta, vocês receberão todas as demais informações de que precisarão na ocasião.

Por que continuo fornecendo informações que são para apenas uns poucos? Estou falando para um público que se encontra em muitos níveis de evolução. Todos vocês são importantes para a vida. Na verdade, se mesmo um espírito fosse deixar de existir, todo o universo deixaria de existir. Para alcançar o público todo, devo ir além do que a maioria das pessoas precisa.

A Estrela Tetraédrica, a Origem de Todos os Campos Geométricos ao Redor do Corpo

Se vocês acompanhassem essas linhas de energia desse campo da estrela tetraédrica até a sua origem dentro do corpo, observariam o minúsculo campo da estrela tetraédrica das oito células originais — o Ovo da Vida, localizado no centro geométrico exato do corpo. Conforme viram no capítulo 7, a criação da vida é geométrica. A mitose passa de esfera a tetraedro, e a estrela tetraédrica para cubo e para esfera de novo, e finalmente para o toro. Esse começo geométrico da vida não para aqui. Ele continua até uma distância de 16,5 metros aproximadamente ao redor do corpo, criando uma série impressionantemente intrincada de corpos de energia geométricos interligados e inter-relacionados que são usados ao longo do tempo pela vida enquanto ela evolui.

Agora que compreendem a origem desses campos geométricos ao redor do corpo, vamos dar uma olhada neles. Começaremos pela estrela tetraédrica. Primeiramente, repetiremos parte das informações das páginas 76 a 78, do volume 1, para poupá-los de precisar voltar a elas. Esse é o começo.

O trabalho que vem a seguir é sagrado e resultará na sua mudança para sempre. Caso não lhes pareça o caminho certo a seguir neste momento, não o façam. Esperem até sentir-se seguros. Depois de entrarem nesse caminho, não há volta. Vocês saberão e terão passado por coisas demais nos chakras superiores. Podem ler este capítulo, mas não é disso que estou falando. Estou falando da verdadeira *sensação* do Mer-Ka-Ba que mudará vocês e a sua vida. Ela alertará o seu eu superior de que vocês estão se tornando conscientes, e o seu eu superior, que é vocês em um nível superior de consciência, começará a alterar a sua vida aqui na Terra e vocês rapidamente começarão a crescer espiritualmente.

Pode ser que percebam mudanças importantes na sua vida começando dentro de alguns dias ou semanas após darem início a essa técnica. Amigos e relacionamentos que estiveram no seu caminho ficarão para trás espiritualmente, e novos amigos e relacionamentos aparecerão. O que quer que os esteja impedindo de crescer espiritualmente desaparecerá, e o que quer que precisem aparecerá. É uma lei espiritual, como logo verão se escolherem seguir por esse caminho para os chakras superiores e para o Mer-Ka-Ba. Digo-lhes isso para que saibam e para que não se surpreendam. Assim que a vida tomar consciência do seu despertar, ela os ajudará; então, depois de terem começado a despertar, a vida os usará para desenvolver-se. Lembram-se? Esta, é claro, não é a primeira vez que vocês tomaram esse caminho. Na verdade, vocês realmente sabem. Portanto, vamos começar.

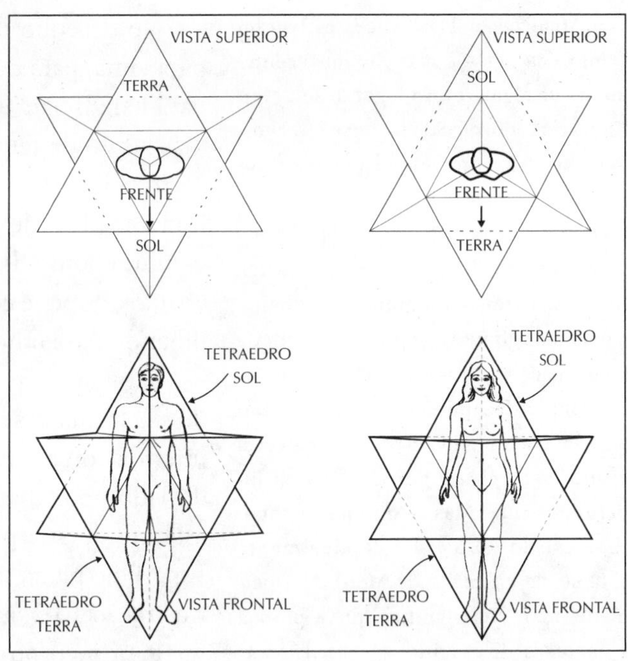

Ilustração 13-2. A orientação masculina e feminina dentro da estrela tetraédrica.

Esta estrela tetraédrica com a imagem humana dentro de si (Ilustração 13-2) vai tornar-se um dos desenhos de maior importância para compreender e trabalhar com o Mer-Ka-Ba conforme ensinado aqui neste livro. O que vocês estão observando é bidimensional, mas pensem nele em três dimensões. Em três dimensões há dois tetraedros entrelaçados que estão contidos perfeitamente dentro de um cubo. Realmente ajudaria se vocês fizessem ou comprassem uma dessas formas para poder captar perfeitamente a imagem na sua mente. (No fim deste volume, há um modelo que pode ser copiado, cortado e colado para formar a estrela tetraédrica.)

Uma das primeiras coisas que os anjos fizeram quando estavam me ensinando foi me pedir para fazer uma estrela tetraédrica de papelão. De algum modo, estar com essa forma nas mãos realmente ajuda a entender melhor. Na verdade, é quase essencial, pois um mal-entendido a esta altura poderia impedir completamente o seu crescimento mais adiante.

Uma maneira simples de construir uma estrela tetraédrica é construir primeiro um octaedro com oito triângulos equiláteros idênticos. (Vejam, há um octaedro no centro da estrela tetraédrica.) Depois, façam oito tetraedros idênticos que se encaixem perfeitamente sobre cada face do octaedro. Agora, colem os oito tetraedros em cada face e terão uma estrela tetraédrica. Há outras maneiras (vejam o padrão no fim deste livro), mas essa maneira é fácil. Recomendo fortemente que vocês obtenham uma estrela, não importa como.

A próxima coisa é entender como o seu corpo se encaixa dentro dessa estrela tetraédrica, ou como a estrela está disposta ao redor do seu corpo. Estudando cuidadosamente essa estrela tetraédrica em 3-D que vocês obtiveram ou construíram, e estudando a Ilustração 13-1, a sua mente começará a lembrar-se. Por favor, façam isso primeiro.

Atualização 1: Se vocês estiveram sempre na Terra e não vieram recentemente de algum outro lugar, o seu Mer-Ka-Ba está adormecido há treze mil anos. Portanto, faz muito tempo que o seu corpo teve essa sensação. Essa técnica de respiração vai restabelecer o Mer-Ka-Ba vivo ao redor do seu corpo. A técnica funciona de maneira muito semelhante a uma roda girante que precisa ser girada com frequência para continuar girando. No Mer-Ka-Ba, porém, o giro repetido acaba por adquirir vida própria, e a certa altura da técnica o giro continuará indefinidamente. Mas isso requer tempo. Esse estado do Mer-Ka-Ba atualmente está sendo chamado de Mer-Ka-Ba permanente, o que significa que a pessoa é chamada de *respirador consciente*. O respirador consciente é alguém com o Mer-Ka-Ba permanente, que tem consciência plena da respiração do Mer-Ka-Ba. Para ser claro, a prática diária a seguir é um método de construir um Mer-Ka-Ba vivo ao redor do corpo, mas algum dia a prática será interrompida e substituída pela respiração consciente.

Entretanto, há muitos problemas definidos que podem ocorrer se vocês pararem de praticar antes que o seu Mer-Ka-Ba seja realmente permanente. O seu ego pode lhes dizer: "Ah, sim, estou seguro de que o *meu* Mer-Ka-Ba está permanente", quando, na realidade, ele não está. Se pararem de praticar antes da hora, então o seu Mer-Ka-Ba para de viver (ou girar) depois de cerca de 47 a 48 horas. Portanto, como poderão dizer se ele é permanente?

Isso é muito difícil para algumas pessoas porque quando se está começando, a energia do Mer-Ka-Ba é muito sutil. Se estiveram fazendo o Mer-Ka-Ba por mais de um ano *e* acharem que estão conscientes do seu Mer-Ka-Ba muitas vezes ao dia, então é quase certo que ele esteja

No desenho de Leonardo, o tetraedro apontando para cima, para o Sol, é masculino. Aquele que aponta para baixo, para a Terra, é feminino. Vamos chamar o masculino de tetraedro *Sol* e o feminino de tetraedro *Terra*. Só existem duas maneiras simétricas de um ser humano olhar de dentro para fora da estrela tetraédrica com um ponto da estrela acima da cabeça e um ponto abaixo dos pés e com o alinhamento do corpo humano olhando para o horizonte.

Para um corpo masculino olhar de dentro para fora de sua forma, o seu tetraedro Sol tem a ponta do plano inferior voltada para a frente, com a superfície plana do lado oposto atrás de si; o seu tetraedro Terra tem a ponta do seu plano superior voltada para trás, e a superfície plana do lado oposto à sua frente (vejam a Ilustração 13-2, à esquerda).

Para o corpo feminino olhar de dentro para fora de sua forma, o seu tetraedro Sol tem a ponta do plano inferior voltada para a trás, com a superfície plana do lado oposto à sua frente; o seu tetraedro Terra tem a ponta do seu plano superior voltada para a frente, com a superfície plana do lado oposto às suas costas (vejam a Ilustração 13-2, à direita). Além disso, há na realidade três estrelas tetraédricas completas ao redor do corpo, todas exatamente do mesmo tamanho e sobrepostas uma sobre a outra ao longo do mesmo eixo. Se vocês pudessem vê-las, elas pareceriam ser apenas uma, mas na realidade são três. Explicaremos melhor na respiração quinze.

Agora vamos apresentar a verdadeira meditação antiga do Mer-Ka-Ba e as informações especiais atualizadas para ajudá-los a resolver a maioria dos problemas que as pessoas encontraram até agora ao tentar ativar o seu Mer-Ka-Ba usando estas instruções ou outras semelhantes. Estas instruções, que editei ligeiramente aqui, foram usadas originalmente pelos facilitadores da Flor da Vida e foram publicadas em *websites* em todo o mundo, mas a maioria das pessoas não têm sido capazes de fazer esse trabalho a partir dessas instruções por causa dos problemas que não foram percebidos até recentemente. Leiam as atualizações laterais como uma referência para evitar os problemas que aconteceram no passado.

Os problemas que as pessoas tiveram na compreensão dessas instruções foram identificados nos últimos cinco anos pela experiência direta nos cursos, e serão indicados claramente na forma de atualizações nas margens e numa parte especial. Acredito que esse novo caminho irá funcionar, mas a melhor maneira possível ainda é procurar um facilitador da Flor da Vida para ensiná-los. Esses facilitadores da FOL (Flor da Vida em inglês) estão em mais de 33 países e podem ser localizados na *internet* em www.floweroflife.org*. Eles foram treinados minuciosamente não só para ministrar as instruções sobre o Mer-Ka-Ba, mas também para ensinar as instruções orais do coração que não podem ser ensinadas por intermédio de um livro. E as lições sobre o coração são mais importantes do que o conhecimento em si. Depende, é claro, de cada um de vocês como proceder, mas depois que começarem a entender o Mer-Ka-Ba, o facilitador da FOL poderá tornar-se indispensável. Depois desse prefácio, começaremos as instruções. Essas instruções serão em quatro partes.

A Respiração Esférica e a Lembrança do Mer-Ka-Ba

Assim como o Sol, devemos respirar, irradiando para toda a vida. E de toda a vida receberemos o nosso maná.

Comecem criando um lugar na sua casa para ser usado apenas para esta meditação. Definam um lugar por onde ninguém vai passar nem perturbá-los, tal como um canto do seu quarto. Um pequeno altar com uma vela e uma almofada ou travesseiro para sentar-se também podem ajudar. Tornem esse lugar sagrado. É ali que vocês aprenderão a criar o Mer-Ka-Ba vivo ao redor do seu corpo e fazer contato conscientemente com o seu eu superior.

Façam esta meditação uma vez por dia até o momento em que se tornem um respirador consciente,

permanente. Se estiverem em contato com o seu eu superior e tiverem certeza disso, então simplesmente perguntem. Entretanto, uma coisa também é certa: se interromperem a prática e julgaram que nem sequer pensaram no seu Mer-Ka-Ba ou se lembraram dele por vários dias, deverão começar de novo. Depois de se tornarem respiradores conscientes, vocês irão lembrar do seu Mer-Ka-Ba todos os dias. ✧

Atualização 2: Vocês precisarão ter uma pequena estrela tetraédrica real para observar. Entendam que cada aresta dessa estrela tetraédrica tem o comprimento dos seus braços estendidos, do dedo médio de uma das mãos até o dedo médio da outra mão (ou a sua altura, se preferirem). Portanto, a estrela ao redor de vocês é muito grande. Vocês podem desenhar um triângulo no chão ou usar cordões para ver com a sua mente o tamanho real do seu tetraedro. Isso ajudará imensamente. Nas aulas do curso sobre a Flor da Vida, costuma-se usar estrelas tetraédricas em 3-D em que se pode entrar. Isso realmente funciona.

Ao visualizar os seus tetraedros, não o vejam fora de vocês. Não vejam uma estrela pequena à sua frente com vocês dentro. Isso deixará de conectá-los ao campo verdadeiro e não criará o Mer-Ka-Ba. A sua mente precisa conectar-se com o campo verdadeiro, portanto vejam os tetraedros *ao redor do seu corpo* com vocês dentro.

Em segundo lugar, vocês têm opções diferentes para conectar a sua mente com os seus tetraedros. Algumas pessoas conseguem visualizá-los; a sua capacidade de visualização é impressionante. Outras pessoas simplesmente são incapazes de

* Favor consultar os endereços eletrônicos no Brasil na página de créditos deste livro.

visualizá-los, mas conseguem senti-los. As duas maneiras se equivalem. Ver está ligado ao hemisfério cerebral esquerdo e masculino, e sentir é ligado ao hemisfério cerebral direito, feminino. Qualquer maneira funciona; isso realmente não importa. Algumas pessoas usam as duas maneiras ao mesmo tempo, o que também está certo.✧

Atualização 3: Um mudra é uma posição de mão. Muitas práticas espirituais usam mudras. Os tibetanos e hindus usam-nos nas suas práticas. Com isso, o que se faz é conectar o corpo conscientemente com um circuito elétrico específico dentro do corpo. Conforme se mudam os mudras, eles o conectam com um circuito elétrico diferente.

Existem oito circuitos elétricos no corpo, partindo das oito células originais. É difícil explicar aqui, mas é necessário equilibrar apenas seis circuitos para alcançar o equilíbrio de todos os oito. Isso é semelhante ao sistema de posicionamento global (GPS) que localiza um determinado ponto na superfície da Terra. Esse sistema se baseia no tetraedro. Se forem conhecidos três pontos do tetraedro, então o quarto pode ser localizado. Do mesmo modo, se forem equilibrados três circuitos elétricos, o quarto será equilibrado. Portanto, se forem equilibradas seis pontas da estrela tetraédrica, as duas últimas, localizadas acima da cabeça e abaixo dos pés, automaticamente serão equilibradas. É por isso que temos só seis respirações equilibradoras (e de limpeza) para os oito circuitos elétricos.✧

lembrando-se a cada respiração da sua ligação íntima com Deus. (Leiam a Atualização 1.)

Para começar a meditação, primeiramente sentem-se e relaxem. Qualquer posição humana é possível para fazer a meditação, mas sentar-se no estilo lótus ou em uma cadeira ou poltrona provavelmente é melhor. Vocês decidem. Comecem desligando-se das preocupações diárias. Respirem ritmadamente e superficialmente de maneira relaxada. Estejam conscientes da sua respiração e sintam o seu corpo relaxar. Quando sentirem a tensão começar a desaparecer, voltem a atenção para o seu chakra crístico, que está localizado mais ou menos um centímetro acima do esterno, e comecem a abrir o coração. Sintam amor. Sintam amor por Deus e toda a vida em toda parte. Continuem a respirar ritmadamente (inspirando e expirando com a mesma duração), conscientes da sua respiração, e sintam o amor atravessando o seu espírito. Quando o sentimento de amor estiver na sua existência, vocês estão prontos para passar para a experiência do Mer-Ka-Ba. O quanto forem capazes de amar será o tanto que serão capazes de sentir o Mer-Ka-Ba vivo.

Visão Geral da Meditação

São dezessete respirações para chegar ao término. As primeiras seis são para o equilíbrio das polaridades dos seus oito circuitos elétricos e para a limpeza desses circuitos. As sete seguintes, que são bem diferentes, são para restabelecer o fluxo prânico adequado mediante seu sistema de chakras e para recriar o que é chamado de *respiração esférica* dentro do seu corpo. A 14ª respiração é única. Ela muda o equilíbrio da energia prânica no seu corpo da consciência tridimensional para a quadridimensional. As últimas três respirações recriam os campos contrarrotatórios do Mer-Ka-Ba vivo dentro e ao redor do seu corpo.

Parte 1: As Primeiras Seis Respirações

As instruções a seguir estão divididas em quatro áreas: mente, corpo, respiração e coração.

PRIMEIRA RESPIRAÇÃO: Inspiração

Coração: Abram o seu coração e sintam amor por toda forma de vida. Se não conseguirem fazer isso completamente, vocês devem pelo menos tornar-se receptivos a esse amor o máximo que puderem. Esta é a instrução mais importante de todas.
Mente: Tomem consciência do tetraedro Sol (masculino — com o vértice voltado para cima, para o Sol, uma ponta voltada para a frente para os homens e, para as mulheres, uma ponta voltada para trás). Vejam esse tetraedro Sol cheio de luz branca brilhante envolvendo o seu corpo. (A cor dessa luz branca brilhante é cor do raio como o veem partindo de uma nuvem carregada. Não é só a cor do raio, é a energia do raio.) Visualizem da melhor maneira que puderem. Se não conseguirem visualizar, sintam o tetraedro ao seu redor. Sintam o tetraedro do Sol cheio dessa energia. (Leiam a Atualização 2.)
Corpo: No mesmo instante em que inspirarem, posicionem as mãos em um mudra em que o polegar e o indicador em cada mão se toquem. Os dedos devem tocar-se de leve, e não deixe que as laterais dos dedos toquem os outros dedos ou quaisquer outros objetos. Mantenham as palmas das mãos voltadas para cima. (Leiam a Atualização 3.)
Respiração: Neste mesmo momento, com os pulmões vazios, comecem a respirar numa respiração iogue completa. Respirem apenas através nas narinas, a não ser em determinados lugares, que serão explicados. Simplesmente respirem a partir do estômago primeiro, depois do diafragma e finalmente o peito. Façam isso em um único movimento, não três. A expiração é feita ou mantendo o peito firme e relaxando o estômago, soltando o ar lentamente, ou mantendo o estômago firme e relaxando o peito. O ponto mais importante é que essa respiração se torne ritmada, o que significa inspirar e expirar em tempos iguais. Comecem usando sete segundos para inspirar e sete segundos para expirar, que é o mesmo usado pelos tibetanos. Quando se familiarizarem com esta meditação, encontrarão o seu próprio ritmo. As respirações podem ter uma duração em que se sintam mais à vontade, mas não devem ter menos de cinco segundos, a menos que tenham um problema físico e não consigam demorar mais. Nesse caso, é claro, façam o melhor que puderem.
As instruções a seguir para uma respiração iogue completa são do livro *Science of Breath: A Complete Manual of the Oriental Breathing Philosophy of Physical, Mental and Spiritual Development,* do iogue Ramacharaka (Yoga Publishers Society, 1904). Talvez esta explicação do livro possa ser útil:

> Respirando pelas narinas, inspire constantemente, primeiro enchendo a parte inferior dos pulmões, o que se consegue exercitando o diafragma, que ao descer exerce uma pressão suave sobre os órgãos abdominais, empurrando para a frente

as paredes do abdome. Então encha a parte mediana dos pulmões, empurrando para fora as costelas inferiores, o esterno e o peito. Em seguida, encha a parte superior dos pulmões, projetando a parte superior do peito, erguendo assim o peito, incluindo os seis ou sete pares de costelas superiores.

À primeira vista, pode parecer que essa respiração consiste em três movimentos distintos. Essa, porém, não é a ideia correta. A inspiração é contínua, a cavidade inteira do peito desde o diafragma abaixado até o ponto mais alto do peito na região da clavícula se expandindo com um movimento uniforme. Evite uma série espasmódica de inspirações, ou aos solavancos, e se esforce para manter um movimento contínuo e constante. Logo a prática corrigirá a tendência a dividir a inspiração em três movimentos e tornará a respiração contínua e uniforme. Você será capaz de concluir a inspiração em alguns segundos depois de um pouco de prática.

Expire bem lentamente, mantendo o peito em uma posição firme e contraindo um pouco o abdome e erguendo-o vagarosamente enquanto o ar deixa os pulmões. *(Nota do Autor: Alguns pesquisadores invertem essa parte, mantendo o abdome numa posição firme e relaxando o peito. A maioria dos mestres usa o primeiro método. Ambas as maneiras são corretas.)* Depois que o ar for totalmente expirado, relaxe o peito e o abdome. Um pouco de prática tornará essa parte do exercício mais fácil, e os movimentos, depois de aprendidos, serão a partir de então executados quase automaticamente.

PRIMEIRA RESPIRAÇÃO: Expiração

Coração: Amor.
Mente: Tome consciência do tetraedro Terra (feminino — o vértice apontando para a Terra, com uma ponta voltada para as costas para os homens, e para as mulheres uma ponta voltada para a frente). Vejam esse tetraedro também preenchido com uma luz branca brilhante.
Corpo: Manter o mesmo mudra.
Respiração: Não hesitem no ponto alto da inspiração para começar a expirar. Expirem bem lentamente por cerca de sete segundos, no estilo iogue. Quando o ar deixar os pulmões, sem forçar, relaxem o peito e o abdome e prendam a respiração. Quando sentirem a pressão para voltar a respirar depois de cinco segundos mais ou menos, então façam o seguinte:
Mente: Conscientize-se do triângulo equilátero plano no alto do tetraedro Terra localizado no plano horizontal que atravessa o seu peito a aproximadamente 7,5 centímetros abaixo do chakra crístico, ou aproximadamente no plexo solar (vejam o cânone de Vitrúvio no frontispício antes do capítulo 1). Como um raio, e com uma energia pulsante, enviem aquele plano triangular para baixo através do tetraedro Terra. Ele fica menor à medida que vai para baixo porque se ajusta à forma do tetraedro e empurra todas as energias negativas do mudra ou circuito elétrico para fora pela extremidade ou vértice do tetraedro. Uma luz irá disparar para fora do vértice na direção do centro da Terra. Essa luz, se puderem vê-la, normalmente será de cor terrosa ou escura. O exercício

mental é executado simultaneamente com os seguintes movimentos do corpo. (Leiam a Atualização 4.)

Corpo: O exercício a seguir pode ser feito com os olhos abertos ou fechados. Movam ligeiramente os olhos um na direção do outro; em outras palavras, cruze ligeiramente os olhos. Em seguida, faça-os subirem dentro da sua órbita (olhando para cima). Esse movimento de olhar para cima não deve ser exagerado. Pode ser que experimentem uma sensação de formigamento entre os olhos, na região do terceiro olho. Agora olhem para baixo, para o ponto mais inferior que puderem ver, o mais rápido possível. Pode ser que experimentem uma sensação de eletricidade descer pela coluna vertebral. A mente e o corpo devem coordenar o exercício mental acima com os movimentos dos olhos. Os olhos olham para baixo desde a sua posição mais elevada ao mesmo tempo que a mente vê o plano triangular horizontal do tetraedro Terra descer para o vértice do tetraedro Terra. Ele voltará naturalmente para a sua posição normal.

Este exercício combinado limpará os pensamentos e sentimentos negativos que entraram no seu circuito elétrico por esse circuito em particular. Especificamente, ele limpará a parte do seu sistema elétrico associado ao mudra particular que estiver sendo usado. Imediatamente ao pulsar a energia pela sua coluna vertebral abaixo, mudem o mudra para o seguinte e recomecem todo o ciclo para a segunda respiração.

Atualização 4: Não se preocupem com essa energia negativa que entra na Mãe Terra. Ela é plenamente capaz de assimilar essa energia sem nenhum problema. Entretanto, se vocês moram no segundo andar de um prédio ou acima, pode ser necessário fazer mais uma coisa no sentido de agir de maneira responsável. Ao atravessar o prédio para o piso inferior, se essa energia entrar em contato com outra pessoa, irá contaminá-la. Para não causar esse dano, é necessário fazer o seguinte:

Não explicamos ainda a energia psíquica, portanto vocês devem continuar com fé se não entenderem. Vocês devem *ver* e *saber* que essa energia negativa que emitiram não ficará vinculada a nenhuma outra pessoa e entrará inteiramente na Mãe Terra sem causar dano. *Só de manter esse pensamento,* isso acontecerá.✧

As próximas cinco respirações repetem a primeira, com as seguintes mudanças de mudras:

SEGUNDA RESPIRAÇÃO	Mudra:	Polegar e segundo dedo (médio) juntos.
TERCEIRA RESPIRAÇÃO	Mudra:	Polegar e dedo anular juntos.
QUARTA RESPIRAÇÃO	Mudra:	Polegar e dedo mínimo juntos.
QUINTA RESPIRAÇÃO	Mudra:	Polegar e dedo indicador juntos (igual à primeira respiração).
SEXTA RESPIRAÇÃO	Mudra:	Polegar e dedo médio juntos (igual à segunda respiração).

A parte 1, as seis primeiras respirações (equilibrando as polaridades e limpando o seu sistema elétrico), está assim terminada. Agora vocês estão prontos para a parte 2.

Parte 2: As Sete Respirações Seguintes, Recriando a Respiração Esférica

Aqui começa um padrão de respiração inteiramente novo. Vocês não precisam visualizar a estrela tetraédrica desta vez. Só precisam ver e trabalhar com o tubo respira-

Atualização 5: O refinamento a seguir é opcional. Se não parecer necessário, então não o façam, e continuem a usar apenas amor. Usem este refinamento só depois de sentirem-se à vontade com esta prática e não precisam mais se preocupar em como fazê-la. É o seguinte: substituam o sentimento de amor que é mantido durante as sete respirações pelos seguintes sentimentos ou atributos mentais, mantendo-os durante toda a respiração.

Respiração 7	Amor
Respiração 8	Verdade
Respiração 9	Beleza
Respiração 10	Confiança
Respiração 11	Harmonia
Respiração 12	Paz
Respiração 13	Reverência a Deus

Este padrão é necessário para passar por um portal estelar como o que existe em Órion, no meio da nebulosa do Caranguejo. Só a pessoa (ou espírito) que vive de acordo com esses atributos pode passar por esse portal estelar. Este padrão tem um campo sutil que os ajudará no futuro. Se não entenderem agora, entenderão depois. ✧

tório que atravessa a estrela, do vértice do tetraedro Sol (masculino) acima da cabeça até o vértice do tetraedro Terra (feminino) abaixo dos seus pés. O tubo se estende desde a distância igual ao comprimento de uma mão acima da sua cabeça até o comprimento de uma mão abaixo dos seus pés. O diâmetro do *seu* tubo será do tamanho do círculo formado pelo polegar e o dedo médio da mesma mão tocando-se nas extremidades. (Uma vez que cada pessoa é diferente da outra, todos devem calcular o seu próprio padrão de medida.) O tubo é como um tubo fluorescente com uma tampa cristalina em cada extremidade que se encaixa nos vértices superior e inferior dos dois tetraedros. O prana entra no tubo através de um orifício infinitamente pequeno na extremidade.

SÉTIMA RESPIRAÇÃO: Inspiração

Coração: Amor. Existe outro refinamento que pode ser usado depois de terem aperfeiçoado esta meditação. (Leiam a Atualização 5.)

Mente: Visualizem ou sintam o tubo passando pelo seu corpo. No instante em que começarem a sétima inspiração, vejam a luz branca brilhante do prana subindo e descendo simultaneamente pelo tubo. Esse movimento é quase instantâneo. O ponto onde esses dois feixes de prana se encontram dentro do seu corpo é controlado pela mente; essa é uma vasta ciência conhecida ao longo de todo o universo. Neste ensinamento, porém, vocês vão ver apenas o que é necessário para levá-los da consciência tridimensional para a quadridimensional e acompanhar a Terra à medida que ela ascende.

Neste caso, vocês irão direcionar os dois feixes de prana no interior do tubo para que se encontrem à altura do seu umbigo — ou, mais precisamente, dentro do seu corpo à altura do umbigo. No momento em que os dois feixes de prana se encontrarem, exatamente quando começa a inspiração, uma esfera de luz branca ou prana do tamanho de um *grapefruit* forma-se centrada no ponto de encontro dentro do tubo exatamente à altura desse chakra. Tudo acontece em um instante. Enquanto vocês continuam a fazer a sétima inspiração, a esfera de prana começa a concentrar-se e aumentar lentamente de tamanho.

Corpo: Nas próximas sete respirações, usem o mesmo mudra tanto para inspirar quanto para expirar: o polegar, o dedo indicador e o dedo médio tocando-se unidos, com as palmas voltadas para o alto.

Respiração: Respiração iogue profunda, ritmada, sete segundos ao inspirar, sete segundos ao expirar, ou como seja melhor para cada um. Daqui por diante a respiração não é contida. O fluxo do prana a partir dos dois polos não para nem muda de maneira nenhuma quando vocês mudam de inspiração para expiração. Ele será um fluxo contínuo que não para enquanto respirarem dessa maneira — mesmo depois da morte, da ressurreição ou da ascensão.

SÉTIMA RESPIRAÇÃO: Expiração

Mente: A esfera de prana centrada no umbigo continua a crescer. No momento em que a expiração se completa, a esfera de prana terá aproximadamente 22 centímetros de diâmetro.
Respiração: Não forcem a saída do ar dos pulmões. Quando os pulmões estiverem naturalmente vazios, comecem imediatamente a respiração seguinte.

OITAVA RESPIRAÇÃO: Inspiração

Coração: Amor.
Mente: A esfera de prana continua a concentrar a energia da força vital e aumentar de tamanho.

OITAVA RESPIRAÇÃO: Expiração

Mente: A esfera de prana continua a crescer e atinge o tamanho máximo ao fim desta respiração. O tamanho máximo é diferente para cada pessoa. Se vocês colocarem o seu dedo médio na borda do seu umbigo, a linha no seu pulso que delimita a sua mão mostrará o raio do tamanho máximo dessa esfera no seu caso. Essa esfera de prana não pode crescer mais do que isso; ela permanece intacta desse tamanho mesmo quando expandimos outra esfera além dessa posteriormente.

NONA RESPIRAÇÃO: Inspiração

Mente: A esfera não pode crescer mais, portanto o prana começa a concentrar-se dentro da esfera, tornando-a cada vez mais brilhante.
Respiração: A esfera torna-se cada vez mais brilhante à medida que vocês inspiram.

NONA RESPIRAÇÃO: Expiração

Respiração: Ao expirar, a esfera continua a tornar-se cada vez mais brilhante.

DÉCIMA RESPIRAÇÃO: Inspiração

Mente: Enquanto vocês inspiram na décima respiração, a esfera de luz na região do seu estômago atinge a concentração máxima. Aproximadamente na metade do processo da décima inspiração, no momento da concentração máxima possível, a esfera entra em ignição e muda de cor e característica. A cor branco-azulada elétrica do prana fica da cor dourada do Sol. A esfera torna-se um sol dourado de luz brilhante. Quando vocês concluem a décima inspiração, essa nova esfera de luz dourada atinge rapidamente uma nova e maior concentração. No momento em que vocês terminam a respiração, a esfera de luz dourada no seu corpo está pronta para a transformação.

DÉCIMA RESPIRAÇÃO: Expiração

Mente: No momento de expirar, a pequena esfera de luz dourada, com o diâmetro de duas mãos de comprimento, fica protuberante para expandir-se. Em um segundo, combinada com a respiração explicada a seguir, a esfera se expande rapidamente até o tamanho da esfera de Leonardo (as extremidades dos dedos com os braços estendidos). O seu corpo está agora completamente envolvido por uma imensa esfera de luz dourada brilhante. Vocês voltaram à antiga modalidade de respiração esférica. Entretanto, nesse ponto a esfera não é estável. Vocês devem respirar mais três vezes (respirações 11, 12 e 13) para estabilizar a nova esfera dourada.
Respiração: No momento de exalar, façam um orifício pequeno com os lábios e soprem o ar com pressão. Observem como os músculos do estômago se contraem e a sua garganta parece se abrir. No primeiro momento dessa respiração, vocês sentirão a esfera começar a inchar enquanto vocês forçam o ar através dos lábios. Então no momento certo (normalmente em um segundo ou dois), relaxem e deixem sair todo o ar remanescente através dos lábios. Nesse momento, a esfera imediatamente se expande para o tamanho da esfera de Leonardo. Observem que a pequena esfera original ainda continua lá. Há duas esferas, uma dentro da outra.

11ª, 12ª E 13ª RESPIRAÇÕES: Inspiração e Expiração

Mente: Relaxem e interrompam a visualização. Simplesmente *sintam* o fluxo do prana seguindo dos dois polos, encontrando-se à altura do umbigo e expandido-se para a esfera maior.
Respiração: Respiração iogue profunda, ritmada. Ao fim da 13ª respiração, vocês estabilizaram a esfera grande e estão prontos para a importante 14ª respiração.

É importante observar aqui que a pequena esfera original ainda se encontra dentro da esfera maior. Na verdade, a esfera menor é realmente mais brilhante e mais concentrada do que a maior. É dessa esfera interna que o prana é tirado para diversos propósitos, tais como a cura.

Parte 3: A 14ª Respiração

14ª RESPIRAÇÃO: Inspiração

Coração: Amor.
Mente: No começo da 14ª respiração, usando a sua mente e os seus pensamentos, movam o ponto onde os dois feixes de prana se encontram do seu umbigo para cer-

ca de dois ou três dedos acima da base do esterno, o chakra quadridimensional da consciência crística. A esfera grande inteira, juntamente com a esfera pequena original, ainda contida no interior da esfera grande, sobe para o novo ponto de encontro dentro do tubo. Embora isso seja muito fácil de fazer, é um movimento extremamente importante. Respirar a partir desse novo ponto dentro do tubo inevitavelmente mudará a sua percepção da consciência tridimensional para a quadridimensional, ou da consciência terrena para a consciência crística. Demora um pouco para isso afetar vocês, mas como eu disse, é inevitável se continuarem a praticar esta técnica.

Corpo: O mudra a seguir será usado pelo resto da meditação. Os homens devem colocar a palma da mão esquerda em cima da palma da mão direita, ambas voltadas para cima, e as mulheres devem colocar a palma da mão direita em cima da palma da mão esquerda. Façam com que os polegares se toquem ligeiramente. (Leiam a Atualização 6.)

Respiração: Respiração iogue profunda, ritmada. Entretanto, se continuarem a respirar a partir do seu centro crístico sem passar para o Mer-Ka-Ba (isso é recomendado até que tenham feito contato com o seu eu superior), então mudem para uma respiração ritmada superficial, confortável. Em outras palavras, respirem ritmadamente mas de uma maneira confortável em que a sua atenção esteja voltada mais para o fluxo de energia subindo e descendo pelo tubo, encontrando-se no esterno e se expandindo em uma esfera grande. Simplesmente sintam o fluxo. Usem o seu lado feminino para simplesmente existir. Nesse ponto não pensem; simplesmente respirem, sintam e existam. Sintam a sua ligação com toda a vida por meio da respiração crística. Lembrem-se da sua ligação profunda com Deus. (Leiam a Atualização 7.)

Parte 4: As Três Últimas Respirações, Criando o Veículo da Ascensão

Costumava-se ensinar que não se deveria tentar executar esta quarta parte antes de ter feito contato

Atualização 6: Uma vez que está acontecendo uma mudança sexual na Terra neste momento, provocada pela nova luz do nosso Sol, muitas pessoas descobriram que a sua polaridade sexual mudou. Desde que esse mudra não é realmente importante a não ser para relaxar o meditador, sugere-se portanto que vocês usem o mudra que considerarem melhor para si. E se parecer às vezes que há uma mudança, então mudem com ela.✧

Atualização 7: Durante muitos anos era recomendado que as pessoas respirassem apenas com a respiração esférica até terem feito contato com o seu eu superior. Uma vez que a Terra passou para uma consciência superior nos últimos anos, atualmente é recomendado que vocês imediatamente continuem para a parte 4 do Mer-Ka-Ba vivo.✧

Atualização 8: Este é um dos maiores mal-entendidos entre as pessoas. Sem saber com clareza que há na realidade *três conjuntos* de tetraedros ao redor do corpo, elas simplesmente giram o tetraedro Sol no sentido anti-horário e o tetraedro Terra no sentido horário. Esse é um erro que não causa nenhum dano verdadeiro, mas impede que o crescimento espiritual continue.

Esse tipo de Mer-Ka-Ba os levará a um harmônico da terceira dimensão deste planeta, que tem sido usado por curandeiros e xamãs durante milhares de anos para obter poder e para a cura. Ele tem sido usado até mesmo para a guerra. Mas ele não leva a lugar nenhum, e definitivamente não lhes permitirá ascender aos mundos superiores a que a Terra está nos levando. Se estiverem fazendo isso agora, comecem de novo e iniciem a prática conforme explicado aqui.✧

com o eu superior, e que o eu superior desse permissão para continuar. Agora, estamos lhes dando permissão para prosseguir, mas continuem sendo receptivos na comunicação com o seu eu superior. Esta parte é para ser levada a sério. As energias que entrarão no seu corpo e espírito e também permanecerão ao redor deles têm uma força tremenda.

15ª RESPIRAÇÃO: Inspiração

Coração: Amor incondicional por todas as formas de vida.
Mente: Estejam conscientes da estrela tetraédrica como um todo. A estrela tetraédrica é composta de um tetraedro Sol (masculino) entrelaçado com um tetraedro Terra (feminino). Esses dois, os tetraedros Sol e Terra juntos, formam a estrela tetraédrica como um todo (a Estrela de Davi tridimensional). Agora, entendam que *existem três estrelas tetraédricas separadas sobrepostas uma sobre a outra* — três conjuntos completos de duplos (estrelas) tetraedros que são exatamente do mesmo tamanho e parecem ser apenas um, quando na realidade são separados. Cada estrela tetraédrica é exatamente do mesmo tamanho, e cada estrela tetraédrica tem uma polaridade própria, masculina, feminina e neutra. Todas as três estrelas tetraédricas rodam ou giram sobre o mesmo eixo.

A primeira estrela tetraédrica é de natureza neutra. Ela é literalmente *o próprio corpo,* e está travada no lugar na base da coluna vertebral. Ela nunca muda de orientação, a não ser sob determinadas condições raras que não foram discutidas. Ela se posiciona ao redor do corpo de acordo com o sexo do corpo.

A segunda estrela tetraédrica é de natureza masculina e elétrica. Ela é literalmente *a mente humana,* e pode girar no sentido anti-horário em relação ao seu corpo, olhando para fora. Dizendo de outra maneira, ela gira para a sua esquerda, começando de um ponto na sua frente.

A terceira estrela tetraédrica é de natureza feminina e magnética. Ela é literalmente *o corpo emocional humano,* e pode girar no sentido horário em relação ao seu corpo, olhando para a frente. Dizendo de outra maneira, ela gira para a sua direita, começando de um ponto na sua frente. (Leiam a Atualização 8.)

Na inspiração da 15ª respiração, enquanto vocês estão inspirando, digam para si mesmos mentalmente as palavras de código: "**velocidade igual**". Isso fará com que as duas estrelas tetraédricas giratórias comecem a rodar nas direções opostas em velocidade igual. A sua mente sabe exatamente quais são as suas intenções e fará como disserem. Isso significa que haverá uma rotação completa dos tetraedros *mentais* a cada rotação completa dos tetraedros *emocionais.* Se um conjunto der dez voltas, o outro conjunto também dará dez voltas, só que na direção oposta.
Corpo: Continuem o mudra das mãos sobrepostas daqui em diante. (Leiam a Atualização 9.)
Respiração: Novamente a respiração iogue profunda e ritmada, mas apenas para as três próximas respirações. Depois disso, voltem à respiração superficial e ritmada. Mencionaremos isso de novo.

15ª RESPIRAÇÃO: Expiração

Mente: Os dois conjuntos de tetraedros começam a girar. Em um instante eles estarão se movendo a exatamente um terço da velocidade da luz nas suas extremidades mais afastadas. Vocês provavelmente não serão capazes de ver isso por causa da velocidade tremenda deles, mas poderão sentir. O que vocês acabaram de fazer foi dar a partida no "motor" do Mer-Ka-Ba. Vocês não irão a parte alguma nem terão nenhuma experiência emocionante. É simplesmente como dar a partida no motor do carro mas manter a marcha em ponto morto. Esse é um passo essencial na criação do Mer-Ka-Ba.
Respiração: Façam um pequeno orifício com os lábios assim como fizeram para a respiração número dez. Soprem do mesmo modo, e, quando o fizerem, sintam os dois conjuntos de tetraedros começarem a girar. (Leiam a Atualização 10.)

16ª RESPIRAÇÃO: Inspiração

Mente: Esta é a respiração mais impressionante. Ao inspirar, enquanto estiverem inspirando, digam mentalmente para si mesmos: "**34/21**". Esse é o código para a sua mente girar os dois conjuntos de tetraedros a uma razão de 34 por 21, significando que os tetraedros *mentais* irão girar para a esquerda 34 vezes enquanto os tetraedros *emocionais* irão girar para a direita 21 vezes. Assim que os dois conjuntos acelerarem, a razão permanecerá constante.
Respiração: Respiração iogue profunda, ritmada. (Leiam a Atualização 11.)

16ª RESPIRAÇÃO: Expiração

Mente: Enquanto você soltar a respiração, os dois conjuntos de tetraedros partirão em um instante do seu patamar de um terço da velocidade da luz para dois terços da velocidade da luz. Quando eles se aproximarem de dois terços da velocidade da luz, acontecerá um fenômeno: um disco achatado se estenderá rapidamente a partir das oito células originais dentro do corpo (no nível da base da coluna vertebral) a uma distância de cerca de 16,5 metros de diâmetro. E a esfera de energia centrada ao redor dos dois conjuntos de tetraedros cria, com o disco, uma forma que se parece com a de um disco voador

Atualização 9: Também podem usar o mudra dos dedos entrelaçados: entrelacem os dedos, os polegares se tocando de leve.✧

Atualização 10: Depois de terem criado o Mer-Ka-Ba e tê-lo feito por cerca de duas semanas, podem fazer isso soprando mais simbolicamente, porque a sua mente sabe exatamente quais são as suas intenções e pode chegar a essa etapa com ou sem esse sopro. (Mas se gostarem de fazê-lo, tudo bem.)✧

Atualização 11: É por isso que são usados os números 34/21: conforme vocês sabem depois do capítulo 8, esses são números de Fibonacci. Todos os campos contrarrotatórios da natureza, tais como cones de pinhas, girassóis etc., que têm velocidades diferentes, são números de Fibonacci. (Pode haver exceções, mas não tenho conhecimento delas.) Isso explica a questão em um nível, mas por que 34/21?

Sem entrar em uma longa dissertação, cada chakra tem uma razão de velocidade diferente que lhe é associada nesta dimensão. O chakra em que entramos com a 14ª respiração e a partir do qual respiramos é o chakra crístico, e essa *é* a razão de velocidade desse chakra. A do chakra acima desse é 55/34, e o que fica embaixo, o plexo solar, tem uma razão de 21/13. Não é importante que saibam disso no momento, pois quando chegarmos à quarta dimensão receberemos todo o conhecimento sobre esse assunto.✧

ao redor do corpo. Essa matriz de energia é chamada de Mer-Ka-Ba. Entretanto, esse campo não é estável. Se vocês virem ou sentirem o Mer-Ka-Ba ao redor de vocês a essa altura, saberão que ele é instável. Ele irá oscilar lentamente. Portanto, a respiração número dezessete é necessária para acelerá-lo.
Respiração: A mesma da respiração número quinze. Façam um pequeno orifício com os lábios e assoprem com pressão. É nesse ponto que a velocidade aumenta. Quando sentirem a velocidade aumentando, soltem todo o ar com força. Essa ação fará com que obtenham finalmente a velocidade mais elevada, e o Mer-Ka-Ba será formado em uma posição estável.

17ª RESPIRAÇÃO: Inspiração

Coração: Lembrem-se, devem sentir o amor incondicional durante toda esta meditação ou não haverá nenhum resultado.
Mente: Enquanto inspiram, digam a si mesmos o código: "**nove décimos da velocidade da luz**". Isso diz à sua mente para aumentar a velocidade do Mer-Ka-Ba a 9/10 da velocidade da luz, o que estabilizará o campo giratório de energia. Também fará mais uma coisa. O universo tridimensional em que vivemos é sintonizado a 9/10 da velocidade da luz. Todos os elétrons do seu corpo estão girando ao redor de cada átomo do seu corpo a 9/10 da velocidade da luz. Essa é a razão pela qual é escolhida essa velocidade em particular. Ela permite que entendam e trabalhem com o Mer-Ka-Ba nesta terceira dimensão sem precisar vivenciar a quarta dimensão ou outras acima. Isso é muito importante no início. (Leiam a Atualização 12.)
Respiração: A respiração iogue profunda, ritmada.

17ª RESPIRAÇÃO: Expiração

Mente: A velocidade aumenta para 9/10 da velocidade da luz e estabiliza o Mer-Ka-Ba.
Respiração: Igual às respirações quinze e dezesseis. Façam um pequeno orifício com os lábios e assoprem com pressão. Quando sentirem a velocidade aumentar, soltem todo o ar com força. Agora vocês estão no seu Mer-Ka-Ba estável, afinado para a terceira dimensão. Com a ajuda do seu eu superior, vocês compreenderão o que isso realmente significa.

Depois de terminarem o exercício respiratório, tecnicamente podem de imediato levantar-se e retomar a sua vida diária. Se o fizerem, tentem lembrar-se da sua respiração e do fluxo através do corpo o quanto puderem até serem capazes de perceber que a vida é uma meditação de olhos abertos e que tudo é sagrado.

Entretanto, seria desejável permanecer na meditação por mais um tempo, talvez de uns quinze minutos

Atualização 12: Muitos professores pelo mundo decidiram ensinar as pessoas a mover-se mais rápido do que a velocidade da luz com o seu Mer-Ka-Ba. Essa é uma decisão deles, mas eu penso que é extremamente perigoso. A maioria dos eus superiores dessas pessoas não permitirá que isso aconteça, mesmo se a pessoa ordenar que assim seja. Se alguém realmente conseguir que o seu Mer-Ka-Ba se mova mais rápido do que a velocidade da luz, essa pessoa não será visível neste mundo e existirá em algum outro lugar no universo. Essa pessoa não viverá mais na Terra em 3-D.

Chegará um momento em que isso será adequado, e isso se chama a 18ª respiração. Comentaremos esse assunto em um instante. ✧

a uma hora. Enquanto estiverem nesse estado meditativo, os seus pensamentos e emoções serão tremendamente amplificados. Esse é um ótimo momento para fazer afirmações positivas. Conversem com o seu eu superior para descobrir as possibilidades desse período meditativo especial. Comentaremos a respeito disso em detalhes no capítulo sobre a energia psíquica.

18ª RESPIRAÇÃO:

Esta respiração muito especial não será ensinada aqui. Vocês deverão recebê-la do seu eu superior. Essa é a respiração que os levará através da velocidade da luz para a quarta dimensão (ou acima, se o eu superior determinar). Ela se baseia em frações de números inteiros, como na música. Vocês irão desaparecer deste mundo e reaparecer em outro que será o seu novo lar por algum tempo. Isso não é o fim, mas o começo de uma consciência sempre em expansão fazendo vocês retornarem à Origem. Peço-lhes que não tentem fazer essa respiração. Pode ser muito perigoso.

Quando for o momento certo, o seu eu superior fará com que se lembrem de como fazer essa respiração. Não se preocupem com isso; acontecerá quando for necessário.

Há muitas pessoas ensinando como fazer essa 18ª respiração atualmente, em especial na *internet*. Não posso dizer-lhes o que fazer, mas por favor tomem cuidado. Muitos desses professores dizem que sabem como e que podem fazer vocês chegarem lá e voltar à Terra. Mas lembrem-se bem, se *realmente* fizerem essa respiração, vocês não existirão mais nesta dimensão. A ideia de que possam ir a uma dimensão superior e retornar à Terra é altamente improvável. Não que seja impossível, simplesmente é altamente improvável. Se conhecerem realmente os mundos superiores, não vão querer voltar. Portanto, por favor tenham cuidado. Como eu disse, quando chegar o momento certo, vocês se lembrarão do que fazer sem nenhuma ajuda externa de qualquer natureza.

Informações Adicionais e os Problemas que as Pessoas às Vezes Experimentam

Todos os problemas ou mal-entendidos foram colocados nesta seção por conveniência. Alguns podem ser repetições do que já foi apresentado, e alguns serão novos. Já mencionamos o problema número um associado à criação do Mer-Ka-Ba humano com os tetraedros masculino e feminino (Sol e Terra) girando em direções opostas em vez de girar as *estrelas tetraédricas* Sol e Terra (o conjunto) em direções opostas. Vamos reapresentar essa atualização aqui de novo, considerando o quanto é importante. Em seguida, apresentamos outros problemas relacionados e informações adicionais, mas usando expressões diferentes para ajudá-los a compreender melhor.

1. Girar os tetraedros, a parte de cima e a de baixo apenas.

Este é um dos maiores erros que as pessoas cometem. Elas não entenderam bem que existem na realidade *três conjuntos* de estrelas tetraédricas ao redor do corpo, e elas simplesmente giram o tetraedro Sol no sentido anti-horário e o tetraedro Terra no sentido horário. Esse é um erro que realmente não causa nenhum dano, mas impede a continuidade do crescimento espiritual.

Esse tipo de Mer-Ka-Ba leva a um harmônico da terceira dimensão deste planeta, usado por curandeiros e xamãs há milhares de anos para obter poder e praticar a cura. Ele tem sido usado até mesmo para a guerra. Mas ele não leva a nada, e definitivamente não permitirá que vocês ascendam a mundos superiores a que a Terra está nos levando. Se estiverem fazendo isso agora, comecem de novo e reiniciem a prática conforme explicado.

2. Sentir os tetraedros pequenos demais ou grandes demais, ou um maior ou menor do que o outro.

Às vezes, quando as pessoas examinam os seus tetraedros, elas sentem que eles são ou grandes demais ou pequenos demais, ou que um é maior ou menor do que o outro. Essas instruções também se aplicam a um campo torto ou desalinhado. O que significa isso?

Os seus tetraedros têm a medida exata do equilíbrio de polaridades dentro do seu corpo. A primeira polaridade básica dentro do seu corpo vem dos seus pais. O tetraedro Sol são as energias do seu pai como você as recebeu na concepção; o tetraedro Terra são as energias da sua mãe como você as recebeu na concepção. Se você vive um trauma advindo dos seus pais durante a infância, especialmente desde a concepção até cerca dos 3 anos de idade, os seus tetraedros espelharão esse trauma.

Por exemplo, se o seu pai espancava ou batia em você de maneira a causar medo de verdade, quase com certeza o seu tetraedro Sol irá contrair-se e tornar-se menor do que o normal. Se isso aconteceu apenas uma vez, talvez irá curar-se e voltar ao normal, se o pai foi verdadeiramente amoroso. Mas se as agressões continuaram, o tetraedro Sol permanecerá distorcido e menor do que o normal, o que afetará a vida da criança enquanto ela viver, a menos que receba uma cura de algum modo.

Os tetraedros devem ter o mesmo tamanho, e o comprimento de cada lado deve ter o comprimento dos seus braços esticados. Mas isso raramente acontece. Quase todo ser humano da Terra teve um trauma durante ou depois da infância. O que podemos fazer? É aí que se torna necessária uma terapia ou cura emocional.

Nas escolas antigas, tais como no Egito, o aspecto feminino ou do hemisfério cerebral direito da escola de mistérios (o Olho Esquerdo de Hórus) sempre vinha primeiro. O aluno começava ali e, depois que acontecesse a cura emocional, então seria ensinado o aspecto do hemisfério cerebral esquerdo (o Olho Direito de Hórus). Aqui nos Estados Unidos, e em outros países do cérebro esquerdo, introduzimos os estudos de cérebro esquerdo primeiro, porque esses países estão tendo dificuldade de entender a orientação feminina. Em muitos casos, eles simplesmente rejeitam essa orientação. Portanto, introduzimos essa orientação masculina primeiro só para chamar a sua atenção. Mas agora que conseguimos a sua atenção, e vocês estão começando a estudar essa orientação, acho necessário dizer-lhes que devem agora, ou pelo menos a certa altura desse caminho, começar a estudar o lado feminino.

A cura emocional é essencial se vocês realmente querem encontrar a iluminação neste mundo. Não há como evitar. Depois que começarem a aprender sobre os mundos superiores, vocês próprios irão impedir que o seu crescimento ultrapasse um determinado ponto enquanto a cura emocional não tiver acontecido. Sinto muito, mas é assim que funciona.

O lado bom disso tudo é que tem havido muito progresso no aperfeiçoamento de técnicas para ajudar os seres humanos a tratar o corpo emocional nos últimos setenta anos. Desde a época de Freud até agora, a humanidade desenvolveu uma compreensão incrível sobre as emoções humanas. Wilhelm Reich foi a pessoa mais importante, mais talvez do que qualquer outra, ao abrir a porta para essa grande compreensão. Foi Reich quem entendeu que, quando crianças, não querendo sentir a dor de uma experiência emocional, armazenamos essas emoções dolorosas nos nossos músculos, ou sistema nervoso e no espaço ao redor do nosso corpo, ou corpo de luz. Agora sabemos que essas dores não se encontram em qualquer lugar no nosso corpo de luz, mas especificamente nos nossos tetraedros.

Desde a época de Reich, a doutora Ida P. Rolf sugeriu que essas dores emocionais ficavam armazenadas nos nossos músculos, então deveríamos ir lá e resgatá-las. Assim nasceu o rolfing. Depois, muitas grandes almas seguiram essa ideia de Reich, como Fritz Perl e Sandy Goodman, com ideias relacionadas da terapia Gestalt e psicodrama. Em épocas mais recentes, surgiu a hipnoterapia, que abriu ainda novas portas de compreensão, incluindo as nossas vidas passadas (e futuras) e a sua influência sobre a nossa vida atual. A existência de entidades ou espíritos e energias perturbadoras, como encontrados em bruxaria, vodu e assim por diante tornou-se mais compreensível e um método fácil de liberação.

A minha sugestão é que confiem em si mesmos e estejam abertos à possibilidade de alguém entrar na sua vida para ajudá-los em relação aos seus desequilíbrios emocionais (mesmo que não tenham consciência deles). Isso quase sempre requer ajuda externa. Normalmente, não vemos os nossos próprios problemas, portanto esse é um campo da vivência humana em que a ajuda externa costuma ser o único caminho possível.

Só quando a pessoa estiver em um equilíbrio emocional relativamente saudável é que poderá funcionar satisfatoriamente por meio do Mer-Ka-Ba.

3. Quando o disco que se estende do Mer-Ka-Ba se encontra no lugar errado.

O disco de 16,5 metros que se estende do corpo parte das oito células originais e esse disco obedece àquela localização exata. Ele atravessa a região do períneo, próxima à base da coluna vertebral. Ele se fixa nesse local ou deveria se fixar.

Às vezes, ele é erroneamente visto saindo de outros chakras ou outros locais do corpo. É muito importante mover esse disco para o local correto com a ajuda da sua mente, uma vez que isso mudará a natureza de todo o sistema de chakras. Esse é um erro que distorce toda a prática do Mer-Ka-Ba, ainda que possa ser corrigido facilmente. Basta "vê-lo" retornando ao seu lugar correto, então mantê-lo ali por algum tempo para estabilizá-lo. Certifiquem-se todos os dias, quando praticarem as etapas do Mer-Ka-Ba, de que esse disco esteja no lugar certo, e depois de uma semana ele permanecerá lá.

4. Um campo giratório invertido.

Diversos mal-entendidos e erros podem fazer com que aconteça a inversão do campo giratório no Mer-Ka-Ba. Em outras palavras, em vez de os tetraedros *mentais* girarem para a esquerda (considerando de dentro do corpo) à taxa de 34 e os tetraedros *emocionais* girarem para a direita (considerando de dentro do corpo) à taxa de 21, a razão de velocidade é invertida. Ou seja, o mental se move a 21, e o emocional a 34. Não importa como chegaram a essa condição, ela é muito perigosa. O campo invertido é contra a vida. Se deixarem isso acontecer por muito tempo, quase com certeza isso resultará em uma doença ou mesmo em morte.

A solução é simples — simplesmente corrijam. Mas quando corrigirem o campo, é como começar tudo outra vez para criar um campo permanente.

Para ser bem claro, uma vez que isso é extremamente importante, vamos dar essas instruções de novo: de dentro do corpo e olhando para fora, e tomando um ponto na frente do corpo como o ponto de referência, o tetraedro *mental* move-se para a esquerda 34 vezes, ao passo que o tetraedro *emocional* move-se para a direita 21 vezes.

5. Ver-se em um conjunto de pequenas estrelas tetraédricas na frente do corpo ou fora dele.

Se vocês se veem em uma pequena estrela tetraédrica no espaço à frente do seu corpo, isso não criará o Mer-Ka-Ba. A sua mente *deve* conectar-se com o campo de energia *verdadeiro* da estrela tetraédrica. Vocês devem ver-se *dentro do centro* do campo verdadeiro que existe ao redor do seu corpo. Podem ver esse campo ou percebê-lo ou senti-lo. Isso não importa, pois qualquer maneira irá conectar a mente ao corpo de luz.

Problemas e Mal-entendidos Secundários

6. Uso perfeito dos mudras.

Nas primeiras duas semanas, o uso exato dos mudras é muito importante. Entretanto, depois que a mente e o corpo sabem o que você está tentando fazer, então os mudras podem ser relaxados ou até mesmo não mais usados. O corpo precisa saber que você está tentando conectar-se a um sistema elétrico em particular dentro dele. Depois que o corpo sabe qual sistema é, ele o faz simplesmente sem você precisar mandar. É mais ou menos como aprender a andar de bicicleta. No começo, você precisa educar o corpo para manter o equilíbrio. Depois que o seu corpo aprende como manter o equilíbrio, a sua intenção não é mais necessária; acontece automaticamente.

7. Soprar para fora — a 10ª, 15ª, 16ª e 17ª respirações.

Isso é semelhante ao item 6, acima. Soprar para fora é muito importante nas primeiras duas semanas, mas depois isso pode ser feito muito de leve ou não ser feito. Depois que a mente e o corpo compreendem, eles executam essa função simplesmente pela intenção.

8. Cores.

Nas primeiras duas semanas ou talvez por um mês, pedimos que usem a cor do raio nos tetraedros e no tubo respiratório. Muitos de vocês podem descobrir ou ter descoberto que surgiu uma cor ou mais cores na prática do Mer-Ka-Ba, e não sabem se isso está certo.

Estamos pedindo para usarem a cor do raio porque essa é a natureza e a cor mais verdadeira do prana puro. No entanto, muitas pessoas descobrem que não conseguem impedir que entrem cores no Mer-Ka-Ba. Primeiro os tetraedros se enchem de uma cor e finalmente todo o Mer-Ka-Ba. Isso não está errado, mas normal.

Depois de cerca de um mês, pedimos que permitam a entrada de cores no seu Mer-Ka-Ba sem usar a intenção. Em outras palavras, simplesmente permitam que o que acontecer aconteça. Sintam o que acontece dentro do seu corpo quando essas cores começarem a aparecer. Vejam dentro da sua mente se começam a aparecer imagens. Essas cores e imagens são uma forma de comunicação do seu eu superior. Elas são o começo da comunicação direta, e elas os colocam em contato com o resto da vida.

9. Os outros sentidos.

Para ser claro, não se trata apenas da cor ou da visão, mas todos os cinco sentidos humanos (eventualmente alguns sentidos de que vocês possam não estar cientes no momento) começarão a interagir com o seu Mer-Ka-Ba. Não tenham medo, simplesmente relaxem e deixem acontecer. É totalmente saudável.

Além de cores e imagens, pode ser que comecem a ouvir sons, vozes ou até mesmo música ou harmonias. Podem sentir perfumes, sentir toques ou ter sensações de algum lugar ou por alguém e até sentir gosto na boca. Podem até começar a ver de uma maneira nova e inesperada que não parece vir dos seus olhos. Vocês estão despertando para a vida! Divirtam-se, pois esse é um novo mundo que começa a surgir, e vocês são crianças.

10. Sentimentos e emoções.

Os sentimentos e as emoções desempenham um papel de enorme importância na prática do Mer-Ka-Ba. É o corpo emocional feminino que dá vida ao Mer-Ka-Ba, não só o conhecimento masculino de como criá-lo. Para começar a compreender o que é dito, estudem o padrão da respiração do portão estelar na Atualização 5, página 166, e também as Ilustrações 18-1 e 18-2 na página 264, e vivam-na dentro do seu Mer-Ka-Ba. Como vocês sabem, existem muitos outros padrões de portões estelares, mas todos os que conheço têm *amor* e *verdade* como parte do seu padrão. Vocês conhecem essa informação. Quando viverem e sentirem como as emoções e sentimentos estão ligados ao campo do Mer-Ka-Ba, irão se lembrar. Experimentem.

11. Energia sexual.

A energia sexual é fundamental para o Mer-Ka-Ba neste nível e na consciência humana. O pleno conhecimento do tantra egípcio é complexo demais para ser transmitido nesta ocasião e não é necessário. O único aspecto do tantra egípcio que é necessário compreender é o que é chamado *ankheamento*, que é explicado no capítulo 12 (página 119). Se vocês não usam mais a energia sexual, então não se preocupem com esta parte e continuem.

A Aceleração do Espírito na Matéria

A questão a seguir é um tema muito importante, que deve ser discutido. Por causa da natureza dos assuntos sobre os quais temos falado neste livro, muitos de vocês podem passar por liberações emocionais depois de experimentar o Mer-Ka-Ba. Se sentirem isso, é normal.

Sei que comentamos sobre isso antes, mas eu gostaria de falar a respeito novamente, uma vez que é tão importante. Quando vocês começam a respirar e o fluxo de prana recomeça depois de treze mil anos de não funcionamento, o eu superior pode começar a assumir o controle da sua vida e purificá-la. Com isso quero dizer que as pessoas, lugares e coisas da sua vida que estavam bloqueando o desenvolvimento espiritual geralmente vão afastar-se de vocês. A princípio isso se parece com uma perda ou algo negativo. Mas quando a sua nova vida entra em foco, vocês verão por que determinadas coisas precisavam mudar. Não tenham medo durante esse período de transição. Deus e o seu eu superior estão cuidando de você.

Em que nível vocês vão passar por essa transição vai depender de até que ponto a sua vida está limpa e desvinculada atualmente. É como quando você toma um medicamento. A princípio pode parecer que estão piorando quando a doença começa a sair do seu corpo. O tempo que vai durar a transição dependerá antes de mais nada de até que ponto vocês estavam doentes. É claro que, depois que a doença se vai, vocês se sentem muito mais saudáveis e vivem melhor.

Uma Visão Geral do Campo de Energia Humano além do Mer-Ka-Ba

As informações a seguir são, novamente, necessárias apenas para determinadas pessoas. Vocês podem ler esta parte, mas se não parecer importante ou necessária, então simplesmente pulem ou leiam apenas a título informativo. Poderá chegar o dia em que isso será importante para vocês.

O campo energético do ser humano é muito mais complexo do que foi ensinado durante o curso Flor da Vida. Como dissemos antes, a estrela tetraédrica é a abertura para a consciência superior, mas há muito mais do que isso.

Cada nível de consciência possível no universo está dentro do campo energético humano atualmente, mas isso é apenas um potencial. Só existe uma Realidade. Há um número praticamente infinito de maneiras pelas quais esses campos energéticos podem interagir para criar diferentes Mer-Ka-Bas, que interrompem a Realidade única e a fazem parecer diferente. Dependendo do Mer-Ka-Ba, todo o universo vivencial se tornará inteiramente distinto, e até mesmo parecerá ter leis exclusivas. A maioria do universo consciente está trabalhando em todas as soluções possíveis para esse "problema". Uma coisa é certa: todas as possibilidades se baseiam na geometria e no conhecimento de como combinar essas geometrias.

Para ajudar a humanidade e o futuro da humanidade, vou apresentar as seguintes possibilidades geométricas. De maneira nenhuma afirmo que essas informações estão completas, apenas que são uma possibilidade. Começaremos pela estrela tetraédrica, para dar uma visão pictórica do campo básico completo além do Mer-Ka-Ba. Apresentaremos o assunto em etapas até chegarmos a todo o campo.

Primeiramente, há as oito células originais, e a partir delas o corpo humano adulto. É claro que o corpo humano pode ser substituído por qualquer tipo de corpo e variar dependendo do ambiente e das necessidades do espírito, mas as geometrias serão sempre as mesmas. Em muitos casos, não existe corpo, simplesmente espírito. Então, ao redor do corpo ou espírito existe o campo da estrela tetraédrica que sempre começa na geometria mostrada na Ilustração 13-3.

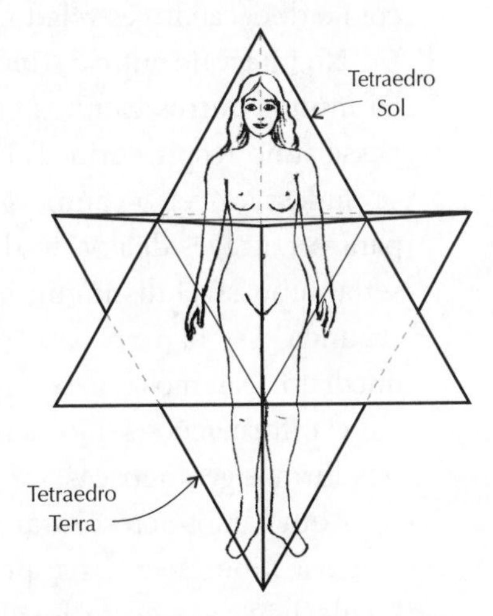

Ilustração 13-3. O corpo e a estrela, vista frontal.

Em seguida, vem o campo do Mer-Ka-Ba da estrela tetraédrica, que se parece com isto quando está vivo (Ilustração 13-4).

Em volta do Mer-Ka-Ba existe uma esfera de energia que tem o diâmetro exato do disco do Mer-Ka-Ba. Ela se parece com isto (Ilustração 13-5).

Imediatamente dentro dessa esfera externa há um campo eletromagnético na forma de um icosaedro. A seguir, dentro deste, há o dual do icosaedro, o dodecaedro pentagonal. Na realidade, o icosaedro é criado pela

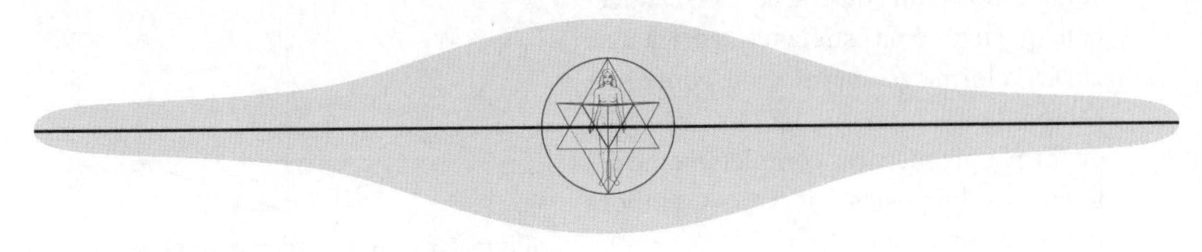
Ilustração 13-4. O corpo, a estrela e o Mer-Ka-Ba.

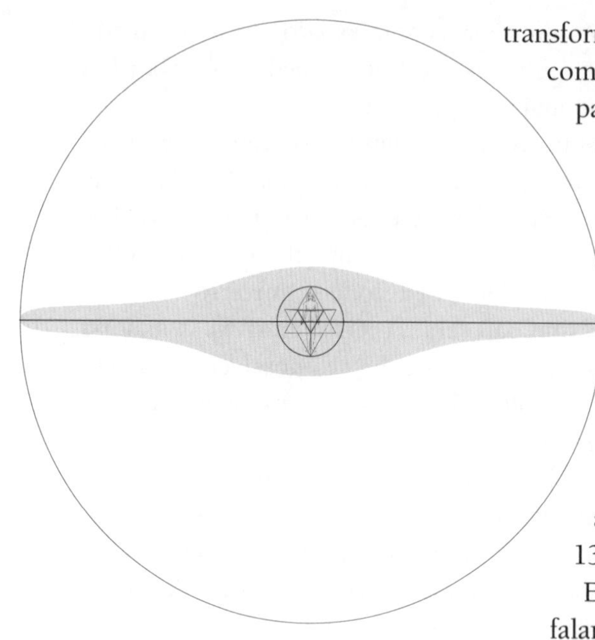

Ilustração 13-5. A esfera exterior.

transformação do dodecaedro em estrela, onde um comprimento de lado do dodecaedro é usado para determinar o comprimento dessa estrela obtida. Todos os comprimentos de lado do icosaedro estrelado são iguais.

Esse campo energético é igual ao da rede crística que atualmente envolve a Terra. Isso é importante, uma vez que nos dá a possibilidade direta de nos conectar conscientemente com essa rede terrena pela conexão com a nossa própria rede externa. A ressonância é a resposta. Vamos falar sobre isso mais adiante. Esse campo é assim (Ilustração 13-6).

Em seguida, o tubo respiratório sobre o qual falamos e que terminava nas extremidades da estrela tetraédrica na realidade continua tanto para cima como para baixo para conectar-se com o dodecaedro estrelado. Ele é mais ou menos assim (Ilustração 13-7).

No intervalo entre o Alfa (a estrela tetraédrica) e o Ômega (o dodecaedro estrelado) há muitos outros campos energéticos geométricos, todos simetricamente centrados nesse tubo respiratório. Há tantos deles, incluindo as linhas de força centrais, que se pudessem ver o campo geométrico completo, mal poderiam encontrar um lugar para ver através dele. Não desenharemos eles todos agora por duas razões: primeira, seria impossível distinguir entre eles aqui sem fazer centenas de desenhos especiais; segunda, isso não é necessário para a ascensão no futuro imediato. Daremos um exemplo e o comentaremos. Essas informações serão as mesmas para as outras formas geométricas.

Aqui vamos acrescentar uma forma geométrica hipotética. Esse poliedro na realidade não está neste local, mas servirá como exemplo. No intervalo entre o Alfa e o Ômega acrescentaremos um octaedro como é mostrado (Ilustração 13-8). Percebam que não só na estrela tetraédrica mas em cada forma geométrica que compõe o campo de luz humano, há *três* poliedros ou formas geométricas completamente diferentes sobrepostas e idênticas, embora vocês vejam somente um.

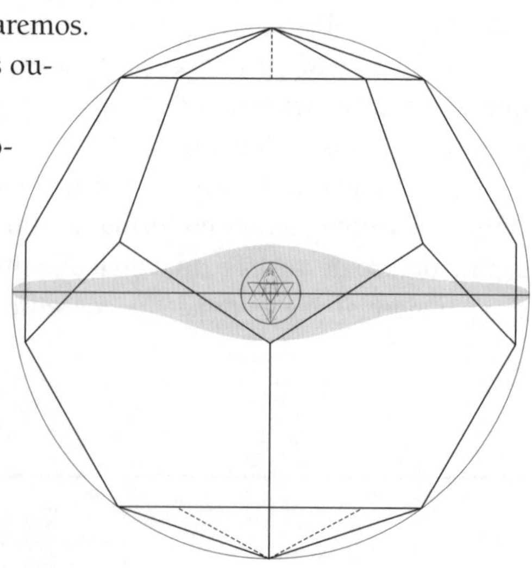

Ilustração 13-6. O dodecaedro estrelado com o icosaedro.

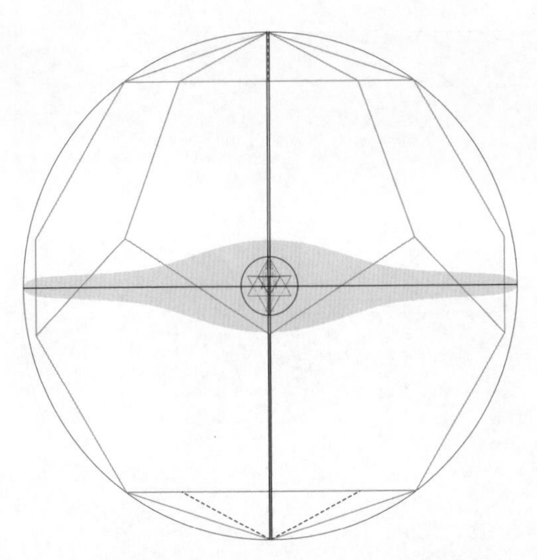

Ilustração 13-7. O tubo respiratório estendido.

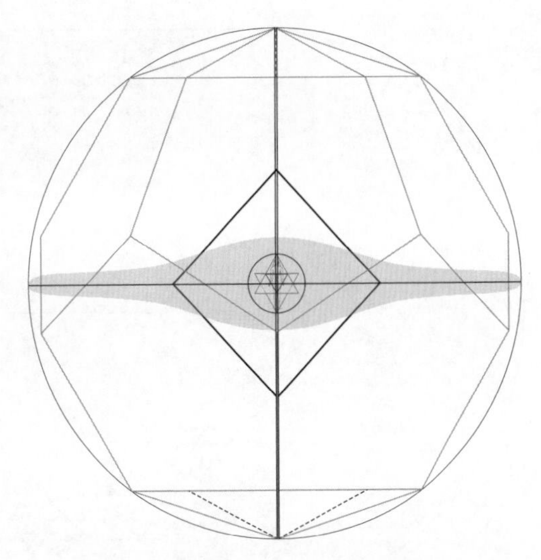

Ilustração 13-8. O octaedro hipotético (visualizem o cristal octaédrico de fluorita da Ilustração 6-35b no centro).

Lembrem-se de que com a estrela tetraédrica há três conjuntos, um que é fixo, um que irá girar para a direita e um que irá girar para a esquerda. Isso se aplica a *toda forma geométrica existente ao redor do corpo.*

Diremos isso novamente no capítulo sobre a energia psíquica: toda energia psíquica se divide em duas partes, *atenção* e *intenção.* Onde a mente coloca a sua atenção, qualquer que seja a intenção da mente, isso é o que acontecerá. É claro que o sistema de crenças de cada um controla as possibilidades.

Portanto, o tubo respiratório atravessa muitos campos geométricos de energia com muitas possibilidades estendidas. Como vocês escolhem qual usar? Vocês simplesmente dirigem a sua atenção para um campo específico (primeiramente, vocês devem saber que ele existe) e com a sua intenção abrem o campo. O tubo respiratório agora funciona, mas apenas a partir daquele lugar e através daquelas geometrias.

O tubo respiratório tem uma terminação especial geométrica ou cristalina que se encaixa perfeitamente no novo campo energético e permite que o novo prana entre no seu tubo respiratório. Sim, o prana tem características diferentes que vêm de mundos diferentes e que mudam a consciência além do Mer-Ka-Ba. A Ilustração 13-9 mostra três possibilidades.

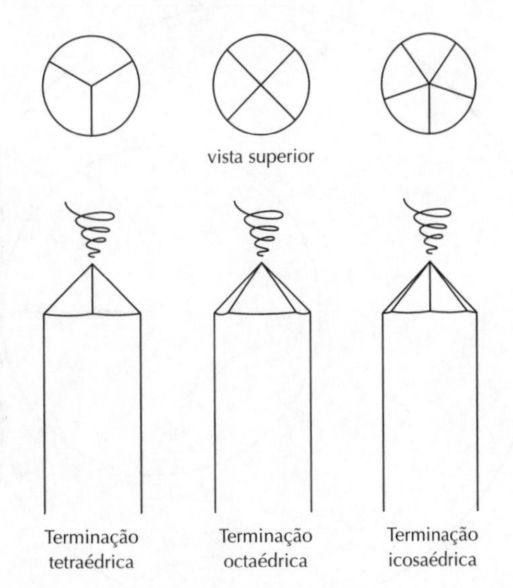

Ilustração 13-9. Três terminações de tubo respiratório possíveis. Elas sempre terão o mesmo número de faces que o poliedro tiver.

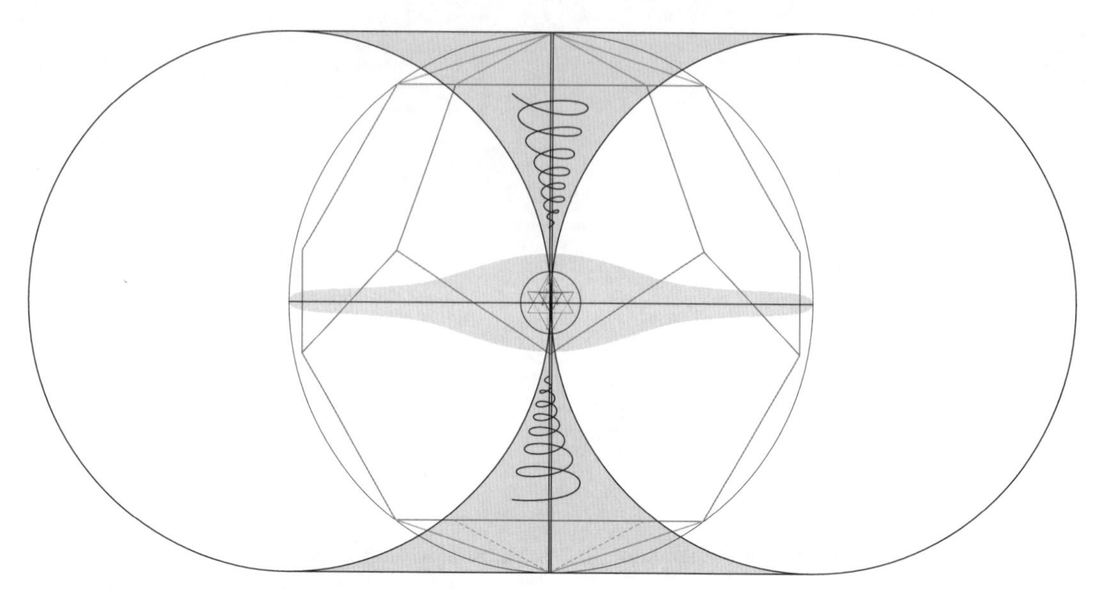

Ilustração 13-10. O campo toroidal da estrela tetraédrica interna. (Visualizem um bolo redondo cortado ao meio.)

Finalmente, há um campo toroidal (com a forma de um bolo redondo) que é centrado em cada Mer-Ka-Ba que o espírito esteja usando. Às vezes, os espíritos estão conduzindo muitos Mer-Ka-Bas no mesmo momento, o que normalmente resulta em "rodas dentro de rodas". As formas geométricas encontram-se tão unidas que os toros possíveis se parecem com as peles da cebola. Esses campos toroidais se estendem além do verdadeiro Mer-Ka-Ba e o envolvem. Vejam a Ilustração 13-10.

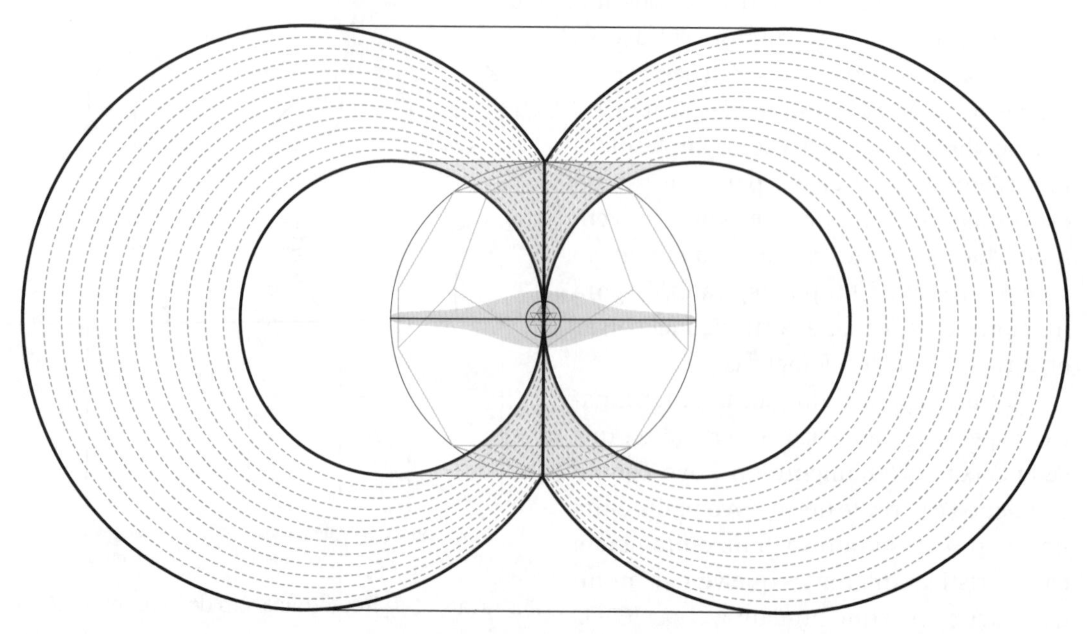

Ilustração 13-11. O corpo de luz completo envolvendo todas as formas de vida — e todas as formas estão vivas.

Neste último desenho juntaremos tudo a não ser as geometrias do meio entre o Alfa e o Ômega. Pelo menos, isso lhes dará uma imagem e uma compreensão melhor da natureza estendida do seu corpo de luz (Ilustração 13-11).

O corpo de luz completo envolve todas as formas de vida — e todas as formas estão vivas.

Ilustração 13-12. A galáxia Sombrero.

Embora a Ilustração 13-11 seja uma imagem quase completa do campo energético ao redor do ser humano, a imagem a seguir é o que basicamente se manifesta na Realidade como o Mer-Ka-Ba ou corpo de luz humano (Ilustração 13-12).

Essa é uma fotografia infravermelha do envoltório de calor da galáxia Sombrero, ligeiramente inclinada. Ela se parece com um disco-voador. Ela tem um imenso anel ao redor da borda externa, que é escuro porque a borda externa está se movendo muito, muito rápido. Esse envoltório de calor se encontra nas proporções exatas do Mer-Ka-Ba ao redor do seu corpo quando está ativado por meio da respiração e da meditação. Com o equipamento adequado, vocês podem vê-lo na tela do computador, uma vez que ele tem um aspecto eletromagnético que se encontra parcialmente dentro da gama de micro-ondas.

Agora depende de vocês. Tendo chegado até aqui, vocês têm o conhecimento básico para ativar o seu corpo de luz. Se na sua meditação e no seu coração vocês souberem que essa é a coisa certa a fazer, então comecem. Mas talvez devam esperar até terem lido o próximo capítulo, pois há muito mais coisas do que apenas acionar o seu Mer-Ka-Ba. Essa conquista está apenas começando.

CATORZE

O Mer-Ka-Ba e os Sidis

Nos dois últimos capítulos definimos o fluxo de energia e o campo do corpo de luz humano. Demos também instruções sobre como ativar o Mer-Ka-Ba humano. Quando essas informações foram apresentadas pela primeira vez no curso Flor da Vida, presumia-se que os participantes encontrariam o próprio caminho para o seu eu superior e que o seu eu superior os instruiria sobre o conteúdo deste capítulo (e, é claro, sobre muito mais). Isso aconteceu com alguns deles, mas apenas numa porcentagem reduzida. A maioria nunca entendeu realmente o que era o Mer-Ka-Ba e como usá-lo — em outras palavras, como meditar dentro dele.

Por essa razão, foi criado o curso seguinte sobre a Terra e o Céu para ajudar os alunos a compreender melhor e vivenciar o significado e o propósito do Mer-Ka-Ba. Neste capítulo, apresentaremos a vocês os fundamentos básicos para auxiliá-los a começar, mas ainda é essencial que se conectem conscientemente com o seu eu superior a certa altura para descobrir realmente o seu propósito na vida.

Na Flor da Vida ensinamos apenas como ativar o Mer-Ka-Ba, e muitos participantes pensaram que aquilo era tudo. Eles pensaram que *era* a meditação, mas eles simplesmente não entenderam. O Mer-Ka-Ba é o padrão pelo qual todas as coisas visíveis e invisíveis foram criadas. Não há exceções. Assim, o Mer-Ka-Ba tem infinitas possibilidades.

Outros Usos do Mer-Ka-Ba

Geralmente se acredita que o Mer-Ka-Ba é o veículo para a ascensão, e, sim, é verdade. Mas ele é muito mais do que isso. Ele é *tudo* o que existe. O Mer-Ka-Ba pode absolutamente ser qualquer coisa, dependendo do que a consciência dentro do Mer-Ka-Ba decida. A única limitação que ele tem depende da memória, da imaginação e dos limites (padrões de crenças) existentes na consciência. Na sua forma mais pura, a única limitação desse Mer-Ka-Ba tetraédrico é que ele não pode fazer o espírito atravessar o Grande Vazio ou passar pela "Grande Parede" para entrar na oitava seguinte das dimensões. Essa ação requer que a pessoa abra mão da sua individualidade e esteja disposta a fundir-se com pelo menos outro espírito para formar um tipo especial de Mer-Ka-Ba, o qual definitivamente não é necessário conhecer neste momento.

Se o ego humano decidir que vai usar o Mer-Ka-Ba de maneira negativa, para fazer mal, controlar os outros, obter lucros pessoais ou para fazer qualquer coisa que não esteja em integridade ou que não esteja fundamentada nas imagens mais puras do amor, então esse ego aprenderá uma dura lição. Muitos tentaram, incluindo Lúcifer. Deus sabia que isso aconteceria e organizou o universo de tal maneira que isso não pudesse acontecer, pois o Mer-Ka-Ba precisa de amor para manter-se vivo. Tão logo o Mer-Ka-Ba seja usado erroneamente, ele começa a morrer. Muito rapidamente o eu superior entra em ação e a pessoa é "presa" ou detida, e deve esperar para prosseguir na escalada ascendente da consciência até aprender a lição do amor. Não subestimem o que acabei de dizer, ou vocês simplesmente irão desperdiçar o seu tempo.

No capítulo 17 falaremos sobre o que aconteceu quando Lúcifer descobriu que não poderia manipular o Mer-Ka-Ba.

O Mer-Ka-Ba é muito parecido com um computador. Se a pessoa simplesmente acionar o seu Mer-Ka-Ba e não fizer nada mais, então será como comprar um computador de alta tecnologia com um potencial superavançado sem carregar nenhum programa. Simplesmente, o computador fica ali sobre a mesa zumbindo à toa, mas não realiza nada. Só quando se carrega o programa é que o propósito do computador é alcançado. E o programa que você escolher determinará a natureza dos usos possíveis do computador.

Essa não é uma analogia perfeita, mas está próxima. É verdade que, só por acionar o seu Mer-Ka-Ba, ele alerta o seu eu superior e o processo de despertar começa. Mas finalmente *você* deve conectar-se conscientemente com o seu eu superior para "carregar" o significado e a finalidade superiores para realizar o seu propósito na Terra. O objetivo deste capítulo é ajudar vocês nesse processo.

Meditação

Normalmente julgamos que meditação é fechar os olhos e ir para dentro de si, o que em última análise nos leva à realização pessoal. O sentido é esse, mas a meditação também pode acontecer quando os seus olhos estão abertos. Com uma perspectiva mais ampla, podemos ver que toda a vida é meditação. A vida é uma escola de recordação.

Se vocês entrarem em contato com o seu eu superior, as instruções dele os levarão a uma meditação significativa e à realização pessoal. Esse é o caminho ideal. Entretanto, se vocês não fizerem contato, nesse caso poderão usar as modalidades tradicionais de técnicas de meditação como a Kriya Yoga, a meditação Vipasana, a tibetana, a taoísta etc. Podem usar essas modalidades de meditação e praticar o Mer-Ka-Ba ao mesmo tempo sem problemas, desde que o mestre com que estejam aprendendo não se importe. Se o seu mestre disser que não podem usar outro método como o Mer-

Ka-Ba, então vocês devem ou seguir as instruções dele ou encontrar outro mestre que quiserem para continuar com o Mer-Ka-Ba.

Agora, quando se aprende a meditação, seja qual for o método, surge um nível particular de consciência. É inevitável. Isso tem a ver com a relação entre os mundos interior e exterior. Começa-se a perceber que tudo é luz e tem início a fase milagrosa. Os sidis começam a manifestar-se. É esse estágio de desenvolvimento que vamos discutir aqui, porque é o estágio que, quando dominado, é seguido de perto por uma compreensão do significado e do propósito da vida. Também é um estágio em que o mundo todo está começando a entrar. Devemos entender, e iremos.

Os Sidis, ou os Poderes Psíquicos

O que é um sidi? Essa é uma palavra hindu que significa "poder" — mais precisamente, significa poder psíquico. Os sidis são considerados por muitos mestres hindus como um aspecto da consciência pelo qual devemos passar, mas normalmente são considerados perigosos. Por quê? Porque é muito fácil ter a espiritualidade perdida nessa região da consciência quando não se transcendeu o ego na ocasião em que se chega a essa região. O ego pode tornar-se tão carregado pela experiência sidi que se esquece de que é para Deus que está retornando; ele pode até mesmo pensar que ele (o ego) *é* Deus. Ainda assim, essa experiência não pode ser ignorada ou evitada. Devemos ter o domínio desse nível de consciência.

Portanto, quando eu falar sobre os sidis, por favor lembrem-se de que estou falando neles para que vocês possam ter o domínio sobre eles, não para usá-los para obter ganhos pessoais ou para aumentar o ego.

No início, quando os anjos me ensinaram sobre como fazer o Mer-Ka-Ba em 1971, comecei a ter umas sensações estranhas que não conseguia explicar. Muitas vezes, quando me encontrava próximo a um equipamento elétrico (especialmente quando o disco do Mer-Ka-Ba surgia de repente na 16ª respiração), eu estourava ou queimava o equipamento elétrico que estivesse próximo. Isso aconteceu ao longo de quase quinze anos. Eu pensava que fosse apenas um efeito colateral e que não podia fazer nada a respeito. Isso também começou a ficar muito caro com o passar do tempo. Perdi muitos televisores, rádios e outros equipamentos elétricos.

Um dia, por volta de 1986, eu estava trabalhando com Thoth nas minhas meditações. Aconteceu de eu ter viajado ao Havaí. Sentei-me em um círculo com alguns amigos para meditarmos juntos e eu estava sentado perto de uma parede que tinha um interruptor de luz diretamente acima da minha cabeça. No mesmo instante em que fiz surgir o disco na 16ª respiração, o interruptor na parede atrás de mim estourou e começou a pegar fogo. Rapidamente, precisamos cavar um buraco na parede e inundá-lo com o extintor de incêndio.

Fiquei muito sem graça. Havia muitos anos, vinha sendo perseguido por aquilo; assim, logo depois de apagarmos o fogo, fui para o quarto ao lado e chamei Thoth na minha meditação. Pensei que talvez ele pudesse explicar o que havia de errado.

Perguntei-lhe o que eu poderia fazer. Ele simplesmente respondeu: "Não precisa fazer nada. Diga ao seu Mer-Ka-Ba para não interferir mais com os campos elétricos". O meu primeiro pensamento foi: "É mesmo assim tão simples?"

Portanto, ali mesmo naquele momento eu "disse" ao meu Mer-Ka-Ba para não interferir mais com os campos elétricos, e aquele foi o fim dos meus problemas elétricos e o início da minha compreensão dos sidis associados ao Mer-Ka-Ba.

Os sidis nada mais são do que comandos para fazer alguma coisa, e *se forem certos*, essa coisa acontece. Se der um comando ao seu Mer-Ka-Ba, o seu Mer-Ka-Ba vai continuar a executar aquele comando para sempre até você mandar parar, mudar ou alterar o comando com a sua intenção. Entendo que isso é fácil de dizer mas difícil de entender mesmo. Farei o melhor que puder para explicar.

Programando Cristais

Os computadores são feitos de cristais, e tanto os computadores quanto os cristais têm traços semelhantes ao Mer-Ka-Ba. A programação dos cristais é extremamente semelhante ao que poderia ser chamado de programação do Mer-Ka-Ba. Escreveram-se muitos livros sobre as possibilidades e técnicas de programação de cristais.

Como eu disse antes neste trabalho, tudo na energia psíquica baseia-se em duas coisas: atenção e intenção. Também disse que os cristais são seres vivos. Eles podem receber e enviar frequências e até mesmo ondas complicadas a qualquer lugar dentro do campo eletromagnético (CEM), e isso inclui os nossos pensamentos, emoções e sentimentos humanos. Lembram-se do primeiro rádio, um aparelho de cristal? Ele não era mais do que um fio tocando um cristal de quartzo natural em um determinado ponto. O cristal captava o sinal e podíamos ouvir o som através do alto-falante do rádio.

Marcel Vogel foi um grande cientista que trabalhava nos laboratórios Bell. Ele foi o autor de mais de uma centena de patentes importantes, incluindo a invenção do disquete. Esse foi um homem que conhecia os cristais e os computadores com uma profunda compreensão científica. A certa altura da sua vida, pouco antes de morrer, ele mencionou o número de programas que um cristal natural poderia armazenar de uma só vez. Ele disse que o cristal só podia guardar tantos programas quantas fossem as faces na extremidade do cristal. Na época, achei isso inacreditável, e decidi provar ou refutar essa afirmação.

Entrei em contato com um cientista que eu conhecia, Bob Dratch, e fizemos um experimento simples para ver se era verdade. Colocamos um cristal de quartzo sobre o balcão do laboratório com o receptor do sensor do escâner de emissões moleculares (EEM) voltado para o cristal para captar as emissões de micro-ondas e enviá-las através de um programa especial feito ali mesmo para o computador para serem analisadas.

Bob observava a tela enquanto eu programava o cristal com os meus pensamentos. Os nossos pensamentos são ondas EM longas que se transmitem no espaço e podem ser recebidas por equipamento científico, então por que não introduzi-las em um cristal para serem recebidas assim como um sinal de rádio?

É claro que Bob não sabia o que eu estava pensando, portanto aparentemente ele teria de confiar no que eu dissesse a ele quando o fizesse. Mas não era esse o caso. No instante que eu programei o cristal com um pensamento (a ideia do amor), Bob percebeu uma mudança imediata na assinatura de ondas senoidais na tela nos comprimentos de onda mais curtos. Não demorou muito para que Bob pudesse dizer-me instantaneamente quando eu programava o cristal e quando apagava um dos programas. (Apaga-se ou remove-se um programa simplesmente dizendo ao cristal para fazê-lo.)

Eu não conseguia enganá-lo. Colocava três programas e tirava dois, e Bob via os três sinais acrescentados na assinatura de ondas senoidais, então via dois sinais sendo removidos. Ele me acompanhava com perfeição. Também fomos capazes de confirmar a afirmação do sr. Vogel de que um cristal guarda tantos programas quantas forem as faces na sua extremidade. Tão logo eu excedia o número de faces do cristal, os sinais não mostravam mais a assinatura de onda senoidal. O cristal simplesmente não aceitava ou não podia aceitar. Fiquei maravilhado.

Com esse experimento, acredito que podemos ver que os cristais podem guardar pensamentos (e emoções e sentimentos) e que podem enviá-los. O seu Mer-Ka-Ba não é diferente. Na verdade, a natureza dele é até mais cristalina, uma vez que ele usa algumas geometrias usadas nos cristais para estruturar os seus átomos. Quaisquer que sejam os pensamentos, emoções ou sentimentos que vocês emitam, com a sua *atenção* no Mer-Ka-Ba e a sua *intenção* de colocá-los no Mer-Ka-Ba, eles serão recebidos pelo seu Mer-Ka-Ba, que continuará a enviá-los para sempre até que você impeça. E ninguém, nem mesmo Lúcifer, pode deter nem alterar os seus programas no Mer-Ka-Ba a não ser você. A menos, é claro, que você tenha um programa que diga que os outros podem fazer isso.

Uma diferença entre os cristais e o Mer-Ka-Ba é que o Mer-Ka-Ba *não tem limites* sobre quantos programas ele pode armazenar. De qualquer maneira, essa parece ser a verdade. Coloquei uma imensidade de padrões de programas no meu Mer-Ka-Ba e ele funciona perfeitamente. Se houvesse um limite, sei com certeza que não é um número pequeno como seis ou oito como encontrei nos cristais.

Programas do Mer-Ka-Ba

A programação do Mer-Ka-Ba e de toda a energia psíquica é muito interessante. Acontece conosco todos os dias, mas poucas pessoas a veem pelo que ela é. Gostaria de contar-lhes umas duas histórias antes de começar esta parte. Penso que elas ajudarão a explicar a natureza desse assunto. Entretanto, vou começar com uma definição.

Maneiras de Manifestar o Vinho

Digamos que vocês quisessem um determinado tipo de vinho francês ou alguma coisa específica assim. Trata-se do seu vinho predileto e vocês pensam: "Eu realmente gostaria de ter essa garrafa de vinho em especial aqui". Vocês a veem na sua cabeça, a sua boca se enche de saliva e vocês a desejam fortemente. Vocês querem o vinho mas não sabem onde encontrá-lo.

Bem, vocês podem produzir o vinho no nível 3-D. Podem plantar as videiras, esperar vários anos para que deem os frutos, colhê-los e espremê-los, depois esperar dez anos mais ou menos para o vinho envelhecer antes de ter a sua garrafa pronta. Isso pode ser um tanto difícil e um pouco lento, mas se for isso que aceitarem como a sua realidade, então podem fazer isso.

Ou vocês podem ir até a loja e comprar uma garrafa do vinho que desejam.

Ou vocês podem simplesmente sentar-se e ficar pensando no vinho, e alguém entra na sala com a garrafa e diz: "Tenho uma garrafa sobrando. Você quer?" e colocá-la sobre a sua mesa.

Se isso acontecesse apenas uma vez, vocês diriam: "Puxa, mas que coincidência fantástica!" Mas se toda vez que vocês pensassem em alguma coisa a coincidência acontecesse, depois de algum tempo vocês começariam a pensar: "Ei, que estranho. Sempre que eu penso em alguma coisa, quero alguma coisa ou preciso de alguma coisa, ela simplesmente acontece". Finalmente, as coincidências levariam vocês a perceber que definitivamente existe uma ligação entre o que vocês pensam e sentem e aquelas "coincidências". Muitos de vocês neste caminho sabem exatamente do que estou falando, pois esse é o começo do caminho espiritual.

Isso então leva vocês ao próximo passo dos sidis, quando vocês começam a explorar exatamente como fazem essas coisas acontecerem e como podem fazê-las acontecer de propósito em vez de parecer acidental. E isso leva a praticar ações como Jesus fez quando transformou a água em vinho. Nesse caso pega-se um elemento e transforma-se em outro. Assim, vocês provam a si mesmos e aos outros que o que vocês acreditam sobre essa Realidade é real. Vocês a confirmaram e a tornaram real. Esse é o terreno que é perigoso, porém, porque normalmente ainda não se transcendeu o ego.

Então vocês podem passar a outra etapa além dessa, que seria realmente fazer o vinho a partir de nada — não simplesmente convertendo os elementos, mas criando-o diretamente a partir do Vazio. Nesse estágio, o seu eu superior e vocês se fundiram.

Uma etapa além dessa é nem sequer ter o desejo de vinho em primeiro lugar — não ter uma necessidade ou não querer de forma alguma, sabendo que todas as coisas são integrais, completas e perfeitas como elas são. Agora vocês estão fora da polaridade. O caminho de volta para casa se torna claro.

O Galão de Combustível

Enquanto morava nas florestas do Canadá comecei a perceber pela primeira vez essa noção de coincidência. Os anjos já tinham aparecido para a minha esposa e para mim e estávamos sendo orientados pelas suas palavras. Eles nos disseram para não nos preocuparmos com dinheiro enquanto estivéssemos nesse estágio inicial com eles. Disseram que nos dariam tudo o que precisássemos. Disseram que havia uma "lei natural" que Deus fizera para o homem. A humanidade poderia confiar que Deus lhe daria o sustento, ou a humanidade poderia depender de si mesma. Se confiasse em Deus, todo o necessário estaria sempre "ao alcance", mas se dependesse de si mesma, Ele não ajudaria quando solicitado.

A minha esposa estava ficando muito aborrecida comigo porque precisávamos de um galão de combustível para o nosso carro. Ela ficara sem gasolina várias vezes e estávamos a mais de 30 quilômetros do posto mais próximo. Ela ficara sem combustível de novo no dia anterior e precisara caminhar por vários quilômetros, portanto ela estava muito aborrecida comigo por não lhe comprar aquele galão. Eu continuava repetindo: "Você precisa confiar em Deus". Ela respondia. "Deus? Eu preciso de um galão de combustível". E eu argumentava: "Você sabe que os anjos disseram que não precisávamos trabalhar neste período, e que providenciariam tudo para nós. Eu sei, estamos realmente sem dinheiro, mas, por favor, tenha fé". Na realidade, eles nos davam tudo; já tínhamos absolutamente tudo o que poderíamos precisar — menos um galão de combustível.

Caminhamos até o lago próximo a onde morávamos e durante todo o caminho para o lago ela não parava de repetir: "Precisamos voltar para a cidade. Precisamos parar de viver pela fé. Isso é difícil demais. Precisamos de dinheiro". Sentamos sobre uma pedra e admiramos a beleza do lago cercado pelas majestosas montanhas que Deus nos dera, e ela continuava reclamando para mim, para os anjos e para Deus.

Eu olhei casualmente para o lado enquanto ela falava, e logo adiante, a uns 6 metros de distância, avistei um galão de combustível encaixado entre duas pedras. Evidentemente, alguém recolhera um barco ali e o esquecera. Mas não se tratava simplesmente de um velho galão de combustível. Devia ser o galão de combustível mais incrível do planeta! Eu nem sabia que já faziam coisas assim. Era um lindo galão vermelho feito de latão grosso com uma alça bastante forte. Aquele galão devia custar uns 100 dólares ou mais!

Então eu falei para ela: "Espere um instante", e fui até lá e o peguei, voltei, sentei-me ao lado dela e disse: "O que me diz deste?" Ela não falou mais nada por umas duas semanas.

A Pilha de Dinheiro

A casinha entre as árvores em que morávamos estava localizada em um dos lugares mais lindos da Terra. Ela nos fora cedida pela Igreja católica para permanecermos o tempo que quiséssemos sem precisar pagar nada. Nós não tínhamos nada... mas tínhamos tudo — até mesmo um galão de gasolina. No entanto, a certa altura, como mencionei, o nosso dinheiro estava acabando. Uma vez que os anjos nos pediram para não trabalhar durante o período em que estivéssemos na floresta e apenas continuássemos com a nossa meditação, a nossa reserva de dinheiro ia se esgotando.

E à medida que o dinheiro se tornava cada vez mais escasso, eu via a minha esposa ficando cada vez mais nervosa. Finalmente, estávamos reduzidos a 16 dólares e sem nenhuma perspectiva de conseguir mais dinheiro. À medida que a nossa reserva de dinheiro se esvaía, eu podia ver a paciência da minha esposa esvair-se com ela. O medo dela aumentou. Era isso mesmo, ela estava prestes a me deixar. Precisávamos fazer um pagamento de uns 125 dólares pelo nosso carro no dia seguinte ou o perderíamos. Não tínhamos o dinheiro, e era só isso. Ela se queixou o dia inteiro e a noite inteira. Finalmente, fomos para a cama. Ela rolava tanto no lado dela da cama que não conseguia dormir.

Por volta da meia-noite ouvimos baterem à porta. Bem, estávamos isolados no meio de uma floresta densa. Era preciso caminhar quase 7 quilômetros da estrada mais próxima para chegar à casa, e o nosso vizinho mais próximo morava a uns 3 quilômetros dali. Assim, ficamos surpresos por aquela visita no meio da noite.

Levantei-me da cama, vesti o roupão e abri a porta. Parado na soleira encontrava-se um velho amigo que eu não via por cerca de dois anos, com um grande sorriso no rosto. Depois que entrou ele disse: "Rapaz, andei procurando você por toda parte. Você está mesmo isolado. Está querendo se esconder de alguém ou de alguma coisa?" Respondi: "Bem, não. Apenas gosto da natureza. Venha cá. O que você veio fazer aqui assim no meio da noite?"

Bem, eu emprestara a ele um bocado de dinheiro muito tempo antes. Praticamente lhe dera aquele dinheiro e na verdade até me esquecera disso. Ele disse: "Eu estava realmente obcecado para vir aqui lhe pagar este dinheiro! Não conseguia pensar em outra coisa". Então ele depositou uma imensa pilha de notas de 20 dólares sobre a mesa, num montante de 3.500 dólares. Para a minha esposa e eu, vivendo naquela simplicidade, aquela quantia praticamente correspondia a 1 milhão de dólares!

A Segunda Pilha

A minha esposa estava estupefata. Aquilo a calou por cerca de seis meses mais ou menos. Nem uma palavra.

Quando aquele dinheiro começou a minguar, a sua fé enfraqueceu. Dessa vez fomos reduzidos a apenas 12 dólares a nosso favor, e a sua fé começou a se abalar. Ela não parava de me atormentar; pretendia me deixar, desfazer a família e voltar para os Estados Unidos. As horas passavam, o Sol se pôs e ela continuava a reclamar. Então fomos para a cama depois de um dia de discussões cansativas sobre dinheiro e sobre ter fé em Deus. Então, novamente, no meio da noite, ouvimos outras batidas na porta.

Dessa vez era outro amigo, um que era de muito tempo atrás, dos tempos de Berkeley, quando eu tinha começado a cursar a faculdade. Mal pude acreditar! Como ele conseguira me encontrar? Ele entrou, e aconteceu a mesma coisa, só que não era tanto dessa vez. Eram apenas 1.800 dólares. Mas ele disse: "Eis o dinheiro que você me deu quando eu precisava. Espero que o ajude agora".

A minha esposa passou pelas mesmas mudanças de antes. Primeiro ela ficou muito contente e não se queixou por alguns meses, mas quando aquele dinheiro começou a acabar, ela perdeu toda a fé. Ela simplesmente não conseguia acreditar que os anjos

— que apareciam tanto para ela quanto para mim — fossem capazes de fornecer-nos "tudo de que precisássemos" como disseram que fariam, ainda que tivessem demonstrado isso por quase dois anos.

Quando esse dinheiro acabou, ela não aguentou e voltou a Berkeley para conseguir um emprego. Aquilo foi o começo do fim da vida espiritual dela. Em pouco tempo ela deixou de ser capaz de ver os anjos e nunca mais os viu. Então precisou depender de si mesma para viver. Conseguiu um emprego, e para ela a vida voltou ao seu estado normal de antes de os anjos aparecerem para nós. A vida tornou-se concreta, e a magia desapareceu da vida dela.

Os anjos nunca saíram do meu lado. Até hoje deixo o meu sustento para eles e dedico a minha energia vital a Deus. Tenho fé e confiança no invisível. Enquanto a minha fé se fortalecia a cada pilha de dinheiro, a da minha esposa enfraquecia. É como a história do copo que pode estar meio cheio ou meio vazio dependendo de como se vê. Lembrem-se dessa história, pois seremos todos testados quanto aos sidis e às leis naturais de Deus.

Durante aquele período da minha vida eu e minha esposa testemunhamos pessoalmente muitos e muitos milagres. Víamos esses milagres acontecerem praticamente toda semana, às vezes todos os dias, por cerca de dois anos. A maioria deles ia muito além de simplesmente alguém nos dar dinheiro. Eram casos verdadeiramente tão impossíveis que qualquer um os chamaria de milagres. Ainda assim a grande lição para mim foi observar como um milagre pode fazer uma pessoa amar cada vez mais a Deus e outra afastar-se com medo.

Os sidis representam um grande perigo espiritual de mais de uma maneira. Não se trata apenas de o ego inflar-se e tentar usar os sidis em nome do poder e dos ganhos pessoais, mas também de o ego começar a instilar o medo e impedir a meditação. Seja como for, ele impede o crescimento espiritual só até o momento em que for preciso. Ninguém se perde de verdade, apenas se atrasa.

Quatro Maneiras de Programar o Mer-Ka-Ba

Agora que lhes apresentamos os sidis e as possíveis armadilhas, vamos ver exatamente como o Mer-Ka-Ba pode ser programado.

Antes de mais nada, há quatro maneiras de programar o Mer-Ka-Ba. Essas quatro maneiras correspondem às quatro orientações sexuais básicas, que são masculina, feminina, ambas e nenhuma. Cada uma dessas quatro orientações sexuais também tem uma polaridade, portanto sob o rótulo "masculino" há o "masculino-masculino" (heterossexual masculino) e o "masculino-feminino" (homossexual masculino). Sob a identificação "feminina" existe a "feminina-feminina" (heterossexual feminina) e "feminina-masculina" (lésbica feminina). "Ambas" é bissexual, e sob essa categoria incluem-se o "bissexual masculino" e a "bissexual feminina". Finalmente, existe a categoria "nenhuma", que também tem a polaridade "assexuada masculina" e "assexuada feminina". Essas oito subdivisões de polaridade têm outras subdivisões que no momento não há necessidade de desdobrarmos.

As quatro maneiras de programar o Mer-Ka-Ba seguem essa mesma classificação sexual: masculina, feminina, ambas e nenhuma.

Programação Masculina

Na religião de Shiva, existem 113 estilos de meditação. Os seus seguidores acreditam que existem exatamente 113 estilos e não mais do que isso. Eles acham que não importa a maneira como se medita ou como possa ser chamada, mesmo que se invente uma modalidade nova, o procedimento irá encaixar-se em um desses 113 estilos.

Os primeiros 112 são masculinos, e o último (ou primeiro) estilo é feminino. Os estilos masculinos são procedimentos que podem ser registrados por escrito ou transmitidos oralmente para outra pessoa. As explicações exatas são possíveis, e a regra é lógica. Dizem que se vocês fizerem isso, isso e isso, então podem esperar um determinado resultado.

No entanto, o único estilo feminino não tem regras. Ele nunca é feito do mesmo modo duas vezes (poderia ser feito, mas isso não seria conhecido de antemão). Os procedimentos femininos não têm lógica segundo o estilo normal de pensamento masculino sobre as coisas. Os procedimentos mudam de acordo com os sentimentos e a intuição. É como a água nos seus percursos, seguindo o caminho que ofereça menor resistência.

Assim, a programação masculina do Mer-Ka-Ba é muito específica e lógica. Um exemplo é o seguinte:

Quando comecei a ministrar o curso sobre o Mer-Ka-Ba Trifásico no intervalo entre o curso Flor da Vida e o outro sobre a Terra e o Céu, encontrei um problema em particular. O Mer-Ka-Ba Trifásico era um imenso campo de Mer-Ka-Ba com uma distância através do disco de 2,56 milhões de quilômetros. Eram necessárias duas ou mais pessoas para criá-lo. A liberação de energia no momento em que o disco aparecia era enorme. Essa energia era captada pelos computadores militares, que enviavam quatro helicópteros pretos para investigar o novo fenômeno. Como demorassem a ir embora, eles acabavam interferindo na programação do meu curso.

Os anjos me disseram para fazer nove desses cursos, depois nunca mais. Esse curso Trifásico tornou-se uma das informações mais mal-entendidas e mal-usadas de todas. Cerca de trinta mestres internacionais e incontáveis *sites* da *internet*, sem pedir permissão, começaram a usar essas informações, mas ninguém sabia qual era o seu verdadeiro propósito. Pensaram que fosse para a evolução das pessoas, mas não era. Era apenas para o despertar do espírito da Mãe Terra e para a ativação do Mer-Ka-Ba terrestre. Isso já foi conseguido, juntamente com o mau uso dessas informações por muitos mestres e a má orientação espiritual de muitos dos seus discípulos.

Seja como for, grupos de três ou quatro helicópteros pretos continuaram a aparecer em todos os seis cursos. Em menos de quinze minutos depois que o meu grupo entrava no Mer-Ka-Ba Trifásico, os helicópteros chegavam e permaneciam por cerca de uma ou duas horas, usando os seus instrumentos para fazer testes em nós.

No sexto curso o FBI enviou um homem, que se identificou, e três outros agentes do FBI que não se identificaram, e foi por causa da interação deles com o grupo que decidi usar os sidis do Mer-Ka-Ba para proteger o grupo de problemas subsequentes. Os anjos me deram permissão para fazer isso.

Tudo o que fiz foi criar um Mer-Ka-Ba substituto. Explicarei toda essa ideia no fim deste capítulo, mas, resumidamente, um Mer-Ka-Ba substituto é um campo criado por uma pessoa separado do próprio Mer-Ka-Ba dessa pessoa. Esse Mer-Ka-Ba pode permanecer em uma região estabelecida, como a sua casa ou terreno. Ele pode ter uma programação completamente separada do seu Mer-Ka-Ba pessoal, embora permaneça vivo através da sua energia da força vital.

Esse Mer-Ka-Ba substituto que criei foi colocado em um local na terra onde o curso Trifásico estava acontecendo. Ele era grande o bastante para envolver toda a área, de modo que quando o grupo entrou no Trifásico, a minha programação "masculina" especial o protegeria dos helicópteros pretos. A programação masculina que usei era simples: ela simplesmente estabelecia que a área interna dentro do Mer-Ka-Ba e os efeitos externos do Mer-Ka-Ba seriam "invisíveis e indetectáveis" por qualquer pessoa, e assim foi.

Quando o grupo criou o seu Mer-Ka-Ba Trifásico, pela primeira vez em sete cursos, nenhum helicóptero preto apareceu. Eles não conseguiam mais nos ver. Era simples assim. E conforme devem ter notado, foi o mesmo método que interrompeu as alterações elétricas.

Entretanto, cometemos um erro humano, e isso demonstra os problemas da programação masculina. Esse mesmo grupo, no último dia do curso, decidiu que queria ir a Sedona, distante uns 90 quilômetros, para fazer a última parte do curso. Na viagem para esse lugar, ficamos fora do Mer-Ka-Ba substituto com a programação "invisível e indetectável" e todos nos esquecemos disso. Estávamos a quilômetros de distância dentro da floresta sem ninguém em volta, mas cerca de quinze minutos depois de o grupo fazer surgir o Mer-Ka-Ba Trifásico, seis helicópteros pretos chegaram e não foram embora. Eles simplesmente continuaram pairando à nossa volta como moscas por quase uma hora.

Nos últimos dois cursos Trifásicos, usamos a programação "invisível e indetectável" e ficamos dentro desse Mer-Ka-Ba. Nenhum helicóptero de nenhuma cor apareceu para nos incomodar. Essa é a natureza da programação masculina — a necessidade de ser específica.

Não estou aqui para dizer-lhes o que fazer ou sobre o que programar o seu Mer-Ka-Ba. Estou aqui apenas para dizer-lhes. O resto depende de cada um e do seu eu superior. Mas quando falamos sobre a cura pessoal e dos outros, ou sobre a cura do meio ambiente, por exemplo, essas informações começam a fazer mais sentido.

Programação Feminina

Como acabamos de dizer, a programação feminina não tem lógica. Qualquer homem, em um relacionamento com a maioria das mulheres, sabe exatamente o que estou querendo dizer. (Estou brincando.)

A programação feminina não tem forma definida e seria difícil até dar um exemplo. Mas vou tentar. Pensando em proteção psíquica, pode-se chegar a muitas ideias de programação masculina sobre como fazê-lo. Por exemplo, refletir a energia psíquica de volta para a sua origem ou para dentro da Terra, ou transformá-la de negativa em positiva. Existem muitas e muitas maneiras masculinas de fazer isso. No entanto, uma mulher faria algo como programar o seu Mer-Ka-Ba para escolher qualquer possibilidade possível que seja adequada sem ser específica. Em outras palavras, *todas as possibilidades*. Portanto, ela não faz ideia de como o Mer-Ka-Ba vai reagir a um ataque psíquico, mas ele responderá, e o fará sempre com sucesso.

Outra maneira é deixar o seu destino nas mãos de Deus. É muito parecido com isso, com exceção de que ele admita a possibilidade de que possa significar que o ataque psíquico pareça estar funcionando. Lembrem-se, até mesmo a ideia de um ataque psíquico se enquadra na área da polaridade. É pensar em um *nós* e em um *neles*.

Programação Ambos

Esta é bem simples de explicar. É um espírito em um corpo masculino ou feminino que usa os dois estilos ao mesmo tempo. Ele vai conduzir um programa feminino para o que quer que esteja fazendo, e ao mesmo tempo vai fazer programas masculinos para alcançar um determinado propósito.

Programação Nenhum

A ideia de não programar nem uma coisa nem outra é paradoxal. Uma pessoa que é nem um nem outro (extremamente rara na Terra mas importante no cosmos) não faz programa nenhum. São pessoas que estão fora da polaridade e não reagem a ela. Até mesmo a ideia taoísta de que "a nudez é a melhor defesa" jamais lhes passaria pelo pensamento. Elas veem a vida e a Realidade de uma perspectiva completamente diferente, que seria quase inimaginável para nós.

Uma vez que quase nenhuma pessoa "nem uma coisa nem outra" existe na Terra, faz pouco sentido discutir esse tipo de pessoa. Além do mais, se vocês fossem esse tipo de pessoa, não precisariam deste trabalho. Já estariam vivendo o Caminho.

O Mer-Ka-Ba Substituto

Como dissemos, o Mer-Ka-Ba substituto é um campo de Mer-Ka-Ba vivo separado do Mer-Ka-Ba que se encontra ao redor da pessoa que o cria. É um campo de Mer-Ka-Ba que permanece em uma área fixa, como a sua casa ou terreno. Ele pode ter uma programação totalmente separada do seu Mer-Ka-Ba pessoal, embora permaneça vivo apenas por intermédio da sua energia de força vital.

É simples criá-lo:

1. Escolham um ponto onde ficará o "tubo respiratório".
2. Definam onde serão os limites externos do Mer-Ka-Ba — em outras palavras, onde terminará o raio do disco. Por exemplo, a borda da sua propriedade. O tamanho desse Mer-Ka-Ba substituto pode ser muito grande. (Ainda estamos fazendo experimentos nesse campo. No momento, temos um com 367 quilômetros de diâmetro que está ajudando o meio ambiente da região onde eu moro. Precisei de vários anos para aprender a usar um desse tamanho.)
3. Não se preocupem com o sexo do Mer-Ka-Ba ou para que lado os tetraedros estão voltados. Funcionará de qualquer maneira.
4. O tamanho dos tetraedros irá ajustar-se automaticamente às dimensões que vocês estabeleceram para o disco, portanto não precisam pensar nisso também.
5. Quando fizerem a sua meditação pessoal com o seu Mer-Ka-Ba, "vejam" a mesma coisa acontecendo com o seu novo Mer-Ka-Ba substituto. Em cada etapa da meditação de 1 a 17, "vejam" acontecer com o seu substituto o mesmo que acontece com o seu próprio.
6. Devem lembrar-se do seu Mer-Ka-Ba substituto todos os dias, assim como devem lembrar-se do seu Mer-Ka-Ba pessoal. Isso significa que todos os dias quando fizerem a sua meditação do Mer-Ka-Ba, verão a mesma coisa acontecendo com o seu substituto, passo a passo, respiração a respiração. Quando o disco aparecer no seu Mer-Ka-Ba pessoal, então o disco do substituto também aparece.
7. Vocês podem ter mais de um substituto, mas isso se torna complexo, uma vez que devem lembrar-se deles para lhes dar energia.
8. Programem o seu novo substituto para o que quer que estabeleceram imediatamente depois de terminá-lo. Depois de programado, este permanecerá assim enquanto não o removerem.

Um último pensamento. *Se* tiverem um Mer-Ka-Ba permanente, então descobrirão que podem criar um Mer-Ka-Ba instantaneamente, com uma única respiração. E ele requer menos atenção para manter-se vivo.

Conclusão

Discutimos o assunto dos sidis e algumas das armadilhas da meditação mais elevada com o Mer-Ka-Ba. Entretanto, não discutimos o verdadeiro propósito de meditar dentro do Mer-Ka-Ba. Diremos novamente que é por meio do contato direto com o seu eu superior que vocês percebem quem realmente são — a realização pessoal. Essa percepção básica é o começo de toda meditação que leva a cumprir o seu propósito de existir. Discutiremos isso em outro capítulo.

QUINZE

Amor e Cura

Amor é Criação

O amor é a fonte de toda a criação. É a consciência que realmente forma os universos, dimensões e mundos criados em que vivemos. Quando observamos os outros mundos com a nossa mente dualista, sempre vemos tudo em três, conforme dissemos antes. Vemos o tempo como passado, presente e futuro. Vemos o espaço como os eixos *x*, *y* e *z*. E vemos o tamanho no microcosmo, no mundo cotidiano e no macrocosmo. Chamaremos a isso a trindade da Realidade.

Tudo nessa trindade da Realidade, desde as partículas atômicas às grandes galáxias, é mantido unido por forças a que atribuímos nomes diferentes, vendo essas forças como separadas e desconexas. Os átomos são mantidos juntos por forças atômicas que aparentemente são diferentes das forças da gravidade que prendem os planetas aos sóis e os sóis a outros sóis, mas será que são realmente diferentes? Talvez a única diferença real seja o nível dimensional no qual elas se manifestam.

O amor é uma vibração especial da consciência que, quando acontece entre os humanos, une pessoas a pessoas em todos os nossos relacionamentos. Sem amor, o casamento é simplesmente uma concha e normalmente se romperá. Às vezes, um casamento se mantém apenas para proteger os filhos, mas não é ainda o amor que mantém o casamento unido, o amor pelos filhos? Podemos ter outras razões para continuar uma relação sem amor, mas nunca é o mesmo que o amor de verdade. O amor é a ligação que é mais forte do que qualquer outra. As pessoas morrem por amor.

Acredito que tudo no universo seja um espelho da consciência. Pelo que já vi, toda energia é consciente, não importa qual seja o nome que lhe demos, se é chamada de eletricidade, magnetismo, campos eletromagnéticos, calor, cinética, forças atômicas, gravidade e assim por diante. E a partir dessa crença podemos ver que de acordo com $e = mc^2$, a energia está relacionada com a matéria — e à velocidade da luz ao quadrado, um número. Portanto, a matéria também é consciente, só que cristalizada. A partir dessa visão do mundo, tudo é consciência. E a consciência é a luz que se reflete na matéria do mundo exterior e cria o mundo exterior inteiro, respiração após respiração. O mundo interior da consciência — os sonhos, visões, sentimentos, emoções, energia sexual, kundalini e até mesmo as nossas interpretações da nossa realidade exterior — são todos a fonte original da matéria e de como essa matéria é organizada, $e = mc^2$. E o amor é o elo de ligação nessa equação. O amor é a vibração exata a que a matéria reage. Temos um grande poder para criar. Esquecemo-nos disso, mas este é o momento de nos lembrarmos.

É por isso que o Mer-Ka-Ba vivo precisa do amor para manter-se vivo. Sem amor, o Mer-Ka-Ba carece de vida e logo morrerá. O aspecto feminino deve estar presente no amor para equilibrar o masculino, ou a vida não existe.

É o amor que pode transformar a água em vinho. É o amor que pode trazer uma pessoa de volta dos mortos. É o amor que pode curar você mesmo e os outros. É o amor e o amor apenas que irá curar este mundo. Portanto, falar de cura sem falar de amor não é falar com verdade. Na medicina, apenas algumas coisas são possíveis. Mas com amor todas as coisas são possíveis. Com amor, a doença incurável não é nada além de luz, e os átomos do corpo podem ser reconstituídos na saúde perfeita. A ausência de amor é a causa de todas as doenças, pois é o amor que mantém a matéria unida em meio ao caos, e sem amor, o caos sempre irá prevalecer.

A cura só acontece quando o amor está presente.

No final da década de 1980, fiz uma pesquisa para descobrir se todos os curadores poderiam ter algo em comum. Observamos muitos curadores, a maioria dos quais usava métodos e técnicas diferentes. Praticamente todas as técnicas de cura conhecidas entraram no estudo. Estavam todos presentes: curadores que atuavam pela imposição das mãos, médiuns cirurgiões, mestres de Reiki, curadores prânicos, curandeiros e curandeiras, xamãs, praticantes de feitiçaria, médiuns que praticavam curas e assim por diante. Estudamos as energias provenientes do corpo deles e descobrimos que todos apresentavam uma assinatura de onda senoidal praticamente idêntica, o mesmo padrão de três ondas altas e uma onda baixa que se repetia continuamente — e que a fonte desse padrão se localizava no chakra universal do coração.

Isso era muito interessante do ponto de vista geométrico, porque o comprimento do tubo respiratório acima e abaixo do chakra do coração tinha exatamente uma parte masculina e três partes femininas. Esse era um aspecto que se repetia em cada um dos curadores, pelo menos enquanto estavam praticando a cura. Eles centravam-se no chakra crístico logo acima do esterno no momento em que estavam curando — o chakra básico do amor universal incondicional!

A partir dessa pesquisa e de outras experiências que tive, agora acredito que, seja qual for a técnica (ou técnicas) que uma pessoa use, pouco importa. A técnica simplesmente oferece ao curador uma estrutura com que a mente daquela pessoa possa concentrar-se, mas a cura *de verdade* provém do amor que o curador oferece à pessoa que está sendo curada. O amor do curador pela pessoa a quem cura, não o conhecimento que possa ter. Portanto, falar de cura sem falar de amor será sempre uma fuga da verdade.

Curar as pessoas, curar aldeias ou curar todo o planeta é tudo a mesma coisa. A única diferença é simplesmente o maior grau de amor.

A mente tem o conhecimento para manipular a matéria, mas o amor tem o poder não só de manipular a matéria, mas também de facilmente criar a matéria a partir de nada. Não importa qual seja o problema que precise ser sanado, o amor sempre encontra um meio. *O amor verdadeiro não tem limites.*

Qual é o véu que nos impede de ver e viver segundo essa grande verdade? Os padrões de crenças que mantemos nos limitam. O que acreditamos ser a verdade é sempre a nossa limitação. Se os nossos médicos nos dizem que determinada doença é incurável e acreditamos neles, não podemos nos curar. Ficamos congelados nessa crença. Devemos então viver fora dessa crença mesmo que isso signifique viver em grande dor e desconforto pelo resto da vida. Só um milagre, algo muito maior do que nós mesmos, pode superar uma crença cristalizada. Portanto, é a nossa mente que pode deter a cura. Quando a nossa mente está no controle e não o nosso coração, quase sempre sofremos.

Permitam-me contar-lhes a história verdadeira do triunfo de uma mulher sobre a sua mente e os seus padrões de crenças. O nome dela é Doris Davidson.

Doris contraiu a poliomielite e estava presa a uma cadeira de rodas por cerca de doze anos antes de eu conhecê-la. O médico dela dissera que ele nunca mais voltaria a andar, e ela se resignou a esse "fato". Ele vivia sozinha com o filho, que sacrificara a própria vida para cuidar dela.

Um dia, ela começou a ler alguns livros de Katrina Raphaell sobre cura por meio de cristais. Ficou entusiasmada com as palavras de Katrina, que falava sobre como toda e qualquer doença é curável. Graças a essas palavras, pela primeira vez em muitos anos, ela voltou a ter esperança. Decidiu, então, telefonar à autora para pedir uma orientação, mas sei lá por que motivo, Katrina disse a ela para ligar para mim.

Quando Doris me telefonou pedindo ajuda, eu disse a ela que precisaria pedir permissão primeiro, antes de poder ajudá-la, e que depois retornaria a ligação. (Comentaremos sobre a importância de pedir permissão mais adiante, neste capítulo.) Falei com os anjos e todos os canais se abriram para que essa cura começasse. Eles me disseram para não fazer nada do trabalho de cura que normalmente fazia, mas para trabalhar *apenas* nos padrões de crenças dela. Disseram que quando ela *realmente* acreditasse ser possível a cura, ela o faria por si mesma.

Assim eu retornei a ligação dela e tudo o que fizemos foi conversar. Uma vez por semana, ao longo de muitos meses, nós conversávamos, sempre conduzindo a conversa no sentido de fazê-la acreditar que poderia curar-se. Durante todos esses meses, nada aconteceu.

Então, um dia, ela me telefonou, e era óbvio pela sua voz e entusiasmo que ela havia mudado. Ela me contou como tinha tomado determinadas decisões. Em primeiro lugar, ela decidiu que nunca mais se sentaria na cadeira de rodas. Assim, ela vendeu a cadeira de rodas e o médico providenciou um aparelho ortopédico que lhe envolvia os quadris e as pernas. As suas pernas haviam se enfraquecido depois de tantos anos sentada. Além do aparelho, ela precisava de um apoio de quatro pernas para não cair. Muitos meses se passaram com essas restrições.

Então, um dia, ela julgou que as pernas estavam ficando fortes o bastante e ela passou a usar muletas comuns. Isso começou a funcionar e Doris ficou ainda mais certa de que poderia curar-se.

As pernas tornaram-se tão fortes que o aparelho nos quadris não foi mais necessário, e ela passou a usar apenas um aparelho que servia de apoio apenas para as articulações do joelho. Ela estava andando tão bem e sentindo-se tão confiante que pediu ao filho que saísse de casa para poder cuidar da própria vida. Agora ela estava capaz de cuidar de si mesma sem a ajuda de ninguém.

Então o grande dia chegou. Doris foi capaz de andar sem as muletas usando apenas o aparelho ortopédico. Ela ficou tão entusiasmada que eu mal conseguia falar com ela ao telefone. Alguns dias depois, ela foi ao departamento de trânsito e conseguiu tirar uma habilitação para dirigir automóvel. Imediatamente depois disso, ela vendeu a casa, comprou uma caminhonete zero-quilômetro e foi para Taos, no Novo México, onde eu morava, e participou de um dos meus cursos Flor da Vida. Ela foi para o curso andando e com um sorriso tão grande que parecia que ia flutuar acima do chão. Ela era uma mulher mudada.

Nove meses depois, eu estava andando pela rua em Taos, quando vi Doris vir correndo na minha direção. Era a primeira vez que a via e falava com ela desde o curso. Ela conseguira um emprego e andara sumida por uns tempos. Ela deu uma volta sobre si mesma para me mostrar que não usava mais o aparelho ortopédico. Olhou para mim e disse: "Drunvalo, estou completamente curada, cem por cento. Estou tão feliz. Eu amo você". E afastou-se muito alegre. Eu fiquei olhando enquanto ela descia a rua sem nenhum vestígio de que tivera poliomielite ou que tivesse passado doze anos em uma cadeira de rodas.

Todo ano, por cerca de cinco ou seis anos, ela me mandava um cartão de Natal para mostrar a sua gratidão. Mas eu não fiz nada; ela curara a si mesma. Entendera o problema e *acreditara* no fundo do coração que era realmente possível curar-se — e é claro que conseguira.

Lembrem-se da mulher que só precisou tocar o manto de Jesus para se curar, a quem Jesus disse: "Tem ânimo, filha, a tua fé te salvou".

O que vocês *acreditam* ser verdade é sempre a sua limitação. Se não acreditarem em limitações, vocês estarão livres.

"Cura-te a Ti Mesmo"

Antes de mais nada, existe curar a si mesmo e curar os outros. Vocês sempre começam consigo mesmo. Se não forem capazes de curar a si mesmos, como poderão curar os outros? Portanto, vamos começar com o seu próprio campo de energia, o seu Mer-Ka-Ba.

No que diz respeito às respirações e à meditação do Mer-Ka-Ba, acredito que se fizerem as respirações diariamente e fizerem o prana circular pelo seu corpo, finalmente acabarão tendo saúde. Entretanto, esse "finalmente" pode ser abreviado consideravelmente com a compreensão de que o Mer-Ka-Ba é vivo e reage apenas às intenções conscientes do espírito dentro do campo.

Em consequência do prana masculino e feminino perfeitamente equilibrado que se recebe respirando com o Mer-Ka-Ba, algumas doenças desaparecerão apenas com a respiração. Vocês devem sentir uma enorme mudança rapidamente em alguns problemas de saúde, mas não em todos. Há outros problemas que só podem ser curados com uma compreensão mais profunda da natureza da doença.

Esta história enfatiza a natureza da doença. Por volta de 1972, eu morava na floresta no Canadá com a minha esposa e filhos. A minha esposa e eu estudávamos hipnotismo. Tínhamos aprendido que podíamos deixar o nosso corpo e voar de um aposento para outro na nossa casa. Chegamos até a fazer alguns testes para ver se as nossas percepções eram reais.

Um desses testes era simples. Quando a minha esposa estava no estado de transe, eu saía do aposento e ia para outro aposento, fazendo mudanças ali de um modo que só eu sabia. Então eu voltava e pedia que voasse ao outro aposento e depois me contasse o que vira. Ele descrevia tudo perfeitamente. Então foi a partir daí que comecei a compreender que a vida na Terra era diferente do que pensava que fosse.

Fizemos muitos testes, alguns até mais complexos. Um deles foi quando ela voava (em projeção astral ou visão remota) até uma livraria e pegava um livro que nenhum de nós havia lido. Então ela escolhia uma determinada página do livro e lia para mim. Eu tomava nota, incluindo o número da página. Então, no dia seguinte, eu procurava o livro para ler aquela página. Era sempre perfeito. Com o passar do tempo, ficamos cada vez mais confiantes na natureza da Realidade e como a consciência se encaixava em tudo.

Então, um dia, eu estava secando uma frigideira de ferro fundido no fogão. Esqueci-me dela por cerca de quinze minutos e ela ficou praticamente vermelho-alaranjada. A minha esposa entrou na cozinha e, sem pensar, pegou a panela. Eu tentei avisar, mas aconteceu tão rápido que não deu tempo. Ela pegou a panela com a mão esquerda e chegou a dar três passos antes que o corpo reagisse com a dor. Ela deixou a panela cair, começou a gritar e entrou em choque na hora.

Imediatamente, sem pensar, eu corri para ela e olhei para a sua mão. Ela estava terrivelmente queimada, e eu não sabia o que fazer a não ser colocá-la na água corrente. Fiz aquilo por alguns minutos, mas então alguma coisa se apossou de mim. Olhei para ela e disse-lhe que iria hipnotizá-la. Ela concordou. A primeira coisa que fiz foi dizer-lhe que toda a sua dor estava passando. Imediatamente a dor parou. Ela então fechou os olhos e relaxou. Eu decidi ir um pouco além.

Segurando a mão dela, olhei para a palma queimada. Disse a ela, sob hipnose, que a sua mão voltaria a ficar absolutamente normal quando eu contasse até três. No momento em que eu disse a palavra "três" — uns dois ou três segundos depois — a mão voltou ao normal. Eu vi isso com os meus próprios olhos e aquilo mudou a minha vida. Eu soube naquele momento que tudo o que a sociedade e os meus pais sempre me contaram sobre a Realidade não era verdade. O corpo era de luz e respondia à consciência. Ele respondia a qualquer coisa em que a pessoa realmente acreditasse.

Depois daquele dia, realizamos muitos experimentos que provaram além das minhas dúvidas de que a Realidade é como a luz, não sólida, organizada pela consciência. Foi a primeira lição importante sobre a cura que recebi na vida. Precisei de muitos anos mais para compreender que o que acontecera com a mão da minha esposa poderia ser aplicado a todas as situações de cura nesta Realidade. Um órgão doente, por exemplo, que está quase destruído, simplesmente pode voltar a ser saudável apenas por meio da consciência.

Eu tinha uma amiga chamada Diana Gazes; fez um programa na televisão de Nova York por algum tempo, intitulado "Gazes no Futuro". Ela costumava filmar todos os tipos de curas espetaculares e os apresentava no programa. Ela parou de fazer esse programa depois de muitos anos, mas um dos últimos programas que levaria ao ar (embora nunca chegasse a fazê-lo) seria sobre a cura inacreditável de um garoto de 11 anos de idade. Ela estava gravando a recuperação desse garoto por cerca de um ano e estava com o vídeo quase pronto quando o seu programa foi cancelado.

Desde pequeno, esse garoto costumava colecionar salamandras. Vocês sabem, é possível arrancar uma perna ou cauda da salamandra e ela cria outra. Bem, os pais do garoto não lhe disseram que aquilo se aplicava apenas às salamandras, não às pessoas. Porque os pais não lhe disseram isso, ele não sabia. Ele acreditava que aquilo acontecesse com todos os seres vivos, incluindo as pessoas. Quando ele estava com quase 10 anos de idade, ele perdeu uma perna acima do joelho. Então, o que ele fez? Ele simplesmente fez crescer outra perna.

Isso está registrado no vídeo de Diana. Na última parte do vídeo, ele estava fazendo crescer os dedos do pé. Foi preciso cerca de um ano para ele conseguir recuperar a perna. O que é possível? Tudo depende dos seus sistemas de crenças, do que vocês acreditam ser possível e das limitações a que vocês se submetem.

Depois de terem curado a si mesmos e de conhecer a natureza do que estou falando, o espírito pode pedir-lhes para curar os outros. Se lhe pedirem para ser um curador, então há mais o que compreender.

Curando Outras Pessoas

Vocês não têm o direito de curar ninguém que queiram, mesmo que *sejam capazes* de sair por aí tocando as pessoas e deixando-as absolutamente curadas. Isso é ilegal. Esta é uma escola na qual vivemos, e a experiência de todos é a experiência deles próprios, e eles precisam dela. Vocês não podem curar alguém só porque querem ou porque a pessoa precisa ou merece. *Vocês precisam obter permissão primeiro.*

Por que obter permissão? Não podemos ver muito bem desta posição dentro da terceira dimensão. Não sabemos o que os nossos atos produzem realmente no plano maior. Podemos pensar que estamos fazendo um grande bem para uma determinada pessoa ao curá-la quando na verdade estamos lhe fazendo mal. Todos vivemos em uma escola cósmica de recordação. Uma doença pode ser justamente o que trouxe aquela pessoa à Terra. Por meio daquela doença essa pessoa pode aprender sobre a compaixão, e ao curá-la vocês afastam essa possibilidade. Mantenham o seu ego fora do caminho, e a cura acontecerá naturalmente.

É assim que eu procedo. Primeiro, peço permissão para o meu próprio eu superior, perguntando se isso está de acordo com a ordem divina. (Falarei sobre o eu superior nos capítulos 16-18.) Se ele disser que sim, então eu devo perguntar verbalmente à pessoa (se possível) se ela quer que a cure. Se ela disser que sim, então eu devo invocar o eu superior *dela* e perguntar-lhe se essa cura está de acordo com a ordem divina. Às vezes eu obtenho permissão e às vezes não. Se não obtiver permissão, então eu simplesmente digo que sinto muito mas não posso ajudar, e deixo a natureza seguir o seu caminho. Se obtiver um sim, então isso é o que eu faço.

Para ser claro, quando digo, "Isso é o que eu faço", não quero dizer que isso seja necessariamente o que *vocês* devem fazer. Estou usando a mim mesmo como uma orientação para ajudá-los a entender, mas não estou de maneira nenhuma dizendo que isso seja um dogma.

O eu superior da pessoa sabe exatamente o que há de errado nos mais ínfimos detalhes, portanto continuar a conversar com o eu superior da pessoa depois de obter permissão lhes dará um grande conhecimento sobre a doença. Eu descobri que o eu superior da pessoa, até mesmo se eu pedir, me dirá exatamente o que devo fazer para curá-la. Às vezes, é pelo caminho tradicional, mas às vezes pode não fazer nenhum sentido à sua mente. O eu superior pode me dizer para pintar uma estrela vermelha (por exemplo) na sua testa enquanto estiver trabalhando com a pessoa. A sua mente pode não entender, mas a pessoa verá a estrela vermelha e de repente aquilo desperta alguma coisa dentro dela, e acontece a cura imediatamente. Usem o eu superior da pessoa, pois ele sabe tudo.

As ideias a seguir podem ser diferentes do que vocês aprenderam sobre a cura. Apenas mantenham a mente aberta. Antes de mais nada, entendo que as pessoas têm muitos conceitos sobre o que vem a ser a doença, mas como disse antes, para mim o corpo é simplesmente luz e pode ser mudado com facilidade desde que a mente aceite a cura. Partindo desse princípio, vejo o corpo todo simplesmente como energia, incluindo a doença. Para mim não importa qual seja a história em torno da doença — o que a pessoa pensa que causou essa doença. Para mim, tanto o corpo quanto a doença nada mais são do que energia.

Descobri que é mais fácil curar se a velha energia negativa "doente" for removida antes de tentar colocar a energia positiva no corpo. Descobri que a energia, negativa ou positiva, reage muito bem à intenção humana. Digamos que uma pessoa tenha catarata nos dois olhos e não consiga enxergar nada. Os médicos diriam que não há nada a fazer a não ser uma cirurgia de catarata.

Do meu ponto de vista, trata-se apenas de energia. Eu tocaria os olhos com os dedos e, com a minha intenção, prenderia a energia com os meus dedos e tiraria essa energia doente do corpo. Cada curador em todo o mundo tem as suas próprias ideias sobre o que fazer com essa energia doente quando ela é tirada do corpo. Obviamente, não se pode simplesmente deixá-la ali pois ela pode ser transmitida a outra pessoa.

Os curadores prânicos das Filipinas visualizam uma vasilha de luz violeta que queima e consome a energia doente. Cada um tem instruções diferentes. Os anjos me disseram para simplesmente mandá-la para o centro da Terra, e a Mãe Terra a receberia e a transformaria em energia positiva utilizável. Isso tem funcionado perfeitamente comigo.

Todo mundo tem ideias diferentes sobre como produzir o prana de cura ou a energia positiva para devolver ao corpo. Os mestres de Chi Gung captam a energia da natureza. Os curadores prânicos das Filipinas captam-na do Sol. Vocês têm uma vantagem especial, uma vez que estão aprendendo sobre o Mer-Ka-Ba, e serão capazes de captar prana puro ilimitadamente da quarta dimensão com esse propósito. Conforme lhes foi mostrado no capítulo 13, há uma esfera de prana com o diâmetro de duas vezes o comprimento da sua mão envolvendo o chakra do coração, onde se encontram os dois fluxos de prana. Na décima respiração, essa esfera se expande até envolver o corpo humano, mas a esfera menor original continua lá. É dessa fonte que se pode obter esse prana para a cura.

Portanto, dessa esfera ao redor do seu chakra do coração, vocês simplesmente visualizam *com intenção* essa energia sair de sua posição ao redor do seu coração e ir para dentro da pessoa que precisa da cura. Esse prana é ilimitado, portanto, com a mesma rapidez que o utilizarem, ele será substituído. Vocês podem ver essa energia passando pelos seus braços e pelas suas mãos e depois entrando na pessoa e indo para onde essa pessoa precisa dele. E realmente não importa em que lugar do mundo essa pessoa esteja. Vocês podem enviar a sua energia para ela com a sua intenção, e ela será recebida.

Depois de terem removido a energia doente e substituído pela energia do prana, a última etapa é ver a pessoa tornando-se curada na sua própria mente — e também (isso é extremamente importante) vê-la saudável por cerca de três meses no futuro. Vocês *sabem* que será assim.

Essa modalidade de cura é muito simples, mas funciona. Lembrem-se, na verdade é o amor que faz com que a cura aconteça.

Agora, vou tratar aqui de um assunto ligeiramente novo. A maioria das curas que não acontecem, não importa o que faça o curador, são porque existe alguma coisa dentro da pessoa que está impedindo a cura. Estamos falando sobre algo diferente dos padrões de crenças. Isso é algo que muitos curadores desejam evitar, mas é *absolutamente necessário tratar disso* se a pessoa tiver esse problema.

Isso tem a ver com a questão de entidades e de formas-pensamento perturbadoras que não fazem parte da pessoa, mas que ainda assim vivem dentro desse pessoa. Essas entidades agem como parasitas. Elas não são a pessoa, mas essa pessoa, pelos seus pensamentos, emoções e/ou sentimentos ou ações, atrai essas entidades. Pela sua presença, essas entidades podem impedir que a cura aconteça, assim como causar efetivamente doenças piores.

O que é uma entidade? É um ser vivo que vem de outra dimensão mas que de alguma forma entrou neste mundo. No mundo de onde as entidades vêm, elas são úteis e necessárias para o universo como um todo. Mas aqui elas são um problema.

Há um outro tipo de entidade que é simplesmente um espírito humano que, por medo, não deixou a terceira dimensão e escolheu residir dentro de outra pessoa. E há outras possibilidades, como espíritos extraterrestres que podem ou não ser desta dimensão mas que estão no lugar errado no momento errado.

O sentido é semelhante ao dos níveis celulares dentro do seu corpo. Cada célula do seu corpo é única e vive em uma determinada parte do corpo. Ela tem um trabalho a fazer para o corpo como um todo. Elas parecem diferentes; as células cerebrais parecem diferentes das células do coração, que são diferentes das células do fígado e assim por diante. Desde que as células se encontrem no lugar certo, não há problema. Mas se cortássemos o seu estômago, as células do sangue o invadiriam. Ela não deveriam estar ali, portanto seria necessário fazer uma cura para remover essas células de sangue e parar o influxo de células alienígenas.

O que é uma forma-pensamento perturbadora? É o pensamento de um ser humano ou de outro ser que entrou na pessoa, normalmente por intenção. Um encantamento, uma maldição, o ódio dirigido e assim por diante podem todos ganhar vida dentro de uma pessoa. Uma vez dentro de alguém, ele normalmente ganha forma, que pode ser praticamente todo tipo de forma e energia da força vital. Ele parecerá estar vivo. E é removido da mesma maneira que os espíritos.

Todas essas possibilidades têm um efeito prejudicial sobre a saúde humana, com a exceção da entidade "boa". Sim, raramente há um espírito de uma natureza altamente evoluída que é bom para a pessoa. Quando descubro um desses, normalmente não faço nada para removê-lo. No momento certo, ele sairá por si só.

Os hipnoterapeutas lidam com essas doenças o tempo todo. Normalmente, é a primeira coisa que fazem. E eu concordo com eles. Depois de obter permissão do eu superior da pessoa, a primeira coisa que se faz é verificar se a pessoa tem alguma dessas entidades ou formas-pensamento perturbadoras. Descobri que cerca da metade das pessoas que conheci os têm. A fonte dessas entidades geralmente é da época em que o Mer-Ka-Ba foi mal empregado na Atlântida e as dimensões foram dilaceradas, cerca de treze mil anos atrás. E na maioria das vezes essas entidades permaneceram com uma alma em particular por todo esse tempo.

Perguntem ao seu eu superior se é para se envolverem com essa parte da cura. Se não, então esqueçam, mas estejam preparados porque às vezes não haverá nada que possam fazer enquanto a entidade habitar a pessoa que precisa de cura.

Explicarei o que faço para removê-las, mas por favor lembrem-se: não é a técnica, mas o amor é que é muito importante. E o meu procedimento definitivamente não é o único modo ou técnica para ajudar na cura. Se estiverem apenas começando, parte do que direi poderá não fazer sentido. Farei o melhor que puder.

No passado, a Igreja católica e outras usavam o exorcismo para expulsar a entidade do corpo das pessoas. Normalmente, isso era feito com muito pouco conhecimento no nível espiritual e na maioria das vezes se empregava a força bruta. O padre simplesmente queria remover a entidade e não se importava com o que acontecesse com ela. Ele pouco sabia que esse espírito simplesmente passaria para o corpo de outra pessoa o mais brevemente possível, a qual normalmente seria a primeira pessoa que a entidade visse. A entidade *precisa* viver no corpo de alguém. Ela não é capaz de viver por muito tempo fora de alguma forma.

Portanto, que bem faz essa forma de exorcismo? A doença, a entidade, continua a viver no meio da humanidade. Ela se encontra em um mundo que não é o dela. Ela tem medo e é muito infeliz. Essas entidades são semelhantes a crianças pequenas, mas, para proteger-se neste mundo que não é o delas, elas aprenderam a assumir aparências assustadoras e a fazer ruídos para manter os humanos afastados. Se se aproximarem delas com amor, honestidade e integridade, e puderem convencê-las de que realmente vão enviá-las de volta para o seu lugar, elas não resistirão e normalmente até ajudarão. Portanto, a minha sugestão é que tratem essas entidades como crianças, não importa o que elas façam.

Agora, vejamos o que elas podem fazer. Se vocês entendem a Realidade, que é simplesmente luz e se ajusta às suas intenções, então vocês sabem que podem lembrar-se e criar as intenções que irão curar todas as coisas. Não tenham medo dessas entidades nem das formas-pensamento perturbadoras. Elas não podem fazer nada a vocês desde que entrem em contato com elas apenas por intermédio do amor. Nesse estado de consciência particular, vocês são imunes. Se entrarem em contato com elas por meio do medo, da energia sexual ou pelo uso de drogas, ou por qualquer experiência que as traga para o seu mundo interior, elas poderão possuí-los.

Com amor, eu começo perguntando ao eu superior da pessoa se existe alguma entidade ou energias perturbadoras nessa pessoa. Se ele responder que sim, eu imediatamente estabeleço um campo mental na forma de um octaedro (duas pirâmides lado a lado) que envolve a pessoa e normalmente também a mim. Isso se faz por duas razões: não permite que o espírito escape e passe para o corpo de outra pessoa e fornece uma janela dimensional na ponta do octaedro para devolver o espírito ao seu mundo de origem.

Então, eu invoco pessoalmente o arcanjo Miguel para me auxiliar. Ele adora fazer esse trabalho porque ajuda a colocar o universo um pouco mais em ordem. Ele permanece atrás de mim e observa sobre os meus ombros. Trabalhamos juntos como uma só pessoa. Ele trabalhará com vocês desde que simplesmente peçam.

Então coloco a minha mão sobre o umbigo da pessoa e peço à entidade para vir até mim. Depois entro em comunicação telepática com o espírito (ou espíritos). Descobri que não é necessário a entidade conversar pela boca da pessoa. (Isso pode complicar ainda mais as coisas e causar medo à pessoa.) Depois de entrar em comunicação telepática com o espírito, envio-lhe amor para que saiba que não estou ali simplesmente para "fazer o serviço", também estou interessado no bem-estar dele.

Todo espírito que existe foi criado por Deus por uma razão e obedece a um propósito sagrado no esquema global da vida. Nada nunca foi feito ao acaso. Digo à entidade que o meu propósito é devolvê-la ao mundo de onde ela veio. E digo francamente. Depois do espírito se convencer de que realmente vou fazer isso, é fácil.

Então eu sinto e vejo mediunicamente o espírito. Essas entidades têm muitas formas e contornos, os quais poderão parecer muito estranhos a um novato. Geralmente, elas têm a forma de uma serpente ou um inseto, mas podem aparecer em quase todas as formas. Na hora certa, começo a tirar o espírito do corpo. Depois que o espírito está a mais ou menos um metro fora do corpo, eu o entrego a Miguel, e ele conduz o espírito ao vértice do octaedro e o envia através das dimensões de volta onde é o seu lugar. Miguel sabe exatamente o que fazer.

Essa se torna uma situação em que todos saem ganhando, tanto a pessoa quanto o espírito. O espírito volta para o seu mundo, o que para ele é como ir para o céu. Lá, ele pode cumprir o seu propósito sagrado na vida e ser feliz. E a pessoa que é curada volta a ficar sozinha no próprio corpo, às vezes pela primeira vez em milhares de anos, e é capaz de viver de uma maneira nova e saudável. Muitas doenças geralmente simplesmente desaparecem por si mesmas, desde que o espírito esteja causando o problema antes de mais nada.

Uma pequena observação à parte: a razão pela qual ponho a mão sobre o umbigo é porque descobri que esse é o local mais fácil por onde remover os espíritos. Normalmente, eles entram no corpo através de um determinado chakra na base da cabeça, chamado de occipício. Em geral, a pessoa tem entidades porque consumiu drogas pesadas ou álcool e tornou-se vulnerável a elas, ou porque as entidades podem ter descoberto uma abertura pelo uso que a pessoa faz da energia sexual, ou porque a pessoa passou por um medo extremo e tornou-se desesperada. Há outras maneiras, mas essas são as três maiores razões que encontrei.

Quando um espírito deixa um corpo e demonstra que voltar para o seu mundo é real, quase sempre, se houver outros espíritos, os outros se oferecem para ajudar vocês, sem resistir, de modo que também possam voltar para o mundo deles.

Sei que esse é um assunto estranho, mas é real. Observei os resultados em milhares de pessoas e vi como isso as ajudou a voltar a ser íntegras e saudáveis.

Vou dar uns dois exemplos. No ano passado, no México, um rapaz desconhecido me procurou depois de um curso, dizendo-me que precisava de ajuda. Ele disse que, havia cerca de um ano, não era mais capaz de controlar-se de muitas maneiras. Ele sentia como se tivesse um espírito no corpo e me perguntou se isso podia acontecer de verdade.

Depois de obter permissão, conversei com o eu superior dele, que disse haver apenas um espírito dentro dele e eu poderia proceder como de costume. O espírito apresentou-se e começou a falar em inglês, mas com um forte sotaque italiano. Eu dei risada, uma vez que nunca ouvira um espírito com sotaque italiano antes. Conversamos por cerca de quinze minutos. Finalmente, ele me disse que sairia, e em alguns minutos mais estava tudo acabado.

O rapaz sentiu-se muito melhor e começamos a conversar. Perguntei-lhe como ele achava que se abrira para o espírito. Ele disse não saber com certeza, mas sabia onde acontecera. Perguntei onde fora. Ele respondeu: "Na Itália". Eu pensei: "Mas é claro". Aquele espírito era humano e simplesmente tivera medo de partir até aquele momento.

Outro exemplo vem da Europa. Uma mulher e o marido frequentaram o meu curso. Eram casados havia anos e se amavam muito, mas à medida que começaram a envelhecer, ela passou a ter fantasias com um homem "imaginário". Não era porque o sexo com o marido não fosse bom. As fantasias simplesmente começaram.

Com o passar do tempo, aquele homem imaginário começou a tirar cada vez mais a energia sexual dela, até um dia em que ela não conseguiu mais ter um orgasmo *a não ser* que fosse com aquele homem imaginário. Assim, ela parou de ter relações com o marido e, do ponto de vista dela, não podia evitar que isso acontecesse. O homem imaginário a obrigava a ter relações sexuais com ele por pelo menos duas ou três vezes ao dia, sempre que *ele* quisesse, não ela. Ela não tinha controle.

Esse poderia ser um problema emocional ou mental, mas nesse caso não era. Tratava-se de um homem "imaginário" real de outra dimensão. Ela abrira a porta por meio de drogas. Ela não tinha o hábito de consumir drogas, fizera-o apenas duas vezes, mas então fora tarde. O homem alojara-se dentro dela.

Depois de obter permissão, conversei com o eu superior dela por muito tempo. O espírito dentro dela era um ser altamente inteligente. Não haveria como enganá-lo. Quando entrei em contato com ele, ele já sabia o que eu pretendia fazer. Ele manteve um diálogo profundo comigo durante cerca de vinte minutos e depois quis ver o arcanjo Miguel. Então eu o convidei a pôr a cabeça para fora do estômago da mulher e ver por si mesmo. Quando ele viu Miguel, eu percebi pela expressão do seu rosto que ele estava impressionado. Imediatamente, ele voltou para dentro do corpo da mulher, olhou para mim e disse que precisava de mais tempo para pensar. Disse-me para entrar em contato com ele no dia seguinte.

No dia seguinte, aquela senhora me contou que conversara com ele durante quase toda a noite. Ele disse que a amava e que realmente não queria partir, mas concluíra que aquilo seria o melhor para ambos. E então, é claro, eles tiveram mais uma relação sexual.

Naquela noite, estendi a mão sobre o estômago dela e entrei em contato com ele de novo, conforme ele me pedira. Ele disse apenas: "Boa noite. Quero lhe dizer que gosto muito de você e quero agradecer por ajudar-me desse modo". Então ele disse que estava pronto para partir. Eu o ajudei a sair e Miguel colocou-o no ombro e o levou para o mundo de onde ele viera. Não houve nenhuma resistência.

Quando eu contei à mulher que terminara, ela ficou impressionada. Disse que não sentia mais nada. Então olhou para mim e disse: "Ele me pediu para lhe dizer que gosta de você".

Naquela noite, ela e o marido amaram-se pela primeira vez depois de muito tempo. Na manhã seguinte, estavam tão felizes que decidiram passar uma segunda lua de mel. Começariam uma nova vida.

Detalhe: Certifique-se de tirar *todos os vestígios* para fora do corpo. Muitas dessas entidades põem ovos ou deixam para trás alguns tipos de detritos. Pergunte onde estão, ou sintam e tirem, fazendo-os acompanhar a entidade. Se deixarem esses detritos, a pessoa poderá adoecer por causa deles ou até mesmo conservar as doenças causadas pelo espírito.

Uma última observação. Pessoalmente, quando fico doente ou alguma coisa começa a dar errado, o que é raro, espero um pouco antes de sanar a situação. Por quê? Porque quero saber por que causei esse desequilíbrio na minha vida. Analiso a minha vida. Quero saber o que pensei, senti, disse ou fiz ou como vivi para criar essa doença, para poder saná-la de modo que não se repita de outra forma. Espero a sabedoria.

Mensagem Final e uma História

Tenho certeza de que todos vocês já ouviram esta: "Não existem limitações neste mundo a não ser as que vocês impõem a si mesmos".

Diana Gazes, da história citada antes, deixou o seu programa na televisão e foi para o Havaí para conhecer-se melhor. Ela abandonou completamente o mundo do vídeo. Ela era capaz de entortar colheres só com os pensamentos e ensinava as pessoas, principalmente nas grandes empresas, sobre como usar as energias sobrenaturais. Ela é uma pessoa com fortes dons mediúnicos e queria explorar melhor essa parte da sua personalidade. Enfim, ela foi para o Havaí e decidimos realizar um experimento paranormal que ela queria fazer. Os detalhes do experimento não são importantes, mas o praticamos durante dez dias, e cada dia depois de fazê-lo, eu telefonava para ela para verificar os nossos resultados.

Fiz no primeiro dia e liguei para ela, então no segundo dia igualmente tornei a ligar. No terceiro dia, decidi: "Acho que *não* vou fazer o experimento hoje e ver o que acontece". Depois que o experimento deveria ter sido concluído, liguei para ela, mas ela não atendeu. Alguma coisa acontecera. Ela não estava lá. Eu não sabia o que fazer, então perguntei aos anjos: "Bem, o que faço com isso?" Eles responderam: "Ela está neste telefone. Ligue para ela".

Assim o número do telefone onde ela se encontrava surgiu do nada e eu liguei para ela, imaginando o que poderia ter acontecido. Para a minha surpresa, digamos assim (os anjos nunca erram), Diana atendeu ao telefone. Eu disse:

— Oi, Diana.

E ela respondeu:

— Quem é?
— Sou eu, Drunvalo.
— Drunvalo?
Eu insisti:
— Sim, como vão as coisas? Você parece estranha.
Ela respondeu:
— Drunvalo? Como...? — Ela ficou em silêncio por um instante e depois continuou: — Como é possível? Drunvalo, eu estava passando por essa cabine telefônica e o telefone tocou. Como é possível?
Então... basta ter fé em si mesmos, confiem em si mesmos. Deus está dentro de vocês, sem dúvida nenhuma. Vocês podem curar qualquer coisa. Podem manter o seu corpo *e* o seu mundo em perfeito equilíbrio com o amor. A vida flui e torna-se mais fácil sem doenças.

DEZESSEIS

Os Três Níveis do Ser

Pensamos em nós mesmos como seres vivendo na Terra neste corpo humano, mas alguma vez vocês já consideraram que podem existir em outro nível, ou até mesmo níveis, da vida ao mesmo tempo que estão aqui? Essa é a crença de muitos dos povos indígenas da Terra, tais como os maias, e os kahunas do Havaí. Eles nos veem como seres multidimensionais literalmente vivendo outras vidas em outros mundos, o que é a verdade, considerando tudo o que sei.

Em condições normais, nós humanos estamos conscientemente ligados a essas outras partes de nós mesmos, mas por causa da Queda durante a época da Atlântida, fomos separados do nosso eu superior. Quando entramos em contato e nos tornamos uma só realidade, vivemos a vida de uma maneira que nos pareceria impossível agora. Podemos ver o passado e o futuro com clareza, e somos capazes de tomar decisões com base no conhecimento superior, que influencia o nosso crescimento espiritual de maneira positiva. Isso nós perdemos em consequência dos nossos atos muito tempo atrás.

Esses níveis superiores de nós mesmos que existem em outras dimensões são chamados de nosso eu superior ou eus superiores, se considerarmos o quadro como um todo — muito embora pensar no nosso eu superior como um ser único esteja certo e errado ao mesmo tempo. Há apenas um Ser Único no universo, ainda que haja muitos níveis dentro desse Ser Único. Lembram-se do que falamos sobre os níveis de consciência no capítulo 9?

O seu eu superior está ligado a eus ainda mais superiores. Portanto, há eus superiores ligados a eus superiores ligados a eus superiores. Cada eu superior existe em um nível de consciência diferente, ainda maior e mais abrangente, até que finalmente o nível supremo é alcançado antes de transcender totalmente esse universo de dimensões em forma de onda. Cada pessoa tem a *capacidade* de existir dentro de todos os níveis de consciência possíveis ao mesmo tempo, mas isso é raro.

Portanto, é mais ou menos como uma linhagem ou uma árvore genealógica que cresce para cima até finalmente ligar-se a Deus e a toda forma de vida. No entanto, fomos separados do nosso eu multidimensional a certa altura, quando nós, como raça humana, caímos para o atual nível de consciência tridimensional. Aconteceu uma separação. Caímos tão baixo em termos de consciência que os outros nossos aspectos não conseguiram mais comunicar-se. Na maioria das vezes, embora não estejamos conscientes do nosso eu superior, ele sempre está consciente de nós.

Durante todo esse tempo passado desde a "Queda", a comunicação tem sido esporádica e rara. O tempo todo, o nosso eu superior esperou o nosso despertar. Ele tem esperado pelo momento certo no tempo. É como uma separação unilateral — ele está consciente de nós, mas não estamos conscientes dele.

Se os kahunas do Havaí estiverem certos, o nosso ser superior nos colocou em estado de espera e está lá atuando e se comunicando, preparando o dia em que despertaremos pelo resto da vida. A maioria de nós não se comunica com o seu eu superior há praticamente treze mil anos, a não ser por breves períodos de graça e de iluminação.

Essa religação com o nosso eu superior não é uma canalização nem nada dessa natureza. É simplesmente a religação da nossa própria essência e do nosso espírito consigo mesmo. Talvez, mais precisamente, seja um recordar — uma recordação, re-unindo novamente os vários membros do espírito outra vez. Algumas pessoas chamam-no de alma. Para mim, vejo apenas espírito. Vejo o Grande Espírito, e todos os espíritos que vêm daquela fonte são simplesmente uma parte do Grande Espírito. Segundo esse ponto de vista, estamos todos relacionados ao Grande Espírito, ou Deus. Algumas das conotações da palavra "alma" implicam que as almas sejam diferentes e que não tenham relação entre si. Para mim, todas as almas ou espíritos provêm da mesma origem. Se considerarem Deus como o nosso Pai/Mãe, somos todos irmãos e irmãs em todo o universo.

O que descobri — e isso foi descoberto por quase todas as tribos indígenas do mundo — é que temos esse aspecto superior em nosso íntimo. Se formos capazes de entrar em contato por meio de uma comunicação consciente, então obtemos uma orientação clara dentro de nós mesmos sobre como proceder em cada momento da vida. Os movimentos ficam plenos de graça e poder, com pouco ou nenhum esforço. Essa orientação provém apenas de cada um de vocês, e ela é interessada em vocês assim como vocês se preocupam consigo mesmos. E é uma orientação que vocês jamais poderiam descobrir por si mesmos ou entender neste nível tridimensional.

Uma consideração à parte: sobreposta aos níveis da vida e dos eus superiores encontra-se o que muitas pessoas chamam de Hierarquia Espiritual. A Hierarquia Espiritual é composta de seres que receberam a responsabilidade de organizar e conduzir o governo do universo. A Hierarquia Espiritual está entrelaçada com os nossos eus superiores e não está relacionada diretamente a nós. Só porque vocês entram em contato com o seu eu superior não significa que se conectaram com a Hierarquia Espiritual. Menciono esse assunto apenas como uma referência, para responder a uma pergunta antes que a façam.

Em seguida vem o exemplo que os anjos originalmente me deram quando estava tentando entender como o eu superior podia ver com tanta clareza. Suponham que estejam remando rio abaixo em uma canoa. Digamos que estivessem em uma selva, como sob o céu azul e a água verde do Amazonas. Há verde por toda parte. Vocês estão felizes, simplesmente remando, remando, remando o seu barco pela correnteza da vida. E quando olham atrás de si, só conseguem ver um caminho estreito. As árvores são tão altas em cada margem do rio que vocês não conseguem ver através ou além da curva.

A sua lembrança do rio remonta apenas a uma parte, e isso é tudo o que veem. Quando contornam uma curva e entra em outro trecho do rio, praticamente se esquecem do que passaram. Só se lembram de uma parte, mas quanto mais descem o rio, mais a sua memória se desvanece. Vocês podem ver a próxima curva à frente, mas depois dela não fazem a menor ideia do que virá a seguir. Nunca estiveram nesse rio antes.

O seu eu superior é como uma águia enorme voando alto sobre a sua cabeça. O seu eu superior se encontra em outra dimensão e percebe o tempo esfericamente. Ele vê o passado, o presente e o futuro juntos, ocorrendo simultaneamente. Ele pode ver o caminho percorrido no rio, em todas as etapas anteriores, muito, muito, muito mais distante do que vocês conseguem, e tem uma boa memória. Ele pode ver muito além no futuro também. Ele tem suas limitações, mas elas estão em expansão. A visão

dele do rio é fantástica em comparação com a sua, pois ele pode ver as coisas quando estão prestes a acontecer. Também pode ver as relações na realidade que vocês, da sua condição humana, simplesmente não conseguem ver da sua perspectiva. Digamos que vocês sigam as instruções do seu eu superior, e que o seu eu superior, um grande pássaro, chegue até vocês e diga: "Ei, encoste a canoa na margem do rio e desça agora".

Se eu não sigo muito bem a minha orientação interior, posso dizer: "Ah, não quero fazer isso. Está tão lindo, não vê? Não, vou esperar mais um pouco, depois encosto". No entanto, se sigo a orientação do meu eu superior, faço o que ele diz e formulo poucas perguntas. Então o eu superior poderá dizer: "Carregue a sua canoa pela mata". Então você carrega a sua canoa por troncos, raízes e montes de formigas vermelhas, e fica pensando: "Ora, ora, esses eus superiores!"

Se vocês seguem sua orientação interior, sabem do que estou falando. Vocês passam por todas essas mudanças, transportando a sua pesada canoa pela selva, imaginando por que o eu superior pediu para praticar uma ação aparentemente maluca. Pode ser que avancem por quase uns 800 metros mata fechada antes de retornar ao rio e poder olhar para o rio que passou. Dali, vocês avistam o trecho do rio depois da última curva, onde uma cachoeira de uns 150 metros de altura despenca sobre a rocha viva. Se tivessem continuado como o seu ego queria, seriam mortos. No entanto, por terem mudado de direção por outro caminho, continuaram a viver na Terra. Evitaram um desastre por seguir uma orientação interior invisível que tem uma antiga sabedoria.

Eu costumava ensinar uma técnica para reconexão com o eu superior. Agora percebi que essa técnica funciona apenas sob determinadas condições. Ela funcionava para mim, mas depois não sabia se ela realmente funcionava da maneira que pensava. Por que ela não funciona para os outros? Tentei entender, mas a princípio não consegui.

Tentei por muitos anos, mas simplesmente não consegui entender. Acabei perguntando ao meu eu superior. (Normalmente, espero até não conseguir descobrir de outra maneira.) Pedi aos anjos: "Por favor, digam como é. Mostrem como fazer". Depois disso, sucedeu-se uma série de acontecimentos, um após o outro, cada um levando a uma compreensão melhor.

A primeira coisa que aconteceu logo depois do meu pedido de ajuda foi durante um curso que eu ministrava em Olympia, no estado de Washington. Dele, participava um homem dos seus 60 anos, um indígena havaiano. Quando o vi, não entendi por que ele participava do curso, porque percebi que ele não precisava.

Esperei um pouco antes de aproximar-me dele, então finalmente perguntei: "O que você está fazendo aqui?" Ele respondeu: "Eu mesmo não sei".

"Ah, tudo bem. Nenhum de nós dois sabe por que você está aqui." Então voltei ao curso e esperei.

Uns dois dias depois, voltando a conversar com ele, perguntei: "O que você faz?" Ele disse que era um kahuna do Havaí.

"E o que você ensina?"

Ele disse: "Só ensino uma coisa, que é como entrar em contato com o eu superior".

"Ah..." Portanto, quando chegou a hora de falar sobre o eu superior no curso, eu disse: "Esperem um instante". Sentei-me na plateia depois de pedir ao kahuna do Havaí para falar sobre o eu superior. Ele falou por uma hora e meia a duas horas sobre como entrar em contato com o eu superior segundo o ponto de vista de Huna. Era perfeito para mim.

Essa palestra mudou o meu modo de compreender o assunto. Da maneira como entendia pela minha própria experiência, havia eu e havia o eu superior, porque era isso o que a minha vida parecia ter-me ensinado. Mas o kahuna deixou claro que somos divididos em *três* partes — o eu superior, o eu intermediário e o eu inferior. Eu devia saber, uma vez que tudo se divide em trios.

Desde aquela ocasião com o kahuna, tive muitas experiências que deixaram claro o seguinte. Se estivermos no eu intermediário na nossa consciência de dualidade, então o que são os outros dois eus, o eu superior e o eu inferior? Vamos explicar aos poucos quem e o que eles são, mas é mais importante entender que não se pode alcançar nem comunicar-se com o eu superior enquanto não alcançar ou comunicar-se primeiro com o eu inferior. Primeiro, o espírito deve ir para baixo antes de chegar ao céu. Esse ensinamento tem sido comprovado de muitas maneiras na minha vida. Portanto, vamos começar explicando o que é o eu inferior.

O Eu Inferior — a Mãe Terra

Nos termos mais diretos, o eu inferior é o seu inconsciente. No entanto, ao contrário do pensamento corrente de que o inconsciente está ligado apenas a você mesmo e aos seus pensamentos inconscientes, esse inconsciente do eu inferior está ligado a todos os outros seres humanos da Terra (o inconsciente coletivo de Jung) e ele conhece intimamente também todos os inconscientes de cada pessoa. Além disso, ele conhece os inconscientes não só de todos os humanos vivos, mas também de todos os que já viveram na Terra no passado, assim como todos os que viverão na Terra no futuro. Sim, o seu subconsciente conhece o passado e o futuro em detalhes, pelo menos em relação à Terra. Além disso, o seu eu inferior sabe tudo o que está ligado a *toda a vida* neste planeta, não só à humana — em outras palavras, toda a biosfera viva. Ele é um registro perfeito. E esse eu inferior está vivo e se manifesta como um ser único se comunicando com você. *Ele é a própria Mãe Terra! Ela* é o seu eu inferior.

Para ser claro, o eu inferior é a Terra e toda a vida nela, embaixo e acima dela. Não tenho certeza neste momento se a Lua está incluída no eu inferior. Provavelmente está, mas não tenho certeza disso.

De acordo com os kahunas havaianos, e realmente como a maioria dos povos indígenas do mundo, a Mãe Terra é uma criança de 2 a 6 anos de idade, dependendo de com quem se conversa. Ela é sempre uma criança, porque *é* uma criança.

Para entrar em contato com o seu eu inferior, os povos indígenas do mundo inteiro acreditam que se deve começar por amar essa criança e brincar com ela.

A sofisticação adulta e todo o seu pensamento e os seus recursos tecnológicos não funcionam para entrar em contato com a Mãe. Normalmente, ela não está interessada. Vocês podem meditar durante horas todos os dias, podem passar a vida inteira sem fazer outra coisa a não ser tentar conectar-se com a Mãe, mas normalmente isso é um desperdício de tempo. Quanto mais vocês se esforçarem, menor a probabilidade de que aconteça alguma coisa. Por quê? Porque ela só entrará em contato com a criança inocente que existe dentro de vocês. E é claro que a maioria de nós perdeu essa inocência infantil. Perdemos a capacidade de conhecer e entrar em contato com a Mãe. A sua criança interior deve ser lembrada e revivida se quiserem prosseguir. Até mesmo Jesus disse: "Se não vos converterdes e não vos fizerdes como crianças, de modo algum entrareis no reino dos céus".

Vamos dar uma olhada em nós mesmos, no nosso lado adulto que pensa que sabe tanto. Pode ser que vocês tenham um grau de mestre ou de doutor de uma das grandes universidades do mundo; podem ser considerados especialistas no seu campo; podem ser até mesmo famosos e altamente respeitados. Mas se quiserem conhecer a Mãe Terra, devem deixar tudo isso de lado, esquecendo completamente. Ela não se deixa impressionar. A Mãe Terra adora crianças, e se a sua natureza infantil e a sua inocência puderem emergir da lama da sua maturidade, então uma coisa real começará a acontecer na sua vida espiritual.

Quando os kahunas querem encontrar peixes, por exemplo, eles pedem o sustento à Mãe Terra. E ela os atende. A resposta pode vir muito bem de dentro da própria realidade. As nuvens podem assumir a forma de uma mão humana e apontar para o lugar onde o peixe se encontra. Os kahunas entram nos seus barcos e quando chegam ao ponto sobre o qual a Mãe lhes falou, o peixe está lá. Esse é um modo de viver com a natureza que a humanidade civilizada perdeu completamente, embora algumas tribos indígenas e pessoas ligadas à Terra ainda vivam dessa maneira.

Agora vamos considerar vocês. Vocês estão no trabalho ou na escola, digamos, e decidem voltar para casa. Enfiam a mão no bolso para pegar as chaves. Imediatamente os seus pensamentos vão para o futuro. Vocês já estão pensando no seu carro e na volta para casa. Quando entram no carro e dão a partida, o seu pensamento vai para o futuro novamente. Vocês pensam sobre o caminho a percorrer até em casa ou na pessoa amada ou quem sabe no seu cachorro ou gato, mas muito provavelmente não estarão pensando no que está bem diante dos seus olhos. Vocês estão ainda no futuro ou no passado. Mas *só no presente* é que podemos vivenciar qualquer coisa. Normalmente, a maioria das pessoas acha muito doloroso viver o presente.

Vocês realmente observam toda a beleza que há ao seu redor? Vocês veem o pôr do sol? Vocês admiram as aglomerações de nuvens brancas no céu? Vocês sentem a fragrância do ar, ou decidem não fazê-lo porque está poluído? Vocês notam a inacreditável variedade de cores na natureza? Vocês sentem amor pela Mãe Terra? Os seus sentidos todos funcionam além do necessário para dirigir de volta para casa? Esse é o problema. A nossa vida adulta é morta, e estamos vivendo apenas uma sombra do que é humanamente possível.

Vocês já observaram as crianças quando estão vivendo a natureza? Elas se entregam totalmente a sentir a grande beleza que as cerca, a tal ponto que às vezes parecem estar em outro mundo. Lembram-se de como é isso?

Se quiserem entrar em contato com o seu eu inferior, com a Mãe Terra, vocês precisam encontrar a sua criança interior e voltar a tornar-se crianças. Brinquem com a Mãe, divirtam-se, realmente desfrutem a vida. Isso significa viver a vida com alegria. Não significa imitar uma criança brincando e fazer ruídos e expressões idiotas — a não ser, é claro, que isso venha do seu coração. Significa viver a vida da maneira como realmente querem, não da maneira que alguém acha que deva ser. Significa preocupar-se com as pessoas, com os animais e com os outros seres vivos, porque vocês podem sentir a ligação, não porque isso lhes renderá algum lucro.

Eu não entendia o que tinha acontecido comigo na época em que os anjos apareceram. Tudo o que eu sabia era que desistira de viver a vida de acordo com as regras que pareciam não ter significado. Eu tinha começado a viver a vida que realmente adorava. Tinha mudado para as montanhas do Canadá, onde sempre quis viver. Fui morar no meio da floresta porque sempre quis fazer isso. Queria ver se seria capaz de viver sem nada, e aproximei-me bastante da natureza. Não sentia medo. Depois que via o nascer do Sol, todo dia era como se nascesse de novo para a vida. Cada dia era especial. Eu tocava música praticamente a maior parte do dia, que era o meu sonho. Precisava trabalhar duro por umas três horas por dia, mas o resto do tempo era meu. Eu adorava a vida, e ainda adoro. As sementes que foram plantadas naqueles primeiros anos ainda estão germinando na minha vida atual.

Foi então, no ponto máximo dessa vivência no Canadá, que os anjos apareceram para mim e para a minha esposa. Foi o começo de um amor pela vida pelo resto dos meus dias. Foi uma chave secreta para a consciência superior, mas na época eu não sabia. Conforme aprendi, para começar uma verdadeira vida espiritual, é preciso começar na natureza como uma criança. Depois de acontecer uma ligação verdadeira com o seu eu inferior — e só então, de acordo com os kahunas — é que se pode entrar em contato com o eu superior. A Mãe Terra é quem decide se você está pronto, e quando ela acha que você está, ela o apresenta a essa parte importante de si mesmo a que chamamos eu superior. Não importa quanta força ou determinação, quantos pedidos ou lamentos, nem quanta pena sinta de si mesmo, nada assim lhe proporciona isso. Só o amor, a inocência e muita paciência permitem que você encontre o caminho. É preciso se esquecer de tentar. Você deve até mesmo se esquecer de que está entrando em contato com a Mãe Terra. Você simplesmente deve viver a vida com o coração, não com a mente. A sua mente continuará funcionando, mas sob o controle do coração.

O Eu Superior — Tudo o que Existe

Muito bem, se a Terra é o eu inferior, então o que é o eu superior? É simples. O eu superior é tudo mais que existe. Todos os planetas, as estrelas ou sóis, as galáxias, as outras dimensões — tudo é o seu eu superior. É você. É por isso que existem eus superiores para os eus superiores enquanto você se expande para o infinito. A vivência com o eu superior é muito diferente da vivência com a Mãe Terra.

Pensem no seguinte pelo que possa ser: geralmente, a Mãe Terra brinca com vocês e lhes diz que *ela* é o seu eu superior, usando as palavras que ela conhece para atrair a sua atenção. Ela pode encontrá-los na sua meditação e dizer que ela é o seu eu superior e que devem dar-lhe ouvidos. Ela pode instruí-los a fazer todos os tipos de coisas terrenas, como passar pelo mundo fazendo projetos para ela. Mas ela está apenas brincando, e vocês a levando a sério, sem perceber que tudo não passa de um jogo.

Se pedirem que lhes diga a verdade, se ela é realmente o eu superior, ela jamais irá mentir. Ela vai rir e lhes dizer a verdade. A essa altura vocês devem rir também e começar a brincar com ela. Mas os adultos em sua maioria simplesmente ficam bravos e pensam que estão sendo usados. Então a ligação se perde. É por isso que os kahunas sempre perguntam, quando entram em contato com o eu superior, se ele é realmente o eu superior. A Mãe é uma menina brincalhona, mas ela é maravilhosa para saber quando o seu coração é puro. E o que escapa à compreensão da maioria dos meditadores é que *a Mãe Terra são vocês.*

O eu superior sabe tudo o que sempre foi sabido por todas as formas de vida de todas as partes, e tudo está vivo. E ele sabe sempre tudo o que acontecerá no futuro, assim como a Mãe Terra, com exceção de que o que ele sabe se estende a todo o resto da criação.

Depois que vocês estiverem em contato consciente com o eu inferior e o eu superior, a vida se torna uma experiência diferente de tudo o que conheceram antes. A vida acontece através de vocês, e as suas palavras e ações têm grande poder porque não são do seu pequeno e limitado eu intermediário. Elas são de *toda a vida,* de toda a criação. Nada está fora de vocês, tudo está dentro de vocês. E a verdade sobre quem vocês realmente são começará a revelar-se.

Dos Meus Textos Antigos — Viver como uma Criança

Morei na floresta por cerca de um ano. Não tinha planos nem para onde ir. Eu simplesmente existia. Estava apenas e tão-somente brincando, exatamente como brincava quando era menino. Eu saía de casa, olhava para os pinheiros altos e via e senti os seus grandes espíritos. Eu conversava com eles, e eles me respondiam. Encontrava animais e me aproximava deles sem medo. Entrei em tamanha sintonia com aquela realidade que era capaz de aproximar-me até um metro dos cervos e fitá-los nos olhos, e eles nem pensavam em fugir. Eles simplesmente me espreitavam com os seus olhos grandes e inocentes. Eu os sentia comunicar-se comigo no coração. Todos os animais sabiam que a minha casa era deles e que ali era seguro.

Com o passar do tempo, a vida tornou-se muito simples e eu desfrutava verdadeiramente de cada momento. Eu pensava que podia passar uma eternidade ali na vida que parecia acolher-me entre os seus braços. Foi naquele momento, quando eu menos esperava que acontecesse alguma coisa espiritual, que os anjos apareceram, um verde e um púrpura. Eu realmente não sabia o que estava acontecendo. Comecei a seguir as orientações deles porque sentia o seu imenso amor por mim. E depois que os anjos apareceram, começaram a acontecer todas aquelas coisas na minha vida. Começaram as coincidências...

Primeiro foram apenas pequenas coincidências, depois coincidências inacreditáveis. Depois tornaram-se ainda mais inacreditáveis e em seguida ridiculamente inacreditáveis. E então foi além do ridiculamente inacreditável — aquilo se transformou em pleno, absoluto e total milagre. Comecei a ver coisas que eram absolutamente impossíveis de acordo com a minha mente lógica. Eu simplesmente observava aqueles acontecimentos impossíveis ao meu redor e pensava: "Cara, isso é realmente divertido! Gosto muito disso!"

Naquele tempo todo nunca entendi realmente o que estava acontecendo comigo. Nunca entendi quando os anjos apareceram e disseram-me que o anjo verde era o espírito da Terra e que o anjo púrpura era o espírito do Sol. Não compreendi. Não sabia o que significava. Quando me disseram: "Nós somos você", entendi ainda menos.

A Mãe Terra está ligada a todos nós no mundo inteiro; o nosso subconsciente *é* o subconsciente do planeta. Quando comecei a pensar sobre as religiões da natureza como a dos druidas e xintoístas, e como elas tinham uma ligação com a Terra, a Lua e o Sol, tudo começou a fazer sentido. Tudo começou a encaixar-se. Comecei a entender.

Vejam, nós perdemos essa verdade a tal ponto que cortamos a nossa ligação com a Terra. Não temos mais essa ligação. Hoje somos sofisticados. Somos adultos, somos civilizados. Alguém viu o filme sobre o Peter Pan? Aquele, com o Robin Williams, intitulado *Hook?* Aquele filme é exatamente sobre o que estamos falando, exatamente. Se não o viram, vejam, e se viram, vejam de novo, com novos olhos. Pode surpreendê-los.

Sempre havia um terceiro anjo por trás, uma presença imensa de um anjo dourado. Ele permanecia sempre em silêncio e simplesmente era uma testemunha sempre que os dois anjos e eu nos comunicávamos. Um dia, os dois anjos apareceram à minha esposa e para mim e disseram que o anjo dourado queria falar conosco. Disseram que ele falaria num determinado dia, que seria dali a uma semana mais ou menos.

A minha esposa e eu ficamos muito alvoroçados. Nós jejuamos e nos preparamos para aquele momento grandioso. Não podíamos sequer imaginar o que o anjo dourado diria. No dia marcado, começamos a meditar, e ele apareceu, na frente e no centro. Os dois outros anjos conservaram-se ao fundo. Estávamos numa grande expectativa. Pensamos que ele nos mostraria um novo caminho. Então ele falou as palavras: "É apenas luz". Fitou-nos por cerca de um minuto em silêncio e então desapareceu. Não fazíamos a menor ideia do que a mensagem significava. Pensamos que era simples demais. Queríamos mais.

O anjo verde, a Terra, era o nosso eu inferior, e o anjo púrpura, o Sol, o nosso eu superior. Ao longo dos anos começamos a entender que o anjo dourado era o nível seguinte do nosso eu superior. Por volta de 1991, eu estava dando uma aula, sentado em uma roda de cura sobre uma montanha na ilha das Orcas, nas ilhas San Juan. Invoquei os anjos durante o nosso círculo de abertura.

Os anjos verde e púrpura vieram e fitaram-me direto nos olhos. Então o anjo dourado apareceu bem atrás deles. O anjo dourado passou diretamente entre os dois e voltou-se, olhando na mesma direção que eu, para o centro do círculo. Então recuou vagarosamente no espaço e entrou no meu corpo, fundindo-se com o meu ser. A sensação foi elétrica e absolutamente espantosa! Experimentei uma mudança imediata no meu espírito, uma descarga imensa de energia. Sabia que tinha acabado de acontecer uma coisa importante, mas não fazia ideia do que seria.

Pouco a pouco comecei a compreender. Aquele era o meu primeiro contato físico direto com o meu eu superior. E o trabalho com o anjo púrpura, embora ele também fosse o meu eu superior, parecia distante. Aquilo agora era algo muito diferente e direto. Comecei a perceber que, quando visse os anjos dali por diante, eles não me diriam em detalhes o que fazer, como até então estava acostumado. Depois daquilo, eles me diriam para descobrir a resposta dentro de mim mesmo. Eles diriam que agora eu já estava crescido e deveria encontrar o meu próprio caminho. Se cometesse um erro, eles esperariam por quanto tempo fosse possível antes de instruir-me a mudar.

De 1970 até cerca de 1991, aproximadamente 21 anos, eu trabalhara com o meu eu inferior, embora não soubesse com que estava trabalhando. É possível você saber quase *tudo* pelo eu inferior porque você tem o inteiro conhecimento sobre o planeta. Estou convencido de que todas as práticas com varinhas mágicas, pêndulos e instrumentos psicotrônicos têm a ver com o eu inferior.

O que descobri é que a ligação com o eu inferior se torna um processo de crescimento pessoal durante o qual se começa devagar, depois progride-se cada vez mais rápido. Quase dá para ver-se transformando em algo novo.

Uma vez fizeram uma pergunta em um dos meus cursos: "A gente tem uma sensação ou sente algum tipo de emoção quando entra em contato com o eu superior?" Eu respondi: "Sempre sinto como se estivesse na presença de Deus. Algo diferente disso, não conheço. Não se trata de Deus como as religiões definem Deus, mas de um aspecto tão elevado de nós mesmos que nos dá essa sensação".

Como é a Vida Quando Temos Contato com o Eu Superior

Eis uma outra história do passado. Imediatamente depois que os anjos entraram na minha vida, eles me levaram a frequentar uma escola chamada Alpha and Omega Order of Melchizedek. Em uma meditação com os anjos, eles me deram um endereço, 111-444 Fourth Avenue, Vancouver, Canadá, e o nome de um homem, David Livingstone. Eles instruíram-me a ir àquele endereço e a conversar com aquele homem. Acabei encontrando o lugar, que ficava numa velha região industrial da cidade, onde havia armazéns e prédios semelhantes. O endereço propriamente dito dava em uma viela pegada a uma velha porta empoeirada, acima da qual se via uma placa recém-pintada em cores vivas, com a inscrição: *Alpha and Omega, Order of Melchizedek*. David Livingstone era uma pessoa de verdade e o conheci em circunstâncias muito incomuns. Ele permitiu-me ingressar na escola, onde cerca de quatrocentas pessoas estudavam meditação. Aprendi muitas lições de grande valor ali, dentre as quais a seguinte é apenas uma dela. Se entenderem o significado da história, saberão a importância do eu superior no seu crescimento espiritual.

Havia um rapaz que morava no Japão e comunicava-se com o seu eu superior por meio da escrita automática. Isso em si não era incomum, mas o idioma não era deste planeta. Era composto de todos uns símbolos e formas estranhas, com linhas e pontos colocados aparentemente ao acaso. Ele reconhecia que o idioma não era humano, ainda que conseguisse ler e falar naquele idioma. No entanto, não conhecia ninguém que o falasse.

Todas as instruções do seu eu superior vinham-lhe naquele idioma, e ele orientava a própria vida por esse meio. Fazia tudo o que o eu superior sugerisse, pois fora-lhe comprovada a autenticidade dele. Ele acreditava nisso inteiramente.

Um dia, em 1972, o eu superior disse-lhe para tomar um avião e ir para Vancouver, na Colúmbia Britânica, num determinado dia e hora, depois ir até a esquina de uma dada rua e esperar lá. Isso era tudo o que o eu superior dissera para ele; ele não sabia o que aconteceria depois. Como acreditasse nele inteiramente e sempre fizesse o que lhe dizia, como um filho em relação aos pais (desde que fosse moralmente certo, é claro), ele comprou a passagem, viajou para Vancouver, encontrou a esquina e esperou. Tinha a mais completa fé.

Naquele dia, eu estava estudando na escola, e David estava na mesma sala. Ele consultou o relógio e comentou: "Ah, sim, ele estará lá daqui a pouco". Chamou um outro homem ali presente: "Vá até este lugar", estendeu-lhe um pedaço de papel, "na esquina sudeste. Ali encontrará um japonês esperando". Disse ao aluno o nome do homem e pediu-lhe para retornar à escola com o japonês.

Assim o aluno foi até a esquina, aproximou-se do japonês, chamando-o pelo nome. Tudo o que disse foi: "Venha comigo, por favor", e conduziu-o de volta à escola. O japonês falava inglês, mas não muito bem. Foi levado até uma saleta de apenas uns 9 metros quadrados, onde lhe pediram para esperar. David me disse que queria que eu observasse o que aconteceria, assim me levou para a mesma saleta e disse para mim: "Muito bem, você fica aqui", e apontou para um canto da sala.

Depois de algum tempo, David entrou na sala e tratou o japonês pelo nome. Eles nunca haviam se conhecido na vida. David fez-lhe algumas perguntas simples do dia a dia, como de que cidade no Japão ele era e coisas assim. Quando terminou essa conversa com o rapaz, David lhe disse: "Espere aqui. Volto em alguns minutos". Pediu-me para ficar com o japonês e saiu. Nós apenas nos olhamos.

Algum tempo depois, uma mulher linda entrou em silêncio na sala. Eu não sabia quem ela era. Havia uma porção de pessoas naquela organização e eu não conhecia todas. Ela armou um cavalete na nossa frente, coberto por um pedaço de veludo púrpura-escuro que escondia algo embaixo de si. O cavalete media uns 3,50 metros quadrados.

Então quatro rapazes entraram em silêncio na sala. Dois pararam de um lado do cavalete e dois do outro lado. Houve mais uma longa espera, com nós seis parados lá. Finalmente, David entrou. O japonês parecia genuinamente curioso, não demonstrando nem medo nem confusão, mas perguntou: "Muito bem, o que significa tudo isto? O que vai acontecer aqui?" David não respondeu, mas apenas olhou para ele e tirou o veludo púrpura de cima do cavalete. O japonês arregalou os olhos. Escrito por toda a lousa estava o idioma secreto do japonês — que, até onde ele sabia, ninguém no mundo conhecia a não ser ele próprio.

Bem, o japonês não mostrara aquele idioma para ninguém desde que chegara ao Canadá. David não vira o idioma, ainda assim lá estava ele, por toda a lousa no cavalete. Não sei o que estava escrito, mas o japonês estava com os olhos completamente arregalados e tudo o que conseguiu pronunciar foi: "OOOhhh". Então, como se para aumentar o choque de ver o seu idioma secreto escrito por outra pessoa, os quatro rapazes de ambos os lados do cavalete começaram a falar com ele naquele idioma. Quando o primeiro rapaz falou, o japonês pareceu entrar em choque. Ele teve um colapso emocional e começou a chorar e soluçar incontrolavelmente. Os quatro rapazes tentaram consolá-lo, dizendo que estava tudo bem — no seu idioma secreto, é claro.

Aposto que no fundo ele pensava que podia estar maluco, sabem, depois que aquelas palavras começaram a brotar do nada, em um idioma que ninguém conhecia. De repente, ali estava uma confirmação inacreditável de que as suas meditações eram verdadeiras. Eles eram todos de um determinado planeta em algum lugar, e todos sabiam exatamente onde. Todos eles ficaram loucos de alegria, especialmente o japonês. Ele ficou tão feliz que mal podia suportar. Aquele foi o começo de uma aventura impressionante na vida dele. Não posso contar-lhes o que aconteceu depois porque me pediram para guardar segredo.

Tudo é possível, absolutamente *qualquer coisa*. No entanto, vocês precisam acreditar em si mesmos, precisam confiar em si mesmos e abrir essa característica de inocência infantil que trazem dentro de si. E se o fizerem, começará um processo de retomada do contato de todos vocês com essa totalidade, do qual esse tipo de ligação direta com Deus é possível, eu sinto. Esse é um passo intermediário, eu diria, no que diz respeito ao aspecto meditativo transcendental das coisas.

Comunicando-se com Tudo em Toda Parte

Finalmente, quando vocês estiverem completamente em contato com o eu inferior e o eu superior, ficará claro que tudo está vivo. Depois que essa percepção passa a fazer parte da sua vida, então tudo será comunicação e tudo terá um significado. O eu superior e o eu inferior podem comunicar-se com você das mais diversas maneiras, na visão dos anjos ou como uma voz que fala em línguas secretas na sua cabeça. Depois de conectada, a Realidade inteira torna-se viva e plenamente consciente, e tudo se comunica o tempo todo.

O seu mundo interior é vivo e está diretamente ligado ao mundo exterior. O mundo exterior pode falar com o seu mundo interior. A forma das árvores, a cor de um carro em um determinado momento, até mesmo as placas do carro, podem comunicar-se com você. O movimento do vento, o voo de um pássaro em determinadas direções — tudo. Tudo se torna vivo e se comunica. Esse mundo é muito mais do que os nossos pais nos ensinaram. A verdade é que eles não sabiam, embora muito tempo atrás os ancestrais deles soubessem.

Recordo-me de anos atrás quando pedi ao eu inferior um sinal que me indicasse se o que estava prestes a fazer seria de acordo com a ordem divina. Se não aparecesse nenhum sinal, então eu entenderia, não era para eu realizar uma determinada cerimônia que tinha em mente. Isso aconteceu nos primeiros dias em que os anjos começaram a aparecer e depois de eu ter feito a minha primeira viagem de volta à Califórnia.

Naquele momento, eu dirigia pela rodovia I-5 na Califórnia de volta ao Canadá. Apenas alguns segundos depois eu vi algo em que mal pude acreditar, tanto que parei o carro e voltei os olhos para ver se eles estavam me dizendo a verdade. Saí do carro e caminhei até uma velha cerca de arame farpado e olhei para a vasta planície coberta de grama. E eles estavam lá: no mínimo, duzentos grandes corvos pretos pousados um ao lado do outro, formando o que parecia ser um círculo absolutamente perfeito. Parecia como se alguém tivesse desenhado um anel no chão e pedido para eles ficarem em cima dele e olhando para o centro. Foi o efeito mais impressionante sobre a minha fé. A Mãe Terra com certeza sabe chegar ao seu coração!

Agora, vocês "sabem" que essas coisas não acontecem — mas elas acontecem, pelo menos quando podem ver que a Mãe Terra vive. Ela tem o maior senso de humor!

Prevendo o Futuro

Uma última história. Quando vi os anjos pela primeira vez, estava um tanto preocupado em conhecer o futuro. Eu recorria ao *I Ching* e às cartas do tarô para tentar descobrir o que aconteceria. Eu praticamente acabei com o meu *I Ching* de tanto usar. No início, os anjos perceberam o meu desejo de conhecer o futuro. Sempre que eu pedia uma informação sobre o futuro, raramente eles cooperavam. Então em um único dia tudo mudou.

Os anjos vieram e disseram-me que dali por diante eles me contariam tudo o que aconteceria no dia seguinte. Disseram que, porque passaria muito depressa o intervalo de tempo entre o momento em que me contariam e a hora em que o fato aconteceria, eu seria capaz de ver a verdade sobre o futuro. E eles realmente fizeram isso.

Eles passaram a dar-me uma sinopse do dia seguinte, e depois a seu critério, determinados momentos ou acontecimentos em grandes detalhes. Eles me contavam sobre todos os telefonemas, quem ligaria, a natureza básica do que seria dito e o minuto exato em que isso aconteceria. Eles relacionavam toda a correspondência que eu receberia e, em determinados casos, exatamente o que estaria escrito na carta. Eles também me diziam o nome de cada pessoa que bateria à minha porta e o que ela queria. Também me diziam exatamente quando eu sairia de casa e quando voltaria, além dos principais acontecimentos nesse meio-tempo. Durante esse período, nós sempre sabíamos aonde iríamos no dia seguinte, portanto muitas vezes nos preparávamos, porque sempre acontecia.

No primeiro dia, esperei minuto por minuto que cada evento acontecesse. E *tudo* aconteceu exatamente como eles disseram. Eu estava muito feliz, porque finalmente sabia com certeza que o futuro podia realmente ser conhecido. A minha confiança nos anjos aumentou ainda mais, pois agora eu via que tinham poderes de verdade, do ponto de vista do meu ego. Lembro-me de que, depois de um tempo, atendia ao telefone e dizia: "Oi, John. Eu sabia que ligaria". É claro que, antes da época dos identificadores de chamadas, isso era impressionante — pelo menos era assim que o meu ego pensava. Eu estava tão feliz comigo mesmo.

Um dia perguntei aos anjos sobre os meus documentos de imigração para o Canadá. Queria saber se o governo daria autorização para a minha permanência. Em vez de contar-me, eles deram uma visão à minha esposa. Ela descreveu a visão enquanto essa acontecia, e eu tomei nota minuciosamente. Ela nos via dirigindo para casa em um automóvel prateado em direção ao interior. Depois de abrir o porta-luvas, ela procurava a correspondência no interior. Folheava cerca de seis cartas e encontrava aquela do governo canadense. Abria a carta e lia para mim. Tomei nota de cada palavra.

Quando terminou a visão e ela saiu do transe, analisamos o que ela dissera, mas nada fazia sentido. Em primeiro lugar, não tínhamos um carro prateado; depois, a nossa correspondência chegava pela porta da frente. Por que ela estaria no porta-luvas do carro? Segundo a carta, eu fora aprovado e enumerava a minha classificação em detalhes. Conversamos sobre essa carta por algum tempo, mas como nada aconteceu dentro de um mês ou mais, logo nos esquecemos do assunto porque parecia ser um engano. Aquilo me preocupou, porque os anjos nunca haviam cometido um único erro.

Alguns meses depois mudamos da nossa casa em Burnaby para uma casa de fazenda no interior. Tínhamos comprado um carro novo prateado e um dia eu voltava do correio para casa, onde precisávamos ir para pegar a correspondência. Eu a jogara no porta-luvas do carro e voltava para casa na companhia da minha esposa, que se encontrava no assento do passageiro. Nessa época, ambos havíamos nos esquecido completamente da visão que os anjos nos proporcionaram uns meses antes. Quando ela estendeu a mão para o porta-luvas, sentiu um arrepio, lembrando-se da visão. Ela procurou entre as cartas e a sexta delas era a do governo. Mais tarde, abrimos a carta e comparamos com o que escrevêramos com base na visão. Era o mesmo texto, palavra por palavra, mesmo em relação aos detalhes da minha pontuação, que na ocasião ninguém poderia ter produzido ainda.

Enquanto isso, a previsão diária dos anjos sobre o dia seguinte continuava. Lembro-me de como isso me fez passar por muitas mudanças. No começo, pensei que aquela era a melhor coisa que já me acontecera. Então, à medida que o tempo foi passando, comecei a considerar aquilo como uma certeza que fazia parte da minha vida. Depois de mais algum tempo, comecei a entediar-me com aquilo. Lembro-me de como comecei a não querer mais tomar nota quando os anjos davam os detalhes do futuro. Sabem com o que isso se parece? É como ver um filme pela segunda ou terceira vez. A gente sabe o que vai acontecer e não existe mais surpresa ou impacto. A vida começou a ficar tediosa.

Finalmente, não pude suportar mais, e durante a minha meditação com os anjos pedia-lhes por favor para pararem de contar o que aconteceria no futuro. Pode ser que exteriormente eu pareça estar rechaçando o futuro; posso lutar com unhas e dentes por uma causa porque acredito em fazer o melhor que puder na vida. Mas, por dentro, estou tranquilo. Sei que tudo acabará bem. Pela minha própria experiência, agora acredito que tudo o que acontece na vida é um todo, completo e perfeito. Conheço a sabedoria de não saber.

As Lições dos Sete Anjos

Quando os anjos chegaram pela primeira vez na minha vida, eu ouvia cada palavra do que diziam. Eu prestava atenção a eles porque percebia o seu amor e porque eles me mostravam a sua profunda compreensão da Realidade. Conforme lhes contei, finalmente o anjo verde e o púrpura foram substituídos pelo anjo dourado. Quando isso aconteceu, houve uma mudança na maneira como eu me relacionava com todos eles. Eles pararam de instruir-me sobre os meus assuntos diários e espirituais e começaram a ver se eu conseguiria encontrar o meu próprio caminho.

Lentamente, com o tempo, o meu trabalho com o anjo dourado se tornou um aprendizado de como conhecer a resposta dentro de mim mesmo, sem perguntar aos anjos. Quando ganhei esse conhecimento também descobri que chegava ao mesmo por meio da certeza. Era um conhecimento que não requeria pedir uma resposta. Ele vinha de dentro, e vinha do coração, não da mente. Havia uma certeza sem nenhuma dúvida, como saber o próprio nome, e era essa certeza que permitia que o conhecimento surgisse do coração. Juntamente com esse conhecimento descobri que havia uma perda no querer saber.

Estava claro que eles queriam que eu me tornasse mais independente. Isso não é semelhante a como os pais tratam os filhos? No início, os pais assumem um controle quase total da vida dos filhos. Mas, à medida que os filhos crescem, eles começam a ensiná-los a fazer as coisas por si mesmos. Emancipar o filho dos seus pais é necessário para que o filho se torne adulto. Acho que acontece o mesmo aqui neste nível da vida também.

O que me surpreendeu totalmente foi que um dia outro anjo entrou na minha vida. Esse anjo era do branco mais puro e tinha a característica da forma descomplicada ou da simplicidade da mesma. O anjo dourado recuou para o pano de fundo com os outros dois anjos, mas permaneceu visível, e por cerca de um ano o anjo branco me ensinou. O que ele me ensinou não tenho muita certeza. Tratava-se de deixar acontecer, de não sentir-se amarrado a nada, de viver em perfeição e em saber que está tudo bem. Muito embora a minha vida estivesse na ocasião ficando cada vez mais complicada por causa das aulas que eu dava ao redor do mundo, tudo parecia ir mais devagar. Eu entendia o que se passava no meu íntimo, mas tinha dificuldade de transpor isso em palavras.

Então no meio dessa vida estonteante, o anjo branco juntou-se aos outros três e apareceu um quinto anjo. Esse anjo não tinha cor nem forma. Ele era o que chamo de anjo transparente. É o anjo da completude. Ele deu-me aulas sobre unir todas as coisas. Era um anjo do meu eu superior sobre o qual nunca havia conversado antes. Ainda estou trabalhando com esse anjo, e algum dia poderei falar a respeito.

Esse anjo fez-me ver como os anjos estão relacionados à música e como esse anjo e os outros quatro estavam ligados às notas da escala pentatônica — cinco anjos e cinco notas da escala pentatônica. O anjo transparente sugeriu que algum dia apareceriam mais dois anjos, e que eles concluiriam o conhecimento da oitava — setes notas e sete anjos. Esperei.

Cerca de um ano atrás, no início de 1999, dois novos anjos me apareceram juntos enquanto eu estava para dar um curso Terra e Céu. Eram nada menos do que os arcanjos Miguel e Lúcifer. Eles vinham de mãos dadas. Desde essa ocasião, novas lições sobre a dualidade preenchem os meus dias na Terra, lições sobre as quais falarei no próximo capítulo.

Depois de trabalhar por algum tempo com os seus eus inferior e superior, acontece uma transformação no seu interior. Não sei quando isso acaba, se é que acaba. Continuo a observar-me mudando o tempo todo, ainda que esteja começando a ver que os padrões estão se repetindo, e sou simplesmente o que sou.

As pessoas me olham e dizem: "Você não pode fazer isso. Isso nunca vai funcionar". Mas funciona. Por quê? Não sou eu que faço. Conforme disse o anjo dourado: "É apenas luz". Tudo, todas as coisas que pensamos que precisamos, são apenas luz.

Não há problema em criá-la. Há energia suficiente, há muito de tudo. Sabem, há uma enormidade de lugares para ir, espaço e dimensões infinitos. Tudo existe em abundância. Não há motivo para essas limitações, mas nós nos submetemos a elas por causa dos nossos medos.

Se vocês têm dificuldade de acreditar que podem brincar o tempo todo, bem, essa é a sua limitação. Brincar não significa fazer algo que vocês realmente gostam de fazer? Eu sempre gosto de tentar criar a minha vida de modo a poder dar algo a alguém, porque se criar para dar algo a alguém, esse algo voltará automaticamente, de modo que eu possa continuar dando. Isso me faz feliz. Não importa o que vocês façam, o que fizerem sempre volta. Não importa o que façam. Realmente não importa, contanto que lhes traga alegria. Mantenham a sua pequena criança feliz.

Testando a Realidade da Sua Conexão com o Seu Eu Superior

Este teste não funcionará com todos vocês que estão lendo este livro, pelo menos não no momento, mas funcionará em algum momento no futuro. Se vocês não fizeram contato com o seu eu inferior, com a Mãe Terra, então façam isso primeiro. Se já estão em contato com o seu eu inferior, então realmente poderá funcionar com vocês. Se já estão em contato com o eu superior, então esta pode ser uma prova interessante e útil. Mas se estão apenas começando, guardem a ideia para uso futuro.

Depois que sentirem que estão em contato com o seu eu inferior e sentirem e souberem que têm permissão de entrar em contato com o seu eu superior, este é um teste simples com o qual podem provar a sua conexão consigo mesmos. Esta prova ajuda a aumentar a confiança e leva a uma compreensão espiritual mais forte. Nem todo mundo precisa desta prova, mas alguns de vocês podem precisar. Portanto, se depois de ler este texto, se não parecer necessário, continuem para o próximo capítulo.

Comecem perguntando ao seu eu inferior, a Mãe Terra, se está certo para vocês fazer este teste. Se ela responder que sim, então divirtam-se.

Depois de julgarem que já estão prontos para fazer este contato com o eu superior, então peguem lápis, papel e uma prancheta e tomem nota de uma afirmação que vocês devem escrever com as suas próprias palavras. Basicamente, vocês vão pedir ao seu eu superior para fazer um teste para provar a si mesmos que essa ligação é real. De novo, pode ser que não precisem deste teste para provar a existência dele para si mesmos, e se não precisarem, não façam. Vocês querem que o eu superior prove a vocês que ele *é* o eu superior e ao mesmo tempo (o que é importante) vocês querem que este teste seja espiritualmente saudável para a sua evolução.

Se receberem sinal verde, vão em frente, então comecem se assegurando de que a sala esteja disposta de modo que não sejam perturbados por ninguém nem por nada, como um telefonema ou visitas. Depois escrevam na sua folha de papel exatamente o que vão dizer ao seu eu superior. Vocês vão pedir um teste, portanto seria algo como: "O que posso fazer, como um ato concreto, nesta realidade que prove para mim que realmente fiz este contato com você? Ele deverá provar para mim no meu coração e na minha mente que fiz este contato, e será para o maior bem do meu crescimento espiritual ao mesmo tempo".

Escrevam com as suas próprias palavras e tomem nota exatamente da mesma maneira como queiram dizer ao seu eu superior. Depois, ponham o papel e o lápis à sua frente. Em seguida, façam uma meditação com o seu eu inferior, a Mãe Terra, e vão até o ponto em que estão respirando na 14ª respiração e tendo o prana circulando dentro de vocês. Então permaneçam na meditação por pelo menos 30 minutos ou mais, até chegarem a um estado em que se encontrem muito, muito tranquilos interiormente.

Simplesmente se sentem com a Mãe Terra sem nenhuma expectativa. No momento certo, peçam ao seu eu superior para manifestar-se. Os kahunas dizem que se deve pedir, ou então o eu superior provavelmente não virá. Quando perceberem ou sentirem a presença dele, comuniquem ao eu superior com as suas próprias palavras, vindo do coração, o pedido que fizeram no papel. Depois simplesmente escutem e esperem. Sintam o fluxo do prana passando através do corpo. Sintam a ligação que têm com a Mãe, e escutem a resposta do Pai.

Os kahunas dizem que nem sempre acontece da primeira vez. E às vezes o eu inferior acha que vocês não estão prontos ainda, portanto bloqueia o caminho. Mas vocês devem pedir de qualquer maneira, e então esperar que o eu superior entre na sua consciência. Quando isso acontece, a experiência pode ser qualquer coisa, simplesmente sobre qualquer coisa em que a sua imaginação possa pensar. No meu caso, aqueles dois anjos apareceram na sala. Mas isso não estabelece um padrão. Pode acontecer de tudo.

Eu sou muito visual, mas vocês podem não ser. Não importa. Não significa que uma maneira seja melhor do que a outra. Pode ser que simplesmente ouçam uma voz na sua cabeça dizendo: "Sou o eu superior. O que você quer?" Quem sabe, pode soar como a sua voz ou não. Pode ser que comecem a aparecer cores e você saiba o que significam. De alguma forma, há um grande significado em *qualquer coisa* que aconteça. Pode ser um sentimento ou uma sensação, mas se realmente for o seu eu superior, esse teste irá provar ou não.

Pode ser que comecem a aparecer imagens geométricas e você saiba o que significam. Ou pode ser que você permaneça sentado e a sua mão simplesmente pegue o lápis e comece a escrever, e você imagine o que será que ela estará escrevendo. Normalmente, não dá para saber; pode ser qualquer coisa. E também não importa, porque você e o seu eu superior já têm um estilo que estabeleceram muito tempo atrás, o qual provavelmente já tenham usado antes. Podem usar o método que quiserem. Será aparente para você quando acontecer.

Portanto, é feita uma transmissão para você, qualquer que seja ela. A ação que você deve praticar, qualquer que seja, lhe será transmitida. Você entende: "Ahá, devo fazer *isto!*" O mais importante agora é dizer ao seu eu superior: "Obrigado. Até logo", então encoste a ponta de todos os dedos no chão, como raízes (vejam a Ilustração 16-1).

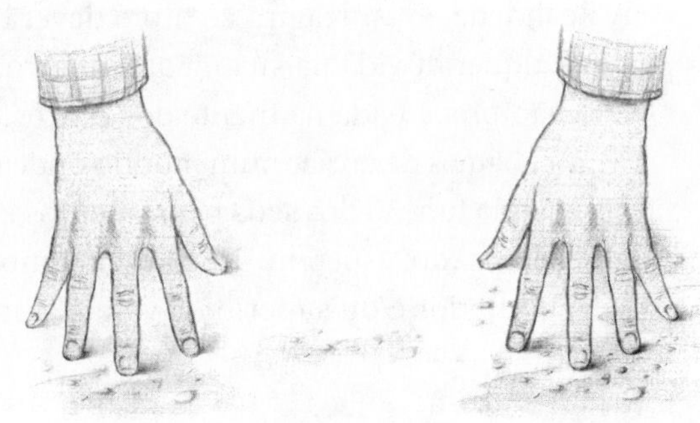

Ilustração 16-1. Um método rápido de se aterrar depois da meditação.

Encostem a ponta dos dedos no chão assim, a sua frente, ou no piso mesmo; ou onde quer que estejam sentados, abaixem-se e sintam a Terra. Isso irá aterrá-los e tirá-los da meditação muito rapidamente. Se já fizeram isso antes, sabem como é. Podem estar sentados em meditação por duas horas e ficar longe assim, então encostem os dedos no solo da Terra e sairão da meditação, de volta ao seu corpo, muito rapidamente.

Por que rapidamente? Queremos que saiam o mais rápido que puderem, para que a sua mente não interfira na transmissão. Não pensem sobre o que o eu superior disse, simplesmente saiam da meditação, peguem a prancheta e agora escrevam o que ouviram. Não pensem a respeito. Isso é muito importante. Simplesmente escrevam, coloquem no papel, do começo ao fim até a última palavra. Ponham o ponto final na última frase. Depois de tomar nota, podem relaxar.

É muito fácil para a mente interferir nesse estado porque quando o ego, o eu intermediário, recebe uma transmissão do eu superior ou até mesmo do eu inferior, na maioria das vezes ele procura mudá-la antes mesmo de saírem da meditação. Esse é um dos maiores problemas na comunicação interdimensional. Se o eu intermediário, o ego, pensa sobre o que é dito e comenta: "Não, não quero manter essa transmissão", ele pode mudar as palavras. Isso requer treinamento.

Portanto, coloquem no papel, depois peguem e leiam. Podem olhar para o texto e pensar a respeito, sempre que quiserem.

Preciso dizer isto, embora as chances de isso ocorrer sejam quase zero: se por alguma razão lhe disserem para fazer algo que seja moralmente errado, é porque absolutamente *não* fizeram contato com o seu eu superior, com certeza, sem dúvida nenhuma. O eu superior nunca lhes dirá para fazer algo errado ou prejudicial. Se compreenderam o que é o eu superior, isso é evidente por si mesmo. Se receberem uma mensagem supostamente do eu superior que seja moralmente errada, então queimem o papel e esqueçam. Esqueçam sobre o eu superior e voltem a brincar um pouco mais com o seu eu inferior. Definitivamente, esperem um tempo antes de experimentar de novo. Mas essa distorção quase certamente não acontecerá.

Entretanto, se registrarem no papel uma mensagem para fazer algo inconveniente ou algo que realmente não queiram fazer ou que pareça uma tolice — algo de que o seu ego não goste mesmo ou pense que seja tolice fazer — isso não importa. Se for para trilharem esse caminho, então a próxima coisa que devem fazer é *fazer isso*, seja o que for. Então esperem e vejam o que acontece.

No ato de fazê-lo, vejam o que acontece na Realidade, da qual não têm controle. A Realidade em si reagirá ao ato e deverá mostrar a vocês e provar para vocês, além de qualquer dúvida na sua mente, que vocês alcançaram o eu superior. Pode ser que isso não prove nada na mente dos outros, mas será muito específico para vocês.

Acabamos de entrar num mundo onde tudo é luz, entendida esta como consciência, viva e uma função dos seus pensamentos e sentimentos. Se parecer muito estranho ou sentirem medo, esperem. Tudo a seu tempo. Se acabaram de entrar em contato com o seu eu inferior e/ou superior, a vida se tornará bela, interessante e muito divertida.

DEZESSETE

Transcendendo a Dualidade

Fazendo Julgamentos

O que vou dizer agora é uma visão do que chamamos de mal que é diferente daquilo em que a maioria das religiões do mundo acredita. De maneira nenhuma estou tentando proteger Lúcifer ou sancionar os seus atos. Simplesmente, estou apresentando uma nova/velha perspectiva sobre o que está por trás do que Lúcifer faz no universo que, depois de compreendido, oferece a possibilidade de transcender o bem e o mal, e procurar a unidade absoluta com Deus. A possibilidade de acabar com a dualidade é impossível quando permanecemos na consciência do bem e do mal. Precisamos transcendê-la e adotar uma consciência diferente, no entanto não podemos fazer isso se continuarmos a julgar.

Desde que continuemos a julgar os acontecimentos da nossa vida, nós os fortalecemos tanto como bons quanto como maus, o que determina o curso da nossa vida. Para acabar com isso e transcender essa postura, devemos deixar de lado essa polaridade. Devemos mudar, e essa mudança precisa vir de alguma forma do nosso não julgamento deste mundo. Pois é no julgamento que decidimos que algo é bom ou ruim. Essa é a base do bem e do mal, ou da consciência da dualidade. O segredo parece ser considerar todos os mundos do nosso universo e todos os acontecimentos neles como um todo, completo e perfeito, sabendo que o DNA cósmico, o plano cósmico, está sendo encaminhado exatamente conforme o direcionamento dado pelo Criador.

O Experimento de Lúcifer: Dualidade

As palavras "a rebelião de Lúcifer" carregam um estigma que tem perseguido a humanidade desde pelo menos o tempo pelo qual a Bíblia existe na Terra. Muitos de nós humanos, especialmente os cristãos, acreditamos que Lúcifer seja a causa de todo o mal e das trevas que sempre envolveram o planeta. Argumentamos que Lúcifer fez uma rebelião, projetando uma imagem de que Lúcifer de algum modo estaria contra o plano cósmico universal. No entanto, a consciência de unidade considera o trabalho de Lúcifer sob um prisma ligeiramente diferente. O trabalho dele não é reconhecido como uma rebelião, mas como o experimento de Lúcifer.

Por que chamá-lo de experimento? Porque isso é exatamente o que ele é, um teste para ver se determinados parâmetros da vida funcionam. *A vida é um experimento!* As instruções de Deus no início do experimento de Lúcifer foram os humanos terem o livre-arbítrio. Mas o que significa livre? Não significa *todas as possibilidades,* tanto boas quanto más? Não significa que teríamos a permissão de fazer *tudo* o que quisermos, com a ideia, do ponto de vista bíblico, de que aprenderíamos a discriminação para o bem?

A vida recebeu a permissão de fazer tudo o que quiséssemos, todas as possibilidades; ela recebeu o livre-arbítrio. Portanto, como poderia existir o livre-arbítrio a não ser que a consciência criasse o formato para esse modo de ser? E quem cria a consciência? O único e exclusivo Deus. Lúcifer não criou o livre-arbítrio, mas foi por meio das suas ações e decisões que o livre-arbítrio tornou-se uma realidade. Foi Deus quem criou Lúcifer de modo que o livre-arbítrio pudesse existir. Antes do experimento de Lúcifer, o livre-arbítrio não existia a não ser durante as três outras tentativas. Toda a vida acontecia de acordo com a vontade de Deus, de acordo com o DNA cósmico. Não ocorriam desvios, e o livre-arbítrio era apenas um potencial que a vida um dia poderia experimentar.

A certa altura, considerando que o livre-arbítrio era possível, percebemos que havia um modo particular pelo qual poderíamos vivenciar essa realidade que não fora tentado antes. Portanto, nós tentamos. Na realidade, tentamos executar três versões dele, e todas as tentativas fracassaram. Foram absolutos desastres. O último experimento, a quarta tentativa, com Lúcifer à frente, aplicou um método diferente para criar o livre-arbítrio. Dessa vez, Deus escolheu uma parte da consciência que se encontrava imediatamente acima da existência humana: esse experimento começou com os anjos. Portanto, foram os anjos que trouxeram essa nova consciência do livre-arbítrio para a humanidade, para ser vivenciada aqui nestes mundos densos, e a vida em toda parte acompanhou para ver como se comportaria.

Com grande respeito entre dois irmãos, a batalha entre o bem e o mal começou. Foi uma batalha de morte, embora nenhum dos dois pudesse morrer. Foi uma batalha que tinha de acontecer, pois era a vontade de Deus. Em nome de todo o universo, Miguel apoiou o lado da luz e do bem, e Lúcifer apoiou o lado das trevas e do mal. Uma nova possibilidade estava para ser vivida. E nós humanos pensamos que fosse uma ótima ideia, essa ideia do livre-arbítrio.

O Brilhante e Resplandecente

Torna-se claro no estudo da geometria sagrada que nada foi criado sem uma intenção e uma razão. Não se tratou simplesmente de um erro; na verdade, não *há* erros. E quando Deus criou Lúcifer, conforme podem ler na Bíblia, ele era o anjo mais magnífico que Deus criara em todos os tempos. Ele era o mais inteligente, o mais belo, o mais impressionante dos anjos. Portanto, ele não tinha pares; era um modelo "topo de linha" dos mundos angelicais. Deus lhe deu o nome de Lúcifer, que significa "o brilhante e resplandecente". Deus lhe deu esse nome, portanto vocês pensam que Deus cometeu um erro?

Se vocês pensarem na sua natureza humana, tendemos sempre a considerar os nossos heróis como aqueles em que queremos nos tornar. Observamos aquelas pessoas que se foram antes de nós, que abriram com distinção a trilha na direção para onde sentimos que deveríamos seguir, e moldamos grande parte do nosso comportamento em referência a esses heróis. Por causa do conhecimento de "Tal como em cima, assim também acontece embaixo", o mesmo se deu com Lúcifer. Ele queria ser como os seus heróis, mas não tinha ninguém superior a ele no seu reino. Ele não tinha heróis.

Ele foi o maior arcanjo da criação. Não houve nenhum maior do que ele. Ao contrário, o único herói que ele tinha era Deus, que era o único ser além dele, de onde ele podia ver. Assim Lúcifer fez uma coisa muito natural — e tenho certeza de que Deus sabia que isso aconteceria quando o criou. Ele queria ser tão bom quanto Deus — na realidade, *ser* Deus — ao nível da *criação.* Não há nada de errado em entrar em comunhão com Deus, mas não era exatamente isso que ele quis fazer. Ele quis ser *exatamente como* Deus. Na verdade, ele quis ser até mesmo melhor do que Deus. Lúcifer quis ultrapassar o seu herói.

Lúcifer era tão inteligente que sabia como o universo foi criado. Ele conhecia as imagens, os padrões e os códigos que criaram o universo. Mas para ser maior do que Deus, ele decidiu que precisava separar-se de Deus. Enquanto fosse parte de Deus, não poderia suplantá-Lo. Portanto, evidentemente com a bênção de Deus (uma vez que Ele o criou), Lúcifer deu início a um grande experimento para ver o que se aprenderia com a criação de um estilo diferente de como Deus/Espírito fizera a criação original. Ele cortou os seus laços de amor com Deus e criou um campo de Mer-Ka-Ba que não se baseava no amor, porque depois de ter rompido os seus laços de amor com Deus, não poderia mais criar um Mer-Ka-Ba vivo.

O arcanjo Lúcifer e muitos outros anjos deram início a esse grande experimento para ver o que se aprenderia nesse novo caminho. Como dissemos, experimentos semelhantes foram realmente tentados três vezes antes por outros seres, mas esses experimentos terminaram na destruição em massa e no sofrimento de todos os envolvidos. Muitos planetas foram totalmente destruídos, incluindo um no nosso sistema solar — Marte. No entanto, Lúcifer tornaria a tentar esse antigo experimento com um método novo.

Portanto, ele cortou os seus laços de amor com Deus (pelo menos, vendo-se de fora parece assim) e criou um campo de Mer-Ka-Ba que não se baseava no amor. O que ele fez foi criar uma máquina interdimensional de tempo-espaço a que chamamos de nave espacial. Esse objeto voador — às vezes visto como um disco voador mas também com muitas outras formas — era mais do que apenas um veículo como o consideramos, muito mais. Ele poderia não só atravessar o espectro desta Realidade multidimensional, mas também poderia *criar* realidades que pareciam ser tão reais quanto a criação original. É semelhante ao que atualmente chamamos de realidade virtual, só que essa era uma realidade virtual que não poderia ser distinguida da verdadeira.

Assim, Lúcifer criou esse Mer-Ka-Ba sintético para criar uma realidade separada de Deus, de modo a poder ascender às alturas e ser simplesmente tão bom quanto Deus, pelo menos dentro da sua mente. Ele não poderia *ser* Deus, mas poderia ser *como* Deus, seu herói.

Para convencer outros anjos de que o experimento era necessário, ele escolheu uma saída diferente do Grande Vazio para criar a sua realidade sintética que era única em si mesma. Para explicar isso em detalhes, passaremos ao Jardim do Éden.

No Jardim do Éden havia duas árvores: a árvore da vida, que levava à vida eterna, e a árvore do conhecimento do bem e do mal. No padrão de criação da Gênese conforme se vê na Flor da Vida, o caminho que o pequeno espírito seguiu, subindo ao topo da esfera original da criação, estava associado à primeira árvore, a Árvore da Vida. O espírito partiu de um único ponto no centro da primeira esfera e começou a girar num vórtice, criando as imagens que criaram a realidade que conduz à vida eterna. A Árvore da Vida e a Flor da Vida fazem parte da mesma criação.

No entanto, há um outro caminho pelo qual o espírito pode sair do Grande Vazio, e esse caminho está ligado à árvore do conhecimento do bem e do mal. Na realidade, trata-se da mesma geometria, com exceção de que tem uma visão diferente da geometria. Em outras palavras, há outro caminho a seguir na geometria sagrada para sair do Grande Vazio e criar uma realidade que parece ser a mesma mas é geometricamente e *vivencialmente* diferente. Lúcifer sabia disso e escolheu esse caminho para criar um novo tipo de realidade que pudesse controlar. Pelo menos controlar essa nova realidade fazia parte da sua intenção original. A intenção original do arcanjo Miguel era simplesmente criar o livre-arbítrio. Seus planos interiores de ação eram diferentes.

Criando uma Realidade Dualista

Lúcifer convenceu um terço de anjos do céu a acompanhá-lo e apoiá-lo nessa nova realidade. Ele os convenceu porque o seu caminho em particular para sair do Grande Vazio resultava em um ponto de vista único que ainda não fora vivido nem explorado. Do seu ponto de vista angélico da realidade, essa era uma possibilidade de vida e alguém precisava vivê-la.

Importante pelo menos para os anjos que acompanharam Lúcifer, esse novo caminho também continha um sistema de conhecimento capaz de proporcionar uma vivência que nunca fora totalmente experimentada antes na Realidade original de Deus. Essa vivência se centrava em dois aspectos do conhecimento geométrico — aspectos bastante simples também, ao que parecia. Essas duas formas geométricas eram o conhecimento primordial sobre o Ovo da Vida e a fonte de todas as formas vivas.

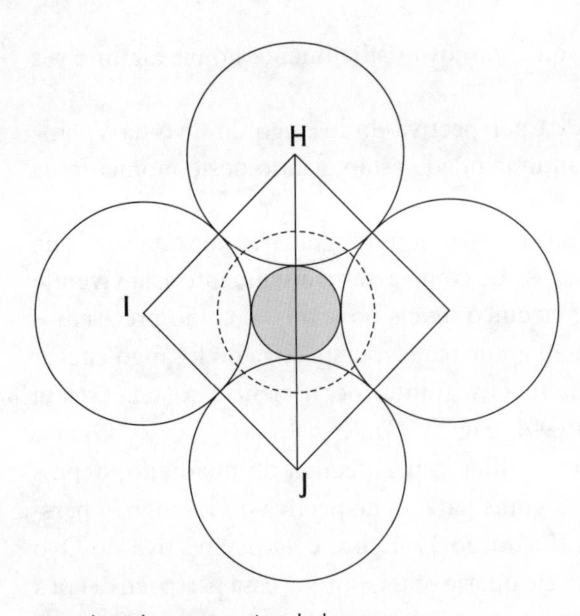

Ovo da Vida, perspectiva do losango
Diâmetro da esfera grande = 1
HI = 1
IJ = 1
$HJ^2 = HI^2 + IJ^2$
$\therefore HJ = \sqrt{2}$

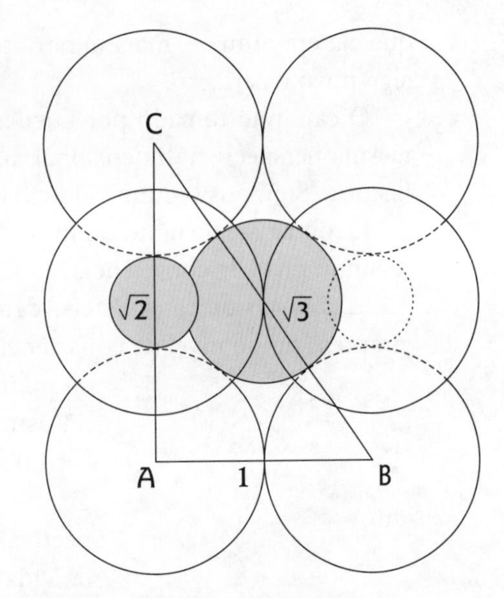

Ovo da Vida, num giro de 90º
AB = IJ = HI = 1
$AC = HJ = \sqrt{2}$
$BC^2 = AC^2 + AB^2$
$BC^2 = 2 + 1$
$\therefore BC = \sqrt{3}$

Ilustração 17-1. Busca para a experiência com as duas esferas primordiais. À esquerda: a esfera que toca apenas 4 está relacionada à matéria (a raiz quadrada de 2). À direita: a esfera que toca todas as 8 está relacionada à luz (a raiz quadrada de 3).

A primeira esfera que eles buscavam se encaixa no centro do Ovo da Vida e toca todas as oito esferas (vejam A na Ilustração 9-36a na página 46). A segunda esfera encaixa-se perfeitamente dentro de qualquer um dos seis orifícios no centro de cada face do Ovo da Vida (basta visualizar as oito esferas do Ovo da Vida dentro de um cubo, que tem seis faces). Essa informação sempre fora conhecida, mas de dentro da Realidade original não era possível vivê-la e vivenciá-la de verdade. Lembrem-se, toda geometria sagrada tem um aspecto vivencial. Para a sua informação, vejam a Ilustração 17-1. A perspectiva do losango — um quadrado girado a 45 graus — mostra a geometria luciferiana dessas duas esferas.

Lúcifer disse aos mundos angelicais que precisava fazer esse experimento porque o universo carecia de informações, e a única maneira de obter as informações seria vivê-las. Assim ele escolheu essa perspectiva particular da geometria para começar a sua nova e independente criação da realidade. Por meio dessa nova geometria ele interpretou a sua criação de uma nova maneira. Isso proporcionou a experiência de estar *dentro* de uma forma de vida *separada* do resto da realidade. Muitos acreditam que ela era ótima e, mais importante, que era nova. Dificilmente houve alguma vez algo novo na criação.

O caminho tomado por Lúcifer foi a perspectiva do losango do Ovo da Vida, a mesma perspectiva dimensional que a humanidade está vivendo neste momento da história. Sim, nós seguimos Lúcifer.

Lembram-se do nono capítulo, "Espírito e Geometria Sagrada", onde estávamos no segundo nível da consciência? Lembram-se de como a Terra atualmente está vivendo nos três níveis de consciência (dentre os cinco níveis possíveis) e como precisamos girar o segundo nível de consciência a 45 graus para a perspectiva do losango chegar ao ponto do nível seguinte, a consciência crística (vejam a Ilustração 9-4, página 23).

Primeira criação

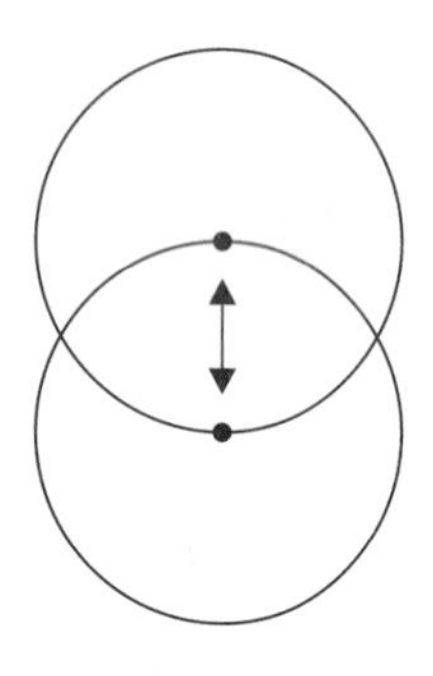

Primeiro dia

Ilustração 17-2. Primeiro dia da criação de Lúcifer. O espírito reside nos dois centros ao mesmo tempo.

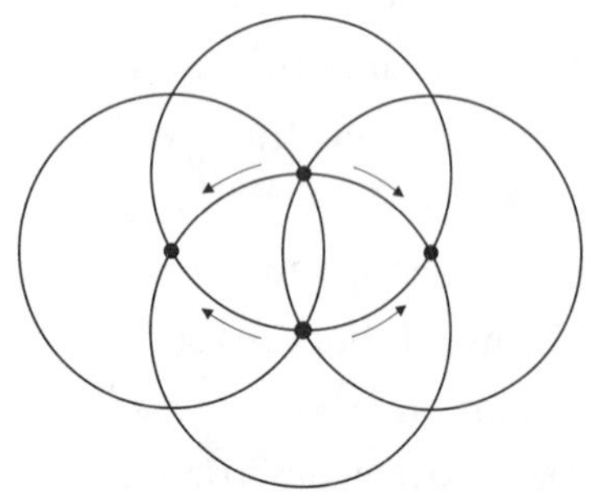

Ilustração 17-3. Segundo dia da criação de Lúcifer.

Lúcifer escolheu a perspectiva do quadrado, depois girou-o a 45 graus para a perspectiva do losango, a perspectiva da Ilustração 17-1. Era essa perspectiva do Ovo da Vida que ele queria obter, porque essa perspectiva era a necessária para vivenciar as esferas tanto internas quanto externas que se encaixariam naquelas aberturas de que falamos acima. A necessidade aparentemente inocente dessas informações dessa perspectiva (lembrem-se, no nível vivencial) era um enorme negócio para os anjos cujo propósito era criar o livre-arbítrio e viver todas as possibilidades. Essa era uma possibilidade que poderia funcionar. E era uma possibilidade que nunca fora vivida antes, ou pelo menos nunca fora vivida com sucesso.

Portanto, esses são os detalhes de como Lúcifer agiu. De novo, estou meramente relatando essas informações de modo que vocês possam transcender a visão dualista da vida no próximo nível superior, a consciência crística, e "deixai-o atrás de mim", Lúcifer, como diria Jesus.

O truque dessa nova realidade era que o espírito podia separar-se; ele pode estar em dois ou mais lugares ao mesmo tempo. É muito parecido com a divisão celular, ou mitose, mas sem forma. É o que torna possível a mitose antes de mais nada.

Portanto, a nova realidade foi criada com a mesma geometria sagrada da Flor da Vida, com exceção de que o espírito se dividia em dois e começava a girar para fora do Grande Vazio em um padrão de dupla hélice *a partir de dois centros completamente diferentes. Isso* criou a nova realidade. Além disso, Lúcifer usou a perspectiva do losango do Ovo da Vida, girando-o a 90 graus para a perspectiva retangular para focalizar a nova e não experimentada consciência por meio dela. Ela tornou-se a lente através da qual interpretamos a nova realidade. Isso foi revolucionário.

Ilustração 17-4. Terceiro dia da criação de Lúcifer.

Ao criar a Realidade original, no primeiro dia da criação no primeiro movimento do espírito de Deus, o espírito moveu-se para o alto da primeira esfera (vejam o capítulo 5, Ilustração 5-32, página 197 do volume 1). Então teve início o padrão giratório, que começou a criação. No entanto, existe outra maneira de introduzir a criação, na qual o espírito deixa parte de si no primeiro centro criado. Em outras palavras, no primeiro instante original do movimento para fora do centro, que é o primeiro momento em que se inicia a criação, o espírito se divide em dois e deixa parte de si no centro e move a outra parte de si para o alto da primeira esfera. Então ele cria a esfera seguinte no alto da primeira esfera, da mesma maneira que nas outras criações (Ilustração 17-2).

No entanto, daí por diante, no movimento *seguinte,* no segundo dia da Gênese, o espírito inicia um movimento de rotação *duplo,* em que a metade central do espírito gira por um caminho, e a metade de cima do espírito gira por outro caminho e forma as duas esferas, que constituem este padrão (Ilustração 17-3).

Daí ele se divide de novo, para criar este padrão (Ilustração 17-4).

Ilustração 17-5. Quarto dia da criação de Lúcifer.

Então, ele começa um padrão de divisão e união. No entanto, é uma divisão primária, separando-o de si mesmo. Ele se expande para este padrão (Ilustração 17-5), depois continua para fora.

Isso se repete sem parar... e finalmente o resultado é a mesma rede da Flor da Vida — as mesmas leis, a mesma realidade aparente, os mesmos planetas e sóis, árvores e corpos. Tudo é igual, com exceção de uma *enorme* diferença. O padrão da Flor da Vida tem um *único* centro geométrico — um olho, e um ser que entra na criação dessa maneira está ligado diretamente a toda a vida e a Deus. O padrão de Lúcifer, porém, não tem um *único* centro geométrico, mas *dois* centros específicos — dois olhos. Não importa o tamanho da rede, por maior que ela seja, quando se volta ao seu centro, encontram-se dois centros ou olhos. E ela está separada de Deus. Não existe amor. Aqueles anjos de Lúcifer quase se esqueceram do que é o amor. Lembram-se do que Jesus disse: "Se o teu olho estiver são, todo teu corpo ficará iluminado".

Ilustração 17-6. À medida que os dias prosseguem, os dois olhos de Lúcifer ficam evidentes. Não existe um centro geométrico, ou "olho", "único".

No entanto, novamente, quem está no controle aqui? *Deus está.* E Deus criou essa situação. Não foi Lúcifer quem criou essa situação — foi Deus, um passo antes de Lúcifer. Deus criou Lúcifer e sabia o que Lúcifer faria. Portanto, deve haver uma razão para criar essa realidade separada.

Humanos Terrestres como o Foco do Experimento

Lúcifer começou essa nova realidade pouco antes de nós humanos começarmos a existir como raça — há pouco mais de duzentos mil anos. E nos tornamos os principais participantes desse jogo. Deve haver uma razão pela qual todas essas coisas tenham acontecido. Acho que o propósito por trás desse experimento luciferiano, que tem continuado ao longo de milhões e milhões de anos, atualmente está dando frutos na Terra, e que a Terra foi escolhida como o lugar onde se dará o nascimento de uma nova vida. É isso que parece.

Seja qual for o propósito supremo de criar essa nova realidade, eu não sei, mas ficou claro em todo o cosmos que a Terra se tornou o foco desse drama intenso. E parece que o resultado desse experimento está prestes a revelar-se diante dos nossos olhos. Vocês e eu somos os participantes desta nova realidade que transformaremos de acordo com o propósito supremo. Devemos ir além de tudo o que os arcanjos Lúcifer e Miguel imaginaram. Seremos os filhos do terceiro caminho, uma nova realidade nascida das duas primeiras.

Nós aqui na Terra somos todos participantes desse experimento luciferiano. Todos nós escolhemos esse caminho. Cada um de nós neste planeta escolheu esse caminho, gostem ou não, querendo identificar-se com ele ou não. Vocês escolheram isso, porque vocês estão aqui. E a sua mãe material, os Nephilins, também fazem parte do experimento de Lúcifer, e também o nosso pai material, os sirianos, embora os sirianos praticamente tenham se afastado. A raça de Sírius B, os golfinhos, também tomou parte do experimento de Lúcifer. Caso se lembrem, segundo os dogons os golfinhos vieram em uma *espaçonave*. Eles também estavam envolvidos com a tecnologia. Tinham pequenos veículos rígidos há muito tempo atrás, mas desistiram disso cerca de duzentos anos atrás e agora estão fazendo uma transformação incrível de volta à unidade.

Não sei se voltar a um mundo sem tecnologia como era na Realidade original seja verdadeiramente a resposta. Não tenho certeza disso. Acho que nós vamos descobrir a resposta aqui na Terra. A resposta, seja ela qual for, encontra-se neste planeta, e as pessoas deste planeta tornaram-se o grande catalisador para o experimento — o experimento com o qual toda a vida se acha ansiosamente preocupada para ver o que acontece. Por quê? Porque o que acontecer aqui na Terra afetará a todos em todos os lugares. E eu acredito que essa resposta virá através do nosso coração.

Usando o Intelecto sem Amor

Foi assim que Lúcifer convenceu todos aqueles anjos de que realmente precisávamos ter essa nova vivência. O que aconteceu com aqueles anjos? Eles cortaram a sua ligação de amor com Deus, com toda a vida, e passaram a agir de acordo com um único lado do cérebro, não de acordo com os dois — eles passaram a agir apenas de acordo com a inteligência, não de acordo com o amor. Isso produziu raças de seres que eram incrivelmente inteligentes mas não tinham nenhuma vivência de amor ou compaixão — assim como os cinzentos e os marcianos, por exemplo. No passado, isso sempre resultou em lutas uns contra os outros, transformando a vida num caos.

Foi de onde vieram os marcianos. A raça dos marcianos foi uma daquelas (não do experimento de Lúcifer, mas anterior a ele) que foram exterminadas quase um milhão de anos atrás. Naquela época, a vida se destruía por toda parte. Marte se destruiu. O planeta estava constantemente em guerra, constantemente lutando, porque lá não existia amor nem compaixão. Então, a certa altura, eles simplesmente explodiram a atmosfera do planeta e destruíram tudo. No entanto, pouco antes disso, algumas pessoas sabiam que a destruição seria inevitável, e entre elas se encontravam os marcianos que vieram para a Terra e se estabeleceram na Atlântida, causando todos os problemas com o Mer-Ka-Ba aqui na Terra.

Esse é o foco. O resultado desse experimento de Lúcifer foi que os seres de Lúcifer criaram naves concretas e se concentraram na tecnologia, criando todo um sistema baseado na tecnologia e uma realidade separada da Realidade original, muito embora os seres que *não* se separaram de Deus não tivessem nenhuma tecnologia de espécie alguma. Eles foram liderados pelo arcanjo Miguel. Então começou a guerra entre as facções opostas. O arcanjo Miguel, o anjo da luz, e o arcanjo Lúcifer, o anjo das trevas, começaram uma guerra cósmica da dualidade que criou o nosso bem e mal, a consciência dualística.

O arcanjo Miguel e os anjos da luz têm campos de Mer-Ka-Ba vivos que podem fazer tudo o que a tecnologia luciferiana faz, e até mais. E o arcanjo Lúcifer e os seus anjos das trevas têm o seu Mer-Ka-Ba tecnológico e a sua realidade sintética. Portanto, temos dois enfoques totalmente diferentes em relação à vida. Observem os arcanjos Miguel, Gabriel ou Rafael — eles não têm tecnologia nem espaçonaves. Eles vivem em corpos de luz, e a sua realidade, a Realidade original, baseia-se na luz. É o que poderia ser chamado de tecnologia da luz baseada no amor. Então há o outro caminho, o caminho de Lúcifer, em que temos todas essas coisas materiais com que nos preocupar. Toda a teia em que nos encontramos enredados é a da tecnologia luciferiana. Vocês podem olhar para o mundo e ver a diferença entre natureza, a Realidade original, e o que a humanidade fez com a sua realidade separada criada pelo conhecimento de Lúcifer.

É claro que podem levar isso ao extremo — qualquer um, qualquer forma de vida que seja, não importa de onde seja, se estiver voando em naves tecnológicas, então faz parte do experimento de Lúcifer, pura e simplesmente, não importa quem seja. Mas há todo um espectro de envolvimento com esse experimento. Há alguns seres que se encontram tão envolvidos com ele, que se acham tão viciados nele, que de certo modo estão desesperados. Não conseguem viver sem isso. Há um espectro de vício em tudo isso e que inclui pessoas como nós. Também estamos viciados nele, mas ainda temos também um pé na Realidade original.

Seria muito difícil para nós despirmo-nos de todas as nossas roupas, que atualmente são tecnológicas porque são feitas por máquinas, e voltar para as florestas sem nada no corpo. Definitivamente, estamos viciados na nossa tecnologia. Por outro lado, temos o amor. Temos uma minúscula centelha de amor; não cortamos totalmente os nossos laços de amor pela vida. Assim, somos alguns dos seres no universo que de algum modo não cortaram totalmente os seus laços com Deus. Temos a tecnologia, mas ainda sentimos e sabemos o que é o amor. Ele é fraco, não poderoso; ele não é uma luz ofuscante, que cega. Mas ainda temos esse amor. Temos os dois aspectos. Ainda temos o potencial da Realidade original dentro de nós.

O Terceiro Caminho, da Integração

Uma compreensão importante é a de que nós terrestres estamos encontrando a resposta universal de uma maneira totalmente única que nunca foi encontrada antes. Toda essa relação entre a Realidade original e a realidade de Lúcifer parece estar levando a um terceiro caminho, que é uma espécie de combinação dos dois primeiros.

Se cruzarem os olhos quando olharem para o desenho com os dois olhos (Ilustração 17-6), poderão ver o terceiro caminho quando virem *três* olhos. Então o caminho do meio torna-se a combinação de ambos. Realmente, vocês verão os dois mutuamente sobrepostos. Considerem essa ilustração como um estereograma e verão que ela cria um terceiro padrão único. Esse novo terceiro caminho é a esperança de toda a vida em toda parte. O universo está em "guerra" há duzentos mil anos — a batalha entre as trevas e a luz, sem nenhum resultado ou solução aparente. Agora, parece que essa batalha está para culminar em um novo nascimento, uma terceira realidade.

O Experimento Siriano

Dentro do experimento luciferiano, houve um segundo experimento que está mudando tudo aqui na Terra e que deve mudar tudo em toda parte. Talvez esse segundo experimento acabe por criar uma realidade em que os dois caminhos possam ser integrados. Parece aos mestres ascensionados que isso é o que Deus está fazendo. Esse próximo experimento foi criado e dirigido pelos sirianos, que fizeram o papel de pai da nossa raça humana.

A história a seguir é absurda. Só acreditem nela depois de sentirem intimamente que ela possa ser verdadeira.

Meus Três Dias no Espaço

Mais de 25 anos atrás, por volta de 1972, não muito tempo depois de os anjos começarem a aparecer para mim, um dia eu estava sentado com a minha família e outro casal que estava morando conosco na ocasião. Os dois anjos vieram e me disseram que queriam que eu fosse para um quarto sozinho e que começasse a meditar de um modo que não pudesse ser perturbado. (Isso foi muito tempo antes de Thoth entrar em cena.) Pedi para a minha família deixar-me sozinho por um tempo, fui a um quarto isolado, sentei-me e comecei a fazer a meditação do Mer-Ka-Ba.

A próxima coisa que sei é que os anjos me ergueram do meu corpo, e nos encaminhamos para o espaço. Essa foi a primeira vez que vi a formação da rede humana dourada ao redor da Terra. Eu literalmente a atravessei. Lembro-me de examinar de perto muitas partes geométricas serem formadas dentro desse espaço vivo. Então os anjos disseram: "Queremos levá-lo ao espaço longínquo". Eles comunicaram que não precisava me preocupar ou temer uma ausência para tão longe da Terra.

Juntos, os anjos e eu literalmente começamos a nos afastar do planeta. Observei a Terra recuar, e os anjos estavam bem ao meu lado. Passamos pela Lua — nunca me esquecerei de ver como primeiro nos aproximamos rapidamente dela e depois passamos por ela bem devagar. Em silêncio, fomos nos aprofundando cada vez mais no espaço, e eu podia ver a Lua tornando-se muito menor. Então voamos para fora de uma membrana que envolve e contém tanto a Terra quanto a Lua. Essa membrana esférica encontra-se a cerca de 700 mil quilômetros da Terra, embora os nossos cientistas não tenham conhecimento dela ainda. Do outro lado dessa membrana energética encontra-se imóvel um veículo imenso que parecia ter uns 80 quilômetros de comprimento. Ele não pode ser detectado da Terra por causa da tecnologia que eles usam. Tinha a forma de um charuto, preto e sem emendas. Em uma das extremidades via-se uma enorme abertura coberta por um material transparente, e quando me aproximei, fui atraído para a abertura, onde uma luz branca se projetava de dentro.

Senti-me sugado para dentro da abertura e através do vidro, ou seja lá o que for aquilo, para dentro de um aposento onde se encontravam muitas pessoas. Elas eram muito altas em comparação comigo e havia tanto homens quanto mulheres. Imediatamente, quando fiz a pergunta: *Quem são estas pessoas?*, dentro de mim surgiu a resposta: "Somos sirianos". Instantaneamente, eles, os sirianos, me mostraram que são na realidade duas raças humanoides, uma muito escura e uma muito branca, que se tornaram irmãs muito tempo atrás. Foi por essa raça branca que no momento me achei muito curioso. Havia cerca de 350 integrantes naquele veículo e eles usavam uma roupa branca com pequenas insígnias douradas no braço esquerdo. Sentei-me com três deles, duas mulheres e um homem, que conversaram comigo telepaticamente por muito tempo. Então eles me guiaram por toda a nave. Acabei passando três dias naquele veículo enquanto o meu corpo continuava sentado em casa no meu quarto. Eles pareciam querer me ensinar o máximo possível sobre como a sua nave funcionava e como eles viviam.

Tudo dentro daquela nave era branco, não se via nenhuma outra cor. Os aposentos eram como um todo contínuo, sem emendas, e tinham formas que saíam do chão, das paredes e do teto — a maioria do chão e das paredes — que se pareciam com objetos de arte, formas como lindas esculturas futuristas. Para onde quer que fosse, tudo se parecia com uma galeria de arte. E aquelas formas *eram* a tecnologia deles. Eles não tinham partes móveis na nave, nada a não ser as formas. Eles tinham reduzido toda a sua tecnologia à forma, forma e proporção, e tudo o que tinham a fazer era comunicar-se com as formas com suas mentes e seus corações, e elas podiam fazer tudo.

Aqueles de vocês que estiveram no Peru, talvez tenham reparado que, no meio daqueles antigos templos incas, geralmente se erguia uma grande rocha linda, com muitos ângulos, formas e proporções sagradas, cortadas e formadas na superfície. Bem, aquelas rochas não eram simplesmente rochas — aquelas "rochas" eram e ainda são antigas bibliotecas incas. Elas contêm todos os registros da civilização deles. Se souberem como entrar em contato com elas, poderão ler sobre o que aconteceu a cada segundo durante todo o período inca. Mas os sirianos daquela nave conseguiram avançar esse sistema muito além da simples manutenção de registros, de modo que qualquer coisa que se pensasse poderia ser feito por aquela tecnologia inacreditavelmente simples e linda, até mesmo viagens espaciais. Atualmente, na Terra, estamos ainda começando a entender essa tecnologia. Nós a chamamos de psicotrônica. Trata-se de uma tecnologia que requer o contato humano (ou outro além de humano) para que a tecnologia funcione.

Quando voltei ao meu corpo, os anjos começaram a contar-me por que me levaram até lá. Eles não usaram palavras, mas projetaram imagens telepaticamente para me explicar o que estava acontecendo comigo. Eu expressei para eles: "Uau, aquela tecnologia é inacreditável! A tecnologia deles é impressionante!" Continuei assim, dizendo como ela era ótima. Eles me observaram por algum tempo, depois disseram: "Não, você não entendeu. Não é isso que queremos que você compreenda". Eu respondi: "O querem dizer com isso?"

Reconsiderando a Tecnologia

Os meus anjos me disseram o seguinte: "Suponha que o seu corpo sinta frio neste quarto, e que você decida sair e encontrar alguma coisa para aquecer o quarto. Então você inventa o aquecedor, um aquecedor realmente muito bom, e uma determinada fonte de energia, o que precisar para aquecer o quarto. Então você põe o aquecedor no quarto, ele aquece o quarto e você se aquece. Do ponto de vista dos anjos, se você fizesse isso, simplesmente se tornaria espiritualmente mais fraco. Por quê? Porque você teria esquecido a sua ligação com Deus. Você poderia ter aquecido o seu quarto ou o seu corpo com a sua própria essência interior, mas em vez disso você transferiu o seu poder para um objeto".

Os anjos me projetaram que à medida que as civilizações fizeram avanços cada vez maiores no campo tecnológico, se essa foi a escolha delas, então elas se afastaram cada vez mais da origem da vida e estavam se enfraquecendo cada vez mais porque se viciaram em tecnologia. Elas *precisam* dela para sobreviver. Os anjos diziam que os seres daquela nave eram espiritualmente muito fracos. Em outras palavras, não era para eu considerá-los como uma raça superavançada, mas como um povo que precisava de ajuda espiritual.

O resultado dessa experiência foi que os anjos queriam que eu deixasse de lado a tecnologia e me concentrasse na consciência pura como o caminho para lembrar de Deus. Eu prestei bastante atenção. Realmente pensei que havia compreendido a lição que queriam me dar. Então, com o passar do tempo, esqueci completamente. Uma atitude bem própria dos humanos.

Seja como for, eu sabia que estivera naquela nave durante três dias dos nossos, mas quando voltei para o meu corpo, a minha mente me informou imediatamente: "Estive fora por cerca de duas horas", porque foi isso o que o meu eu intermediário racionalizou sobre o que aconteceu. (Isso é o que fazemos, as vivências incomuns são racionalizadas.) Assim, levantei-me e fui para o outro aposento, onde estavam a minha família e os meus amigos.

Quando a minha esposa me viu, ela me olhou, empalideceu e sentiu medo. Todo mundo me olhou com expressão de preocupação. Eu perguntei: "O que aconteceu de errado, pessoal?" A minha esposa foi quem respondeu: "Bem, você ficou sentado naquele quarto por três dias sem se mexer. Nada conseguia acordá-lo, e estávamos quase chamando uma ambulância". Então a minha mente compreendeu que eu estivera *realmente* no espaço por três dias. Muito embora eu soubesse no fundo que fosse verdade, precisava ver num jornal que tinha acontecido. E com certeza acontecera.

A História do Experimento Siriano

Depois de passar tudo aquilo com os anjos na espaçonave siriana, pensei que o motivo pelo qual os anjos queriam que soubesse sobre a nave preta em forma de charuto fosse tomar consciência da tecnologia deles e da relação tecnológica deles com Lúcifer. Não sabia então que havia outro motivo, o qual também era de grande importância.

Em 10 de abril de 1972, o meu espírito entrou no corpo de Bernard Perona, a pessoa que estivera nesse corpo antes de eu entrar. Está claro por que escolhi aquele momento em especial quando observo a cronologia oportuna dos acontecimentos no meu passado. Pois algo aconteceria posteriormente naquele ano que mudaria para sempre o curso da história deste planeta. Na realidade, mudariam o curso da história de toda a vida em todos os lugares, conforme parece agora.

O que vou dizer em seguida deve ser entendido como um conhecimento e uma história supradimensional. A história que vão ler agora, desde a perspectiva de um humano normal, vai parecer absurdamente chocante, provavelmente tão impossível quanto a ideia de ir para a Lua pode ter parecido impossível para as pessoas vivendo em 1899. De uma perspectiva cósmica, trata-se de um assunto normal, a não ser que o que resultou desse experimento seja verdadeiramente excepcional e da maior importância para a criação como um todo. Sei que ao contar essa história estarei pondo em risco a minha credibilidade, se é que tenho alguma, ao limite máximo. Mas os anjos insistiram para que a história fosse contada.

A razão pela qual esse experimento siriano tenha sido realizado em primeiro lugar remonta à época da Atlântida. No capítulo 4, escrevi que por causa do mau uso do conhecimento do Mer-Ka-Ba pelos marcianos (página 135ss do volume 1), os mundos dimensionais da Terra foram abertos, provocando uma queda do nosso nível de consciência. E por causa desse mau uso da energia, a raça humana caiu profundamente neste mundo tridimensional denso. Conforme já disse, o Comando Galáctico, um corpo de 48 integrantes, aprovou a construção da rede de consciência crística ao redor da Terra, usando o sistema dos templos sagrados e lugares especiais para recriar geomanticamente essa rede, de modo que a humanidade conseguisse recuperar o seu lugar de direito no universo. Esse foi um plano usado antes por incontáveis outros planetas em situação semelhante, e quase sempre funcionou. No entanto, quando não funcionou, a consciência daquela raça em particular se perdeu.

Foi calculado por aqueles que sabem dessas coisas que voltaríamos para a consciência crística antes que um evento cósmico particular acontecesse em agosto de 1972. Esse evento cósmico era para ser imensamente relacionado a este sistema solar, e se não retornássemos à consciência crística na ocasião, seríamos destruídos, incluindo o planeta Terra.

Thoth e os mestres ascensionados desta raça humana, em conjunção com a Grande Fraternidade Branca e a Hierarquia Espiritual desta galáxia, planejaram tudo até os mínimos detalhes. Esse experimento da consciência galáctica era para ser concluído antes de agosto de 1972 não importava como.

O que era esse evento cósmico? Em agosto de 1972, o nosso Sol iria expandir-se até se tornar um sol de hélio, um evento natural. Vejam, até então ele era um sol de hidrogênio. Toda a luz que chega à Terra e cria toda a vida neste planeta provém da fusão de dois átomos de hidrogênio para produzir o hélio. No entanto, quando esse hélio se acumula por bilhões de anos, tem início uma nova reação, com três átomos de hélio unindo-se em uma reação de fusão para formar o carbono. Sabia-se que essa reação aconteceria em agosto de 1972, o que significaria que, se a humanidade não se encontrasse no estado de consciência certo no momento, seríamos completamente torrados. Se estivéssemos no estado certo, ou seja, no estado da consciência crística, seríamos capazes de proteger-nos e a vida continuaria. Nós absolutamente *precisávamos* estar prontos no que diz respeito à mudança de consciência antes dessa data.

Em meados da década de 1700, depois de quase treze mil anos desse experimento de recriar a rede de consciência crística, tornou-se claro ao nosso pai físico, os sirianos, que não conseguiríamos. O que era triste era que não conseguiríamos por alguns anos apenas. Os sirianos e os Nephilins, o nosso pai e a nossa mãe, queriam ajudar, mas o nosso pai estava adiantado demais em conhecimento e compreensão e estava mais preparado para realmente fazer alguma coisa. Assim, os sirianos tomaram a iniciativa de encontrar um meio de salvar a humanidade. O problema era que não havia uma solução conhecida em toda a galáxia.

Os sirianos nos amavam demais — éramos o seu filhinho, e eles não queriam nos perder. Assim, cerca de 250 anos atrás, eles começaram a pesquisar nos registros akáshicos da galáxia para ver o que outras raças tinham pensado em relação ao problema. Não encontraram uma solução que funcionasse. No entanto, em razão do seu amor ser tão forte, eles continuaram a pesquisar muito embora não houvesse nenhuma chance. Então, um dia, enquanto pesquisavam em uma galáxia distante, eles encontraram um ser isolado que propusera uma solução possível a esse problema humano. Nunca fora tentado nem testado antes, só fora concebido. Mas a ideia era brilhante e realmente poderia funcionar.

Os sirianos recorreram ao Comando Galáctico e pediram permissão para executar esse experimento incomum com a humanidade terrestre para salvar-nos. O conselho siriano apresentou todo o conhecimento que haviam conseguido aprender. Vejam, o problema era que o nosso Sol iria expandir-se fisicamente além da Terra e engolfar o planeta com as suas chamas em agosto de 1972. Essa expansão seria apenas uma pulsação, voltando quase ao normal depois de alguns anos. Mas no que dizia respeito à humanidade, cinco minutos nos destruiriam.

Para fazer funcionar esse experimento, os sirianos primeiro precisavam proteger a Terra e a humanidade do calor do Sol, mas para não destruir completamente o nosso DNA evolutivo, não poderíamos saber o que eles estavam fazendo. Foi mais ou menos como uma declaração de missão da Jornada das Estrelas de não interferir nas culturas nativas do planeta. Mas realmente *havia* um forte motivo para não interferir: esse tipo de interferência extraterrestre alteraria o DNA humano para sempre, e as instruções humanas originais estariam perdidas. Se soubéssemos o que eles estavam fazendo, não seríamos mais humanos! Conforme vocês devem ter percebido, essas informações são apenas para poucos, não para a consciência da massa.

Os sirianos precisavam acelerar o nosso caminho evolutivo para que pudéssemos acompanhar o ciclo da nova realidade e terminar o experimento de treze mil anos e retornar à consciência crística. Então precisávamos reviver o que perdêramos por causa da expansão do Sol para colocarmo-nos de novo em sincronia com a nova realidade luciferiana. Essa era uma situação muito complexa para manipular.

O Comando Galáctico indagou aos sirianos se eles esperavam que as pessoas sobrevivessem se *não* fizessem o experimento. Se os sirianos tivessem respondido afirmativamente, até mesmo se um homem ou uma mulher sobrevivesse, eles não teriam recebido permissão para o experimento. No entanto, considerando que se esperava a destruição radical dos seres humanos, então não haveria nada a perder, portanto o Comando concordou. Além do mais, esse experimento nunca *em tempo algum* fora tentado antes, pelo menos desde que a vida começara. O Comando também queria saber se funcionaria.

Os sirianos retornaram e travaram em posição do lado de fora da membrana a enorme nave preta em forma de charuto. Essa nave fora construída exclusivamente para o experimento. Em seguida, eles se encaminharam para a Terra em quarta dimensão e posicionaram objetos nos cantos remotos do campo da estrela tetraédrica do corpo de luz da Terra e travaram-nos no lugar. Esses objetos se encontravam no espaço acima, a milhares de quilômetros da superfície, um objeto em cada um dos oito pontos.

Então um feixe de laser especial, diferente de tudo o que conhecemos, transmitindo quantidades inacreditáveis de dados, foi dirigido quadridimensionalmente para o polo norte ou sul da Terra até um dos objetos remotos, que então enviava um feixe que era vermelho, azul ou verde para cada um dos três dos outros sete objetos. O feixe estendia-se até atingir todos os oitos objetos remotos. Do objeto remoto oposto ao que recebia o feixe inicial, o feixe penetrava até o centro da Terra e de lá saía para a superfície onde entrava em cada ser humano do planeta. Os animais e o resto da vida na Terra também eram incluídos nesse campo de energia, embora não fossem manipulados. O feixe penetrava as oito células originais no centro de cada ser humano e de lá saía para o campo da estrela tetraédrica humana. Eles podiam tanto proteger quanto mudar a consciência sem que os humanos tomassem conhecimento disso.

Isso criou um campo holográfico ao redor da Terra que recriou a realidade externa do espaço. Colocou-nos assim em uma réplica holográfica do universo, removida duas vezes da Realidade original. Esse mesmo campo foi usado para proteger a Terra da expansão mortal do Sol. A Terra seria engolfada pelo fogo, mas nós não saberíamos.

Ao mesmo tempo, eles podiam obter o controle dos pensamentos e sentimentos humanos e projetar imagens na nossa vizinhança imediata. Isso lhes daria a capacidade de influenciar os padrões evolutivos de cada pessoa na Terra. O sistema global permitiria a proteção completa enquanto essa mudança estivesse acontecendo sem que os humanos soubessem, e permitiria a completa alteração do nosso DNA se e quando se tornasse necessário.

O plano era subtrair o nosso livre-arbítrio por um breve período de tempo para fazer mudanças rápidas no nosso DNA, depois restaurar pouco a pouco o nosso livre-arbítrio ao ponto onde *nós* começaríamos a controlar os padrões — tudo isso para conduzir a humanidade o mais rápido possível para a consciência crística. Será que um plano complicado e nunca antes tentado como esse poderia funcionar? Ninguém sabia. Mas o universo estava prestes a descobrir.

O 7 de Agosto de 1972 e os Seus Bons Resultados

O grande dia chegou — 7 de agosto de 1972. O pico do evento realmente aconteceu ao longo de um período de cerca de sete dias, mas o 7 de agosto era o ponto da sua maior expansão. O que realmente aconteceu naquele dia nós humanos não saberemos enquanto não alcançarmos a consciência crística, e ninguém na Terra acreditaria em mim se eu tentasse contar. O acontecimento de verdade foi quase completamente oculto de nós por meio de recursos holográficos, mas o que aconteceu ou o que tivemos permissão de ver foi só a mais intensa emissão de energia do Sol de que se tem registro. O vento solar chegou a cerca de 4 milhões de quilômetros por hora durante três dias e continuou a bater os recordes ao longo de trinta dias. Verdadeiramente, foi um evento cósmico espetacular.

O experimento foi incrivelmente bem-sucedido. Ele funcionou, e nós, os humanos inocentes, continuamos vivos. Passamos pelos minutos mais decisivos sem nenhum problema. O que os sirianos fizeram foi manter rodando os programas que fariam os humanos pensar que estavam acontecendo apenas pequenas mudanças, depois continuar os acontecimentos na maneira exata que teriam ocorrido sem o campo holográfico. Eles não queriam mudar nada enquanto não soubessem que o sistema funcionava perfeitamente. Depois de cerca de três meses, eles começaram o seu trabalho de verdade, mudando rapidamente a consciência.

Durante dois anos, de cerca de junho ou julho de 1972 (imediatamente antes da expansão do Sol) até cerca do fim de 1974, não tivemos livre-arbítrio. Todos os acontecimentos foram programados, e as nossas reações aos acontecimentos também foram programadas para forçar um rápido crescimento espiritual. Isso funcionou incrivelmente bem. Os sirianos rejubilaram-se. Parecia que realmente conseguiríamos superar a situação.

O Retorno ao Livre-arbítrio e as Inesperadas Consequências Positivas

Finalmente, quando os progressos se tornaram evidentes, os sirianos começaram a permitir as escolhas pelo livre-arbítrio. Entretanto, se não reagíssemos com a escolha certa, os sirianos continuariam a dar-nos um conjunto semelhante de escolhas na realidade vezes e vezes seguidas até que aprendêssemos a lição espiritual. As circunstâncias externas mudariam, mas as mesmas lições espirituais seriam aplicadas. No momento em que aprendemos, os sirianos permitiram que voltássemos ao livre-arbítrio completamente.

Tudo isso foi concomitante a outro evento, que era a finalização da rede crística ao redor do mundo em que a Grande Fraternidade Branca estava empenhada. Ela foi terminada em 1989, o que então possibilitou realmente aos humanos ascender ao próximo mundo dimensional. Sem essa rede não poderia acontecer a ascensão a nenhum nível. Fizeram-se alguns ajustes secundários nos anos imediatamente seguintes, mas a rede estava funcionando.

Desde o início da década de 1990, a humanidade encontra-se na posição mais notável do universo, e nós nem sequer sabemos disso.

Nos primeiros três anos desse experimento siriano percebeu-se que algo muito incomum estava começando a acontecer, algo que ninguém em lugar nenhum jamais vira ou esperara. Quando esse fenômeno estranho começou, as pessoas de todas as regiões da galáxia tornaram-se muito interessadas em nós. Antes desse momento, éramos apenas mais uma partícula nos mundos de luz. À medida que o experimento continuava, até mesmo outras galáxias começaram a nos observar. E nos níveis dimensionais, toda a vida dirigiu a sua atenção ao nosso pequeno e humilde planeta. Nós nos tornamos uma celebridade no universo — e todo mundo sabia, exceto nós mesmos!

O que chamava a atenção era a velocidade com que estávamos evoluindo. De onde estávamos, dentro do experimento holográfico, não podíamos perceber a rapidez com que estávamos evoluindo, mas fora do sistema isso é evidente. Estamos evoluindo tão rapidamente que nenhuma forma de vida conhecida em todos os lugares jamais chegou perto de conseguir o que estamos fazendo naturalmente. E essa evolução está aumentando exponencialmente, considerado de dentro do experimento, se estivermos atentos. O que tudo isso significa não está realmente claro para a Hierarquia Espiritual. É difícil dizer onde qualquer experimento vai chegar quando não existe um histórico, não existe um precedente.

A história que contamos sobre Thoth e Shesat partirem com 32 integrantes para os mundos supradimensionais e passarem pelo Grande Vazio (capítulo 11, página 108) começa a fazer sentido agora. Os mestres ascensionados estavam tentando descobrir o que significava tudo isso. Eles começaram a acompanhar e a entrar nas janelas dimensionais que foram abertas pela nossa consciência expandida. Agora está claro que eles passaram por todo o Grande Vazio para chegar à próxima oitava dimensional. Isso tudo é tão absolutamente assombroso, segundo a compreensão galáctica normal do universo, que poucos se dispõem a comentar o resultado final de tudo isso. O que está claro é que isso é novo.

Além disso, observando-se de perto, essa minúscula semente de informação que se originava de uma única forma de vida em uma galáxia distante (quem teve uma ideia que deu início ao experimento siriano) estava contida dentro da Realidade original. Deus a pôs ali, não Lúcifer. É claro que Deus sabia o que aconteceria, e apenas Ele sabe onde isso irá levar-nos.

A razão de contar-lhes essas informações para que conheçam a realidade oculta por trás dos acontecimentos atuais é simples: vocês são, ou estão prestes a tornar-se, os novos mestres ascensionados que herdarão a Terra. Vocês, e aqueles que trabalham com vocês, logo serão responsáveis pelo despertar do restante da humanidade. As informações básicas necessárias para abrir a sua mente e o seu coração para a Realidade original está dentro de vocês. Dentro de vocês se encontra uma sabedoria mais velha do que o tempo. Que tudo o que fizerem seja uma bênção para toda a vida em toda parte. Deus estará sempre com vocês.

Que vocês consigam transcender o bem e o mal, a consciência dualista, e que se abram para a unidade de um Deus Único e da Realidade original. Dessa perspectiva ancestral, o nascimento de algo novo certamente surgirá à luz desse novo dia.

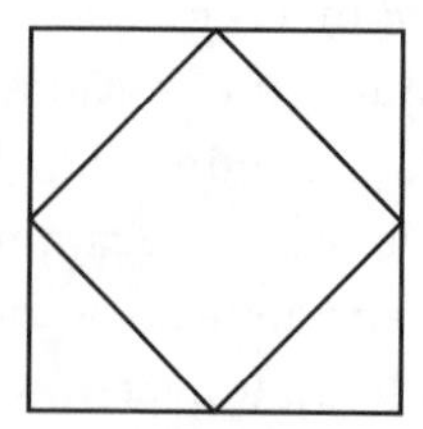

DEZOITO

A Mudança Dimensional

A Grande Mudança

A maioria dos profetas e dos povos indígenas do mundo vê uma "grande mudança" prestes a acontecer na Terra e na humanidade. Vemos essa mudança, em última análise e especificamente, como uma modificação dimensional planetária para um novo nível de existência associado a uma alteração de consciência no sentido de uma consciência crística ou da união. No capítulo final examinaremos detalhadamente a grande mudança em si e o que podemos aprender com ela. Neste capítulo, vamos examinar a natureza da mudança dimensional associada a essa conversão para encontrar a sabedoria que pode ser vivida aqui na Terra para ajudar a equilibrar todas essas alterações. Compreender a natureza da mudança dimensional é um modo de acelerar o crescimento espiritual de cada um e utilizar o máximo possível o tempo que temos ainda neste lindo planeta.

Uma mudança dimensional é aquela em que um planeta ou qualquer corpo cósmico passa de um nível dimensional para outro. No nosso caso, será da terceira para a quarta dimensão. Todo o planeta e cada pessoa nele passarão por esse traslado de uma dimensão para outra. Os indígenas americanos acreditam que estamos prestes a passar do quarto mundo para o quinto mundo, uma mudança precedida por um dia que eles chamam de Dia da Purificação. A diferença nos números é porque eles veem o Vazio como um mundo e começam a contar a partir desse ponto. Portanto, a terceira dimensão dos Melchizedeks e o quarto mundo dos indígenas americanos são a mesma coisa.

Se quiserem, poderão entender a natureza dessa transformação na passagem para o próximo nível dimensional, ou próximo mundo. Muito embora provavelmente venha a ser uma transformação muito rápida, podemos ver a natureza dela e entender quais serão as mudanças pelas quais devemos passar. Isso também elucida os acontecimentos deste mundo e explica por que eles estão acontecendo, o que proporciona maior clareza à mente e ao coração sobre essa transformação pela qual passaremos.

Panorama de uma Mudança Dimensional

Nos planetas desta galáxia, normalmente os campos geométricos inicialmente começam a enfraquecer e depois se tornam erráticos, a civilização sobre o planeta começa a desmoronar e finalmente entra na última fase. A fase final dura normalmente não mais do que dois anos, mas quase sempre pelo menos três meses. Nessa fase, a civilização começa a dissolver-se e torna-se extremamente perigoso simplesmente permanecer vivo. Todos os sistemas que sustentam a civilização se desintegram e instala-se o caos. Esse é o período para o qual a maioria das religiões, como a mórmon, se preparou. É o período em que ainda estamos na Terra na terceira dimensão antes de fazer de fato a transição para a quarta dimensão.

Então, transcorre um período de cinco ou seis horas antes que a mudança dimensional comece. Esse é um momento muito estranho, quando a quarta dimensão começa a vazar na terceira dimensão. Realmente ajuda saber que isso está começando.

Quando a mudança começa de fato, não restará dúvidas quanto a isso. Ocorrem mudanças específicas de cor e forma que estão fora da maior parte da consciência humana. Desse momento em diante, deixamos a terceira dimensão terrestre. Normalmente, o eixo do planeta muda nesse momento, mas não percebemos, porque literalmente nos encontramos em uma nova dimensão de espaço-tempo. Há sempre outras possibilidades sobre como isso possa acontecer, mas esse é o curso normal.

Atravessando o Vazio, entramos na quarta dimensão terrestre. A vida é alterada drasticamente. Ascensão, ressurreição e enfim morte acontecem antes dessa fase. O nascimento no novo mundo terá começado.

A conjuntura a seguir detalha a maneira como geralmente acontece uma mudança dimensional no universo, mas a Terra é um caso excepcional. Vou falar primeiro sobre uma transição normal como se fosse isso o que aconteceria, mas a nossa transição poderá levar e quase certamente levará a algo mais anormal. O curso da história pode transformar-se em algo muito diferente do que vou lhes dizer agora. Depende do amor que tenhamos uns pelos outros como uma raça de seres planetários. Ao fim desta discussão, apresentarei uma outra teoria. É cedo demais para saber com certeza o que acontecerá, mas isso é o que parece.

Os Primeiros Sinais

O primeiro sinal de uma mudança dimensional planetária é um agudo enfraquecimento do campo geomagnético, que a ciência sabe que vem caindo na Terra nos últimos dois mil anos, desde o aparecimento de Jesus. Nos últimos quinhentos anos, o campo geomagnético da Terra tem caído mais drasticamente. À medida que nos aproximamos da mudança dimensional, o campo geomagnético começa a enlouquecer, o que já aconteceu antes. Os aeroportos do mundo tiveram de alterar as correções das variações magnéticas em relação ao norte nos mapas para usar os instrumentos automáticos. Nos últimos trinta anos foram vistas mudanças muito peculiares no campo magnético. Os pássaros não estão migrando para os lugares de costume. Os pássaros usam as linhas magnéticas para cruzar as suas rotas migratórias para o local de origem e essas linhas mudaram radicalmente. Acredito que isso seja o que vem fazendo com que baleias e golfinhos encalhem nas praias, porque eles também usam essas linhas nas suas migrações. Muitas linhas magnéticas que sempre acompanharam a costa atualmente mudaram para a terra firme. Quando os cetáceos as seguem, eles encontram a terra e encalham. Finalmente, o campo magnético provavelmente entrará em colapso e cairá a zero. Isso aconteceu muitas vezes na história da Terra.

Se acontecer, várias situações poderão ocorrer. O campo poderia inverter-se, e os polos trocarem de lugar. Ou pode ser que a mesma configuração polar retorne depois de chegar a zero, mas com um eixo completamente diferente. A Terra pode mover-se de várias maneiras, mas isso realmente não importa a vocês na sua ascensão. Vocês não estarão aqui neste nível dimensional da Terra, portanto não viverão diretamente essas mudanças.

Podem ocorrer outras mudanças de energia mais sutis, como a da frequência de Schumann (a frequência ressonante básica do planeta Terra), que mudará antes de ocorrer a mudança dimensional, mas a mudança geomagnética é a maior de todas. Não vou comentar sobre a frequência de Schumann, uma vez que o governo dos Estados Unidos fez um grande esforço para negar que essa mudança esteja acontecendo. Se vocês realmente quiserem conhecer a verdade, verifiquem na Alemanha e na Rússia, porque esses países têm informações a esse respeito que conflitam totalmente com a posição do governo americano. Também podem estudar a obra de Gregg Braden. A obra dele é mais esclarecida e honesta.

A importância do campo geomagnético está nas consequências que produz sobre a mente humana quando e se ele vai para zero *e* permanece aí por mais do que duas semanas. De acordo com os russos, nos primeiros dias em que eles enviaram pessoas ao espaço e essas pessoas ficaram fora do campo geomagnético terrestre por mais de duas semanas, os seus cosmonautas literalmente enlouqueceram. Isso é exatamente o que aconteceu depois da Queda, quando a Atlântida afundou — as pessoas perderam a memória e ficaram loucas. Parece que o magnetismo terrestre mantém a nossa memória intacta, como uma fita cassete, e isso está ligado ao nosso corpo emocional. Assim os russos inventaram um aparelhinho para ser usado no cinto, que os cosmonautas usam para manter um campo geomagnético normal ao redor do corpo quando no espaço. Estou certo de que a NASA fez a mesma coisa.

Pode parecer estranho que o geomagnetismo afete as nossas emoções, mas então pensem no que acontece durante a lua cheia. A lua cheia produz apenas ligeiras mudanças no geomagnetismo, mas as suas consequências são evidentes. Em todas as grandes cidades do mundo, verifiquem os registros policiais do dia anterior, do próprio dia e do dia posterior à lua cheia. Acontecem mais assassinatos, estupros e crimes em geral naqueles três dias do que em qualquer outra ocasião. Entretanto, quando o campo geomagnético vai a zero, o problema torna-se muito maior. Até mesmo as flutuações dos mercados de ações no mundo todo baseiam-se nas emoções humanas, portanto vocês podem ver até que ponto as flutuações importantes nos campos geomagnéticos da Terra que durem mais do que duas semanas têm a capacidade de provocar uma devastação no mundo.

A Fase Anterior à Mudança

Este é o período que normalmente dura de três meses a dois anos. Na maioria das vezes, começa com as pessoas enlouquecendo por causa do geomagnetismo. Isso é o que causa o colapso dos sistemas sociais no mundo. O mercado de ações despenca, os governos tornam-se inoperantes e é invocada a lei marcial, que não funciona porque os militares estão com os mesmos problemas. Isso é seguido pela falta de alimentos e de outros suprimentos e não há como se socorrer. Pior de tudo, a maioria das pessoas torna-se paranoica e recorre às armas. Nenhum lugar é seguro sobre a face da Terra.

Entretanto, por causa da tremenda ajuda que os nossos irmãos espirituais extraterrestres nos deram e por causa das mudanças radicais na consciência que nos acometeram, há uma excepcional possibilidade de que não atravessemos esse período perigoso, e se o fizermos, será muito rápido. Na verdade, não me surpreenderia se não corrêssemos *perigo nenhum*, a não ser nas cinco a seis horas de que trataremos em seguida.

Se quiséssemos nos preparar para essa fase no plano *físico*, estocaríamos alimentos e suprimentos em um esconderijo subterrâneo para pelo menos dois anos. Entretanto, se entrássemos nessa fortaleza subterrânea quando a mudança começasse, não sairíamos. Por quê? Porque a mudança dimensional nos levará a uma nova dimensão da consciência na Terra, um lugar em que a terceira dimensão, o nosso mundo normal, não existe. Depois que a mudança começar, o mundo tridimensional ficará para trás, portanto é inviável estocar víveres num esconderijo e esperar sair depois de tudo acabado e retomar a vida normal.

Uma grande parte da nossa população recentemente tomou essas providências como precaução contra o "Bug do Milênio". Não há nada de errado nisso, mas é preciso entender que isso não poderá salvar ninguém. Nenhuma prevenção *material* ajudará ninguém nos níveis dimensionais superiores. O sucesso lá vai depender da sua consciência espiritual e principalmente do seu caráter. Sim, caráter. Explicarei em seguida.

Cinco a Seis Horas antes da Mudança

Esta fase é bem estranha, do ponto de vista humano. Os indígenas americanos da tribo em que nasci quando vim para a Terra, o povo taos, são instruídos a entrar em casa, fechar as cortinas, não olhar para fora e rezar. Olhar para fora causaria medo, que é a última coisa de que se precisa.

Um fenômeno estranho começa nessa fase. As duas dimensões começam a sobrepor-se. Você pode estar sentado no seu quarto quando de repente aparece do nada uma coisa que a sua mente não consegue explicar. Trata-se de um objeto quadridimensional que não se encaixa na sua compreensão da realidade. Você vê cores que nunca viu antes em toda a sua vida. Essas cores são excessivamente brilhantes e parecem ter a sua própria fonte de luz. As cores parecem ser emitidas e não refletidas. E elas têm uma forma que a sua mente não é capaz de explicar. Esses objetos são as coisas mais estranhas que você já viu. Tudo bem; é um fenômeno natural.

A minha melhor sugestão para vocês é, *não toquem* em nenhum desses objetos. Caso contrário, serão instantaneamente transportados para a quarta dimensão a uma velocidade acelerada. Será mais fácil e melhor para vocês se evitarem ir muito depressa. Se for inevitável, será a vontade de Deus.

Objetos Sintéticos e as Formas-pensamento da Realidade de Lúcifer

O outro fenômeno que quase certamente acontecerá tem a ver com a natureza da realidade que Lúcifer criou e na qual vivemos. A Realidade original é criada de tal maneira que tudo está de acordo com a ordem divina em relação a todo o resto. Na realidade de Lúcifer, porém, a tecnologia produziu materiais sintéticos. Esses materiais, que não são encontrados na natureza, não serão capazes de entrar na quarta dimensão. Eles irão retornar aos elementos a partir dos quais foram criados. É possível enviar um material sintético para a próxima dimensão, mas isso requer um campo de energia especial para mantê-lo intacto.

Além disso, esses materiais sintéticos têm um espectro de estabilidade. Alguns deles, como o vidro, não estão muito distantes da natureza. O vidro é apenas areia fundida. Mas outros materiais estão muito distantes, e assim são muito instáveis, tais como os nossos plásticos modernos. Isso significa que alguns objetos sintéticos, dependendo da sua estabilidade, irão derreter ou se desintegrar mais rapidamente do que outros durante esse período de cinco a seis horas. O seu carro é feito de plásticos e outros materiais altamente instáveis, logo ele definitivamente será imprestável. Até mesmo a sua casa provavelmente é feita de muitos materiais instáveis e irá, em grande parte, decompor-se e parcialmente se desintegrar. As casas modernas na sua grande maioria serão um lugar inseguro nessa fase.

Sabendo que esse momento virá e o que acontecerá, o povo taos muito tempo atrás tornou ilegal o uso de materiais de construção modernos dentro da aldeia. O povo taos constrói casas de veraneio fora da aldeia, mas todos sabem que quando chegar o Dia da Purificação, eles deverão voltar para os seus antigos lares na aldeia. Às vezes, eles põem janelas nas construções da aldeia, mas por que as aberturas não tinham vidro antes, se perderem uma janela, não será grande coisa. Ao contrário disso, as construções da aldeia são feita de barro, palha, areia, pedras e árvores. Elas não sentirão o problema.

Portanto, será melhor estar na natureza quando acontecer, mas se não for possível, então será a vontade de Deus. Eu não me preocuparia com isso. Só estou informando-os para que entendam quando a mudança começar.

Explicarei um pouco mais. Os objetos sintéticos são na verdade apenas pensamentos criados por e através do experimento luciferiano. Eles não existem na Realidade original. Pode ser difícil entender que não passam de pensamentos. "Formas-pensamento" seria um termo melhor. Elas provêm do que os hindus chamam de plano mental, de uma dimensão de um nível superior, e filtram-se lentamente através das dimensões até chegarem aqui na terceira dimensão.

Em termos humanos, uma pessoa pensa em uma coisa, imagina essa coisa, depois descobre como fazê-la. As pessoas criam de uma maneira ou de outra e manifestam o objeto na Terra. Isso pode ser feito individualmente ou em grupo, não importa. A pessoa (ou pessoas) que cria não mantém o objeto aqui no plano terrestre mesmo que o tenha criado. Ele é mantido pela nossa rede humana tridimensional que circunda o planeta. Essa é a rede de consciência de todas as pessoas deste nível. É uma realidade com que todos concordamos, sustentada pela rede, portanto se alguém que criou um objeto morre, o objeto permanece. No entanto, se a rede que sustenta esses objetos se desmanchasse, o objeto se transformaria nos materiais de onde saiu, sem deixar vestígios. E essa rede irá desintegrar-se antes ou durante a mudança.

Obviamente, as pessoas que já estão enlouquecendo por causa do colapso do campo geomagnético irão piorar muito mais quando virem a realidade luciferiana desmanchar-se, quando os objetos começarem a desaparecer ou se desintegrar. O lado bom é que isso dura menos do que seis horas.

De acordo com Edgar Cayce e outros médiuns, houve muitas civilizações extremamente avançadas aqui na Terra antes, mas restam poucos ou nenhum vestígio delas. Isso aconteceu por causa do que acabamos de explicar. Os seus materiais sintéticos não conseguiram atravessar a mudança dimensional treze mil anos atrás ou as mudanças anteriores. Deus faz uma limpeza no ambiente da Realidade original toda vez que há uma mudança dimensional.

Se uma cultura extraterrestre avançada viesse aqui e quisesse construir um prédio (como uma pirâmide, por exemplo) que durasse por dezenas de milhares de anos, não o faria de um metal sofisticado como o aço inoxidável. Ela usaria materiais naturais do planeta que fossem muito duros e duráveis. Dessa maneira, saberia que a pirâmide sobreviveria a todas essas mudanças dimensionais por que passa todo planeta. Não se trata de uma limitação da Idade da Pedra, é simplesmente uma coisa inteligente a fazer, só isso.

Além disso, essas culturas extraterrestres avançadas também tomam muito cuidado para não deixar vestígios da sua passagem. Elas ou levam os seus corpos consigo ou vaporizam-nos para respeitar a lei galáctica da não interferência.

Mudanças Planetárias

Todas as pessoas que vivem na Terra já passaram por uma mudança dessas. Elas precisaram passar para chegar aqui na Terra. Trata-se simplesmente de um fato cósmico. A menos que tenhamos vindo de perto, sempre que saímos de algum lugar para vir à Terra, precisamos atravessar o Vazio para chegar aqui, portanto precisamos ter mudado de dimensão. No dia em que vocês nasceram na Terra como um bebê, vocês passaram por uma mudança dimensional. Vieram de um mundo para outro. E é só por causa da nossa fraca memória humana que não nos lembramos.

Por não lembrarmo-nos da experiência de ter nascido ou de ter vindo das outras dimensões, causamo-nos enormes limitações. Por exemplo, não podemos superar a realidade das grandes distâncias. As distâncias na nossa realidade são tão grandes que não podemos atravessá-las. Não podemos nem mesmo deixar o nosso sistema solar, pois no atual estado de consciência somos prisioneiros em nossa própria casa.

Isso não é verdade? Viajar a grandes distâncias em espaçonaves no modo convencional como percebemos o tempo e o espaço não é possível. As mentes científicas já chegaram a essa conclusão. Mas é claro que é uma sugestão desalentadora não podermos jamais deixar o nosso próprio sistema solar. Para chegar à estrela mais próxima (Alfa Centauro, a cerca de 4 anos-luz de distância) precisaríamos de cerca de 115 milhões de anos, usando a tecnologia espacial atual. Os humanos não vivem muito, e além do mais, essa é apenas a estrela mais próxima. Chegar ao espaço longínquo seria simplesmente impossível. Teríamos de mudar a nossa compreensão de tempo e espaço para conseguir.

Como dissemos, o nosso problema é que só conhecemos sobre tempo e espaço; a realidade das dimensões praticamente se perdeu. Uma vez que todas as coisas são perfeitas, estamos nos lembrando *agora*, quando precisamos disso. Primeiro nos lembramos em sonhos, depois nos filmes. Filmes como *Jornada nas Estrelas, Contato, Esfera* e muitos outros discutem ideias sobre as dimensões. *Vamos nos lembrar,* pois Deus está conosco.

Portanto, vamos lá. Vou dizer-lhes exatamente o que *normalmente* acontece em um mudança dimensional. Vou dar-lhes essa descrição a partir da minha experiência em primeira mão, mas o que vai acontecer conosco de verdade poderá ser ligeiramente diferente, pois o universo está sempre tentando algo novo. Alguns de você provavelmente prefeririam que eu contasse na forma de uma história, mas acho que ir direto ao assunto seja mais adequado.

A Experiência de uma Mudança Planetária Real

Lembrem-se de que o que vou dizer agora é o que um livro didático galáctico revelaria. Trata-se exatamente do panorama normal. Poderá haver muitos detalhes diferentes porque a vida é flexível, mas conhecendo a norma, vocês podem imaginar as diferenças.

Quando ingressamos neste novo milênio, os mestres ascensionados consideraram que haveria muito pouca violência na aproximação da mudança, porque já atravessamos um longo percurso nesse caminho. Saímo-nos muito bem ao contribuir para o nascimento da nova consciência humana! Portanto, direi o seguinte agora: relaxem, não se preocupem. Aproveitem essa transição. Quando testemunharem a perfeição da vida, poderão ser aquele bebezinho que talvez sempre quiseram voltar a ser. Saibam que terão quem cuide de vocês e que os acontecimentos serão guiados pelo mais puro amor. Essa onda de energia é tão maior do que vocês que poderão tranquilamente render-se a ela e simplesmente existir.

Provavelmente, conseguimos mudar a possibilidade de dois anos para três meses de caos. Atualmente se acredita que o período anterior à mudança provavelmente será muito curto e com praticamente poucos distúrbios. Espera-se pouco ou nenhum perigo, a não ser nas cinco a seis horas da mudança. Muito provavelmente vocês vão acordar numa manhã e antes do pôr do sol encontrar-se como um bebê em um mundo inteiramente novo.

Seis Horas antes da Mudança

Vamos começar a partir de seis horas antes da mudança. Você acorda em uma manhã fresca e límpida, sentindo-se ótimo. Ao levantar, percebe que parece mais leve e um pouco estranho. Você decide tomar um banho. Observando a água, sente alguma coisa atrás de si. Você se volta e vê um grande objeto reluzente de cores estranhas flutuando a cerca de um metro do piso próximo à parede. Enquanto você tenta descobrir o que é aquilo, um outro objeto menor aparece do nada a menos de um metro de distância. Eles começam a flutuar pelo banheiro.

Você sai correndo para o quarto, onde vê todo o aposento cheio dessas coisas estranhas e inimagináveis. Pode ser que pense que está tendo um colapso nervoso ou que talvez um tumor no cérebro esteja afetando a sua percepção, mas nenhuma dessas coisas é o caso. De repente, o chão começa a abrir-se e toda a casa se contorce. Você corre para fora, para perto da natureza, onde tudo parece normal, com exceção de que se veem muitas daquelas coisas estranhas por toda parte.

Você decide sentar-se e não se mover. Lembra-se do seu Mer-Ka-Ba e começa a respirar conscientemente. Você relaxa no fluxo de prana que atravessa o seu corpo. O grande Mer-Ka-Ba giratório o envolve com o seu calor e a sua segurança. Você se centra e espera, porque o que está prestes a acontecer é graça de Deus. Realmente, não há para onde ir. Essa é a maior travessia que se possa imaginar. Ela é antiga, ainda que seja inteiramente nova. Ela é linda e você se sente fantástico. Sente-se mais vivo que nunca desde que vivia na realidade normal da Terra. Cada respiração parece ser emocionante.

Você olha através da paisagem, onde uma neblina vermelha e resplandecente começa a dominar todo o espaço ao seu redor. Logo você se vê envolvido por essa neblina vermelha, que parece ter a sua própria fonte de luz. É uma neblina, mas realmente não se parece com nenhuma neblina que você já viu. Parece estar por toda parte agora. Você está até mesmo respirando-a.

Um sentimento estranho o invade. Não é verdadeiramente mau, só incomum. Você percebe que a neblina vermelha está mudando aos poucos para cor de laranja. Não muito depois de notar que ela se parecia laranja ela se torna amarela. O amarelo rapidamente torna-se verde, depois azul, em seguida púrpura, então violeta, depois ultravioleta. Então um forte clarão de pura luz branca explode na sua consciência. Você não só está cercado por essa luz branca, mas parece que você *é* essa luz. Para você, não há mais nada na existência.

Esse último sentimento parece continuar por muito tempo. Lentamente, muito lentamente, a luz branca muda para uma luz clara e o lugar onde você está sentado volta a ficar visível. Só que parece como se tudo fosse metálico e feito de ouro puro — as árvores, as nuvens, os animais, as casas, as outras pessoas —, a não ser o seu corpo, que pode ou não parecer dourado.

Quase imperceptivelmente, a realidade dourada, metálica, torna-se transparente. Vagarosamente, tudo começa a ter a aparência de vidro dourado. Você é capaz de ver através das paredes; pode até mesmo ver as pessoas caminhando atrás delas.

O Vazio — Três Dias de Escuridão

Finalmente, a realidade dourada, metálica, diminui de intensidade e desaparece. O ouro brilhante torna-se opaco e continua perdendo a sua luminosidade até que o seu mundo inteiro fica escuro e preto. Uma escuridão o engolfa, e o seu velho mundo se foi para sempre. Agora você não pode ver nada, nem mesmo o seu corpo. Você percebe que está estável, mas ao mesmo tempo parece estar flutuando. O seu mundo familiar se foi. Não sinta medo nessa hora. Não há nada a temer. É inteiramente natural. Você entrou no Vazio entre a terceira e a quarta dimensões, o Vazio de onde vieram todas as coisas e por onde sempre retornam. Você passou pela porta entre os mundos. Ali não existe nem som nem luz. É a privação sensorial total de todas as maneiras imagináveis. Não há nada a fazer a não ser esperar e sentir gratidão pela sua ligação com Deus. Você provavelmente irá sonhar nesse momento. Tudo bem. Se não sonhar, será como a passagem por um período de tempo muito longo. Na verdade, serão apenas cerca de três dias.

Para ser breve, esse período pode durar de dois dias e seis horas (o mais curto conhecido) a cerca de quatro dias (o mais longo já transposto). Normalmente, dura entre três dias e três dias e meio. Esses dias são dias terrestres, e esse tempo é experimental, não real, porque o tempo como o conhecemos não existe. Agora você chegou ao "final dos tempos", aquele de que os maias, outras religiões e pessoas espiritualizadas falaram.

O Novo Nascimento

A experiência seguinte é bem chocante. Depois de flutuar no nada e na escuridão por três dias mais ou menos, em um nível do seu ser pode parecer como se tivessem passado uns mil anos. Então, de maneira totalmente inesperada e num instante, todo o seu mundo explode com uma luz branca brilhante. Será mesmo ofuscante. Será a luz mais brilhante que você já conheceu, e demorará muito tempo antes que os seus olhos possam ajustar-se e controlar a intensidade dessa nova luz.

É mais do que provável que a experiência pareça inteiramente nova, e aquilo em que você acabou de transformar-se é num bebê em uma nova realidade. Você é um bebezinho. Exatamente como quando nasceu aqui na Terra, você veio de um lugar muito escuro para um lugar muito claro; você ficou como que ofuscado e não sabia o que afinal de contas estava acontecendo. A experiência é semelhante de muitas maneiras. Parabéns! Você acabou de nascer em um novo mundo brilhante!

Enquanto começa a acostumar-se com essa intensidade de luz, o que pode demorar algum tempo, você passa a ver cores que nunca viu antes e nunca soube que existissem. Tudo, a configuração toda, toda a sensação de realidade, é extravagante e desconhecida a você a não ser pelo breve período com os objetos flutuando pouco antes da mudança.

Na verdade, isso é mais do que um segundo nascimento. Na Terra, quando nasceu, você começou pequeno e continuou a crescer até tornar-se um adulto. Normalmente pensamos na maturidade humana como o fim do crescimento. O que pode parecer estranho até que você veja é que um corpo adulto humano na dimensão seguinte é um bebê. Exatamente como acontece aqui, você começa a crescer e tornar-se mais alto até alcançar a maturidade nesse novo mundo. Um ser maduro nesse novo mundo quadridimensional é surpreendentemente mais alto do que aqui. Um homem adulto tem cerca de 4,20 a 4,80 metros de altura, e uma mulher adulta de 3 a 3,60 metros de altura.

O seu corpo parecerá sólido, assim como na Terra, mas em comparação com a Terra tridimensional, não é. Na verdade, se você voltasse à Terra, ninguém poderia vê-lo. Você ainda tem uma estrutura atômica, mas a maioria dos átomos terá se convertido em energia. Você se transformou em muita energia e muito pouca matéria. Você pode atravessar uma parede sólida na Terra, mas aqui você é sólido. Esse novo nascimento será a sua última vida em uma estrutura como a conhece. Na quinta dimensão, a que passaremos logo depois da quarta, não existem formas de vida. Esse é um estado de consciência sem forma. Você não tem corpo, mas está em toda parte ao mesmo tempo.

O tempo é extremamente diferente na quarta dimensão. Alguns minutos na Terra representam várias horas em 4-D, portanto num período de uns dois anos, você chega à fase adulta. Mas a vida não se resume apenas ao crescimento, como acontece aqui na Terra. Há níveis de conhecimento e existência que seriam difíceis de imaginar de onde você estará quando acabar de entrar na quarta dimensão, assim como um bebê aqui na Terra não consegue compreender a astrofísica.

Seus Pensamentos e a Sobrevivência

Aí está você, um bebê num mundo novo. Ainda assim nesse mundo novo você está longe de sentir-se desamparado. Você é um espírito poderoso que pode controlar toda a realidade com os seus pensamentos. O que quer que pense acontece instantaneamente! Ainda assim, no princípio você não percebe essa ligação. A maioria das pessoas não une uma coisa a outra por vários dias, e esses poucos dias são decisivos. Eles *poderiam* impedir que você sobrevivesse nesse mundo novo se não entendesse o que está acontecendo.

Ali está você, com apenas alguns minutos de idade, e o primeiro grande teste começa. Quando a janela quadridimensional é aberta, qualquer um pode passar, mas geralmente nem todos conseguem permanecer lá.

O que descobrimos é que há três tipos de pessoas nessa fase. Primeiramente, há as pessoas que passam e estão prontas. Elas se prepararam nesta vida pelo modo como viveram. Depois há as pessoas que não estão prontas, que sentem tanto medo que não se permitem deixar esta terceira dimensão para atravessar o Vazio, e elas imediatamente voltam à Terra. E finalmente existe um terceiro grupo que atravessa mas que não está realmente pronto para a experiência.

Essas pessoas estão prontas para a transição para a quarta dimensão, mas não estão realmente preparadas para permanecer lá. Jesus falou sobre essas pessoas quando disse no fim de uma parábola que "muitos serão os chamados, mas poucos serão escolhidos".

Há uma outra parábola sobre um fazendeiro cujos empregados informam sobre muitas ervas daninhas em meio ao trigo, e perguntam o que fazer. O fazendeiro lhes diz para deixar as ervas crescer com o trigo, e quando chegasse o momento da colheita, colher tudo junto e depois separar o joio do trigo. Um fazendeiro normalmente tentaria livrar-se das ervas daninhas antes que elas crescessem, mas não era isso o que ele estava dizendo para fazer. Jesus na verdade estava se referindo era a esses dois tipos de pessoas — as que estão prontas e as que não estão.

Quando as pessoas não estão prontas, isso significa que elas trazem todos os seus medos e ódios consigo. Quando elas se encontram nesse mundo bizarro, todos os seus medos e a sua raiva afloram. Como não sabem que o que pensam tomará forma ao seu redor, os seus medos começam a manifestar-se.

Sem compreender o que está acontecendo, no início a maioria das pessoas reproduz imagens familiares do seu mundo, coisas que podem reconhecer. Elas fazem isso para dar um sentido ao que está acontecendo. Elas não fazem isso conscientemente, mas pelo seu instinto de sobrevivência. Elas começam a criar as velhas imagens e padrões emocionais. Mas esse novo mundo é tão bizarro que todos os seus medos emergem. Elas dizem: "Minha nossa, como pode acontecer uma coisa dessas? Isso é loucura, um absurdo!" Elas veem as pessoas que morreram há muito tempo. Elas podem começar a ver cenas do próprio passado, até mesmo da sua infância. Nada faz sentido. A mente procura algum recurso para restabelecer a ordem.

Elas pensam que estão tendo uma alucinação e isso produz mais medo. Pensando como alguém da Terra, elas podem pensar que alguém está fazendo isso a elas, então elas precisam proteger-se. O ego pensa que precisa de uma arma. A manifestação segue ao pensamento, então quando elas olham, há um fuzil ou uma escopeta, exatamente o que queriam. Elas pegam a arma e pensam: "Preciso de munição". Olham à esquerda e encontram enormes caixas de munição. Elas carregam a arma e procuram os bandidos que julgam estar tentando matá-las. Então o que aparece na hora? Os bandidos, totalmente armados.

Agora os piores medos delas se manifestam, sejam quem for, eles começam a atirar. Para onde quer que elas se voltem, as outras pessoas estão tentando matá-las. Finalmente, o seu maior medo se manifesta, e elas são atingidas mortalmente.

Uma situação como essa acontece e afasta as pessoas do seu mundo superior de volta ao mundo de onde vieram. Isso foi o que Jesus quis dizer quando afirmou: "Porque todos os que lançarem mão da espada, à espada morrerão". Mas Jesus também disse: "Bem-aventurados os mansos, porque eles herdarão a terra", o que significa que se você estiver neste novo mundo tendo pensamentos simples de amor, harmonia e paz, confiando em Deus e em si mesmo, então isso é exatamente o que irá manifestar-se no seu mundo. Você manifestará um mundo harmonioso, lindo. Se você for "manso", conseguirá permanecer nesse mundo superior pelos seus pensamentos, sentimentos e ações. Você sobreviverá.

Isso é apenas o começo, é claro. Então você nasce no novo mundo e sobrevive. Desse momento em diante existem diversas possibilidades. Uma invariavelmente ocorrerá: depois de algum tempo você começará a explorar essa realidade e a certa altura perceberá que seja lá o que você pensar, acontece.

Nesse ponto as pessoas geralmente olham para o seu corpo e dizem: "Uau", e com os seus pensamentos, aperfeiçoam o seu corpo e fisicamente se tornam o que sempre quiseram ser. Elas corrigem tudo, fazem crescer pernas e braços. Por que não? É como o brinquedo de uma criança. Uma vez que o ego geralmente ainda funciona um pouco nesse estágio, você pode tornar-se uma pessoa linda, atraente ou mais alta. Mas logo você ficará entediado com o aperfeiçoamento do seu corpo. Então vai começar a explorar o resto da sua nova realidade.

Uma coisa quase certamente vai acontecer. Você de repente vai perceber as grandes luzes movendo-se ao redor da região onde se encontra. Elas são chamadas mãe e pai. Sim, você terá pais na quarta dimensão. Essa é, porém, a última vez, pois no próximo mundo superior não os terá mais.

Na região da quarta dimensão aonde você chegar, os problemas de família vividos aqui na Terra não existirão. Lá, a sua mãe e o seu pai vão amá-lo de uma maneira que você apenas sonhou aqui na Terra. Eles irão amar e cuidar totalmente de você. Não permitirão que nada de mal lhe aconteça depois que você sobreviveu. Você não precisará preocupar-se com nada. Será um período de imensa alegria se você simplesmente entregar-se e permitir ser guiado por esse amor. Você vai perceber que simplesmente tirou a sorte grande na vida.

Toda a dor e sofrimento por que passou na vida acabaram, e uma outra vida em um nível belo e sagrado está começando. Agora o propósito e o significado da vida começam a voltar conscientemente. Você começa a experimentar uma outra antiga, porém nova, forma de ser, e é sua. Ela sempre foi sua, mas você a deixou de lado. Então agora você está voltando ao estado de consciência onde Deus é perceptível em toda a vida. Você o percebe a cada respiração que entra no seu corpo brilhante de luz.

Como Preparar-se: O Segredo da Vida Cotidiana

Vocês perguntam: o que podemos fazer aqui na Terra para prepararmo-nos para essa experiência nos mundos superiores?

Definitivamente, não será acumulando alimentos e fazendo um buraco no solo ou qualquer coisa assim. Não que essa seja uma ação errada, só que a preparação física tem os seus limites. No céu, nos mundos superiores, vocês são o que criam. Isso também se aplica aqui, mas a maioria de nós não sabe disso. Da quarta dimensão em diante, isso se torna evidente.

Uma vez que somos o que criamos, então torna-se importante e necessário que as nossas emissões estejam em harmonia com toda a vida em toda parte. Vamos chegar a entender que tudo o que pensamos, sentimos e fazemos cria o mundo em que devemos viver. Portanto, a vida comum aqui na Terra pode ser vista como uma escola, um lugar onde cada momento da vida nos dá lições que podem ser traduzidas diretamente no próximo mundo. Não admira que o Egito e a maioria das civilizações antigas consideravam a morte com tanto respeito. A morte, não importa como aconteça, é a porta para a escuridão no Vazio, leva à luz brilhante dos mundos superiores da vida. Com mestria, ela leva diretamente a uma conexão consciente com toda a vida em toda parte — a vida eterna!

E quanto a essas lições terrestres? A verdade é que a Origem de toda a vida está nos olhos de cada pessoa criada. Portanto, mesmo aqui na Terra, a grande inteligência, a sabedoria e o amor estão presentes a todo momento dentro de cada pessoa. Visto isso, torna-se claro que os seus pensamentos, sentimentos e ações são a chave. Vocês sabem exatamente o que fazer. Em palavras simples, trata-se de aperfeiçoar o seu caráter. Os diamantes cintilantes do seu caráter tornam-se os instrumentos de sobrevivência da ascensão.

Buda, Mãe Maria, Lao-tsé, Maomé, Jesus, Abraão, Krishna, Babaji, Irmã Teresa e cerca de 8 mil outros grandes mestres da luz eterna — esses são os seus mestres e os heróis da vida. Pelo seu exemplo eles lhes mostram como edificar o seu caráter. Todos eles pensam que amar o próximo é o maior segredo. Isso põe ordem no mundo que vocês criam. Isso lhes dá a vida eterna. Compreendem?

Na transição de Melchizedek, ao chegarem aos chamados portões estelares para passar de uma região da existência para outra, o único modo de atravessá-los é pensando, sentindo e sendo de acordo com padrões emocionais e mentais muito específicos. Esses padrões geralmente vêm em conjuntos de cinco ou seis (vejam o capítulo 13, atualização 5, página 166). O padrão que eu usei para entrar nesta dimensão foi *amor, verdade e beleza, confiança, harmonia e paz*. Há muitos outros. Eles são como códigos ou chaves que habilitam a sua passagem pelos guardiões. Se os guardiões julgarem vocês prontos para o mundo que guardam, os deixarão passar. Se julgarem que não, eles os farão voltar ao mundo de onde vieram. Esse é o trabalho deles — e vocês fizeram por merecer.

Se forem capazes de chegar lá e ficar entoando esses padrões de amor, verdade e beleza, confiança, harmonia e paz, não terão com que se preocupar. Esse é um padrão feminino (vejam a Ilustração 18-1). Existem outros padrões. Há um padrão masculino (vejam a Ilustração 18-2), que é *compaixão, humildade e sabedoria, união, amor e verdade*. Todos os padrões de portão estelar têm amor e verdade.

Sempre que houver compaixão e humildade, haverá sabedoria; esse é o componente masculino. E sempre que houver amor e verdade, haverá união; esse é o componente feminino. No primeiro padrão de portão estelar, que é organizado de modo diferente, sempre que houver amor e verdade, haverá sabedoria, o componente masculino. E sempre que houver confiança e harmonia, haverá paz, o componente feminino.

Portanto, esses estados mentais e/ou emocionais ou padrões de portão estelar são os bens mais importantes que vocês poderão ter quando forem entrar nos mundos superiores. Quanto mais se elevarem, mais essenciais ainda eles se tornarão. Onde leva esse processo?

Ilustração 18-1. O padrão de portão estelar feminino.

Ilustração 18-2. O padrão de portão estelar masculino.

Quando chegarem à quarta dimensão e virem e compreenderem a sua situação e começarem a demonstrar a sua capacidade de controlar os acontecimentos, começará a acontecer uma coisa interessante. Lembram-se da pintura no teto egípcio chamada o ovo da metamorfose (vejam o capítulo 10, Ilustração 10-34a, página 94), aquela com a oval vermelho-alaranjada sobre a cabeça dos egípcios quando eles davam uma guinada a 90 graus para o mundo seguinte? Assim como eles, vocês começarão a passar por essa metamorfose. Assim como a borboleta, o seu corpo irá mudar rapidamente em algo semelhante mas originalmente diferente.

"Faraó" significa "aquilo em que você se tornará". O primeiro rei que recebeu o atributo de faraó foi Akhenaton, com a sua adorável esposa Nefertiti. Se quiserem saber em que se tornarão, eles estão lá para ser vistos. A raça de onde eles vieram, os sirianos, é a do nosso pai, e nós temos os genes que eles nos deram. No momento certo nos transformaremos na raça deles. É uma raça concebida para a quarta dimensão. Quando isso acon-

NOTA AO LEITOR

O Curso Flor da Vida foi apresentado internacionalmente por Drunvalo desde 1985 até 1994. Este livro baseia-se na transcrição da terceira versão oficial gravada em vídeo do Curso Flor da Vida, que foi apresentado em Fairfield, Iowa, em outubro de 1993. Cada capítulo deste livro corresponde mais ou menos à fita de vídeo de mesmo número daquele curso. Entretanto, alteramos o formato escrito quando necessário para tornar o sentido o mais transparente possível. Assim, alteramos a ordem de parágrafos e frases, e ocasionalmente até mesmo partes inteiras para a sua posição ideal para que o leitor pudesse percorrer o texto com a maior facilidade.

Observem que acrescentamos **atualizações** ao longo de todo o livro, as quais são apresentadas em **negrito.** Essas atualizações começam nas margens ao lado das informações anteriores. Considerando o volume das informações apresentadas no curso, dividimos o conteúdo em duas partes, cada uma com o seu próprio sumário. Este é o volume 2.

Aqueles que desejarem localizar um facilitador na região onde mora, visitem o *website* da sede geral Flor da Vida em Phoenix, Arizona: <http://www.floweroflife.org>. Ou então, em espanhol e inglês, pelo *e-mail* infoespanol@floweroflife.org. No Brasil, no *website* <http://www.flordavida.com.br>, das facilitadoras Eloiza Zarzur e Maria Luiza Abdalla Renzo, pelo *e-mail* flordavida@uol.com.br (português, inglês, espanhol ou francês). Para contatar Drunvalo Melchizedek e obter informações sobre sua agenda, acesse <http://www.drunvalo.net>, ou pelo *e-mail* earthskyheart@aol.com (somente em inglês).

FONTES DE CONSULTA

Capítulo 1

Liberman, Jacob, *Light, the Medicine of the Future*. Santa Fé: NM, Bear & Co., 1992.

Temple, Robert K. G., *The Sirius Mystery*. Rochester, VT: Destiny Books (www.gotoit.com).

Satinover, Jeffrey, M. D., *Cracking the Bible Code*. Nova York: William Morrow, 1997. [*A Verdade por trás do Código da Bíblia*, publicado pela Editora Pensamento, SP, 1998.]

West, John Anthony, *Serpent in the Sky*. Nova York: Julian Press, 1979, 1987. [*A Serpente Cósmica*, publicado pela Editora Pensamento, SP, 2009.]

Cayce, Edgar: muitos livros foram escritos sobre ele; a Association for Research and Enlightenment de Virginia Beach, VA, é uma fonte com uma quantidade enorme de material. Talvez o livro mais conhecido seja *The Sleeping Prophet*, de Jess Stearn.

Capítulo 2

Lawlor, Robert, *Sacred Geometry: Philosophy and Practice*. Londres: Thames & Hudson, 1982.

Hoagland, Richard C.; veja www.enterprisemission.com/.

White, John, *Pole Shift*. 3ª ed. Virginia Beach, VA: ARE Press, 1988.

Hapgood, Charles, *Earth's Shifting Crust* e *The Path of the Pole* (esgotado).

Braden, Gregg, *Awakening to Zero Point: The Collective Initiation*. Questa, NM: Sacred Spaces/Ancient Wisdom Pub.; também em vídeo (Lee Productions, Bellevue, WA).

Capítulo 3

Hamaker, John e Donald A. Weaver, *The Survival of Civilization*, Hamaker-Weaver Pub., 1982.

Sitchin, Zecharia, *The 12th Planet* (1978), *The Lost Realms* (1996), *Genesis Revisited* (1990), Avon Books.

Begich, Nick e Jeanne Manning, *Angels Don't Play This HAARP*. Anchorage, AK: Earthpulse Press, 1995.

Capítulo 4

Keyes, Ken, Jr., *The Hundredth Monkey*, Vision Books, 1982, isento de direitos autorais. Pode ser obtido em www.testament.org/testament/100thmonkey.html e outros *websites*. [*O Centésimo Macaco*, publicado pela Editora Pensamento, SP, 1990 (esgotado).]

Watson, Lyall, *Lifetide*. Nova York: Simon and Schuster, 1979.
Strecker, Robert, M.D., "The Strecker Memorandum" (vídeo), The Strecker Group, 1501 Colorado Blvd., Eagle Rock, CA 90041 (203) 344-8039.
The Emerald Tablets of Thoth the Atlantean, tradução inglesa de Doreal, Brotherhood of the White Temple, Castle Rock, CO, 1939. Pode ser obtido em Light Technology Publishing.

Capítulo 6

Anderson, Richard Feather (labirintos); ver www.richardfeatheranderson.com.
Winter, Dan, *Heartmath;* veja www.heartmath.org.
Sorrell, Charles A., *Rocks and Minerals: A Guide to Field Identification,* Golden Press, 1973.
Vector Flexor (brinquedo), disponível em Source Books.
Langham, Derald, *Circle Gardening: Producing Food by Genesa Principles,* Devin-Adair Pub., 1978.

Capítulo 7

Doczi, *György, The Power of Limits: Proportional Harmonies in Nature, Art and Architecture.* Boston, MA: Shambhala, 1981, 1994.

Capítulo 8

"Free Energy: The Race to Zero Point" (vídeo), disponível em Lightworks, veja www.lightworksav.com.
Pai, Anna C. e Helen Marcus Roberts, *Genetics, Its Concepts and Implications,* Prentice Hall, 1981.
Critchlow, Keith, *Order in Space: A Design Source Book,* Viking Press, 1965, 1969, e outros livros estão esgotados.

Capítulo 9

Lamy, Lucie, *Egyptian Mysteries: New Light on Ancient Knowledge*. Londres: Thames and Hudson, 1981.
Albus, James S., *Brains, Behavior and Robotics,* Byte Books, 1981 (esgotado).
The Unknown Leonardo, Ladislas Reti, org. Nova York: Abradale Press, Harry Abrams, Inc., Publishers, 1990.
Blair, Lawrence, *Rhythms of Vision: The Changing Patterns of Myth and Consciousness,* Destiny Books, 1991 (esgotado).
Martineau, John, *A Book of Coincidence: New Perspectives on an Old Chestnut,* Wooden Books, País de Gales, 1995 (esgotado).

Capítulo 10

Hall, Manley P., *The Secret Teachings of All Ages*, Philosophical Research Society of Los Angeles, 1978.

Capítulo 11

Hancock, Graham e Robert Bauval, *The Message of the Sphinx: A Quest for the Hidden Legacy of Mankind,* Crown Publishers, Inc., 1996.

Capítulo 12

Puharich, Andrija, *The Sacred Mushroom,* Doubleday, 1959 (esgotado).

Cayce, Edgar, *Auras: An Essay on the Meaning of Color*. Virginia Beach, VA: A.R.E. Press, 1989.

Capítulo 13

Ramacharaka, Yogue, *Science of Breath: A Complete Manual of the Oriental Breathing Philosophy of Physical, Mental, Psychic and Spiritual Development,* Yoga Publishers Society, 1904.

Capítulo 19

Carroll, Lee, e Jan Tober, *The Indigo Children: The New Kids Have Arrived,* Carlsbad, CA: Hay House, 1999.

Braden, Gregg, *Walking between the Worlds: The Science of Compassion,* Radio Bookstore Press, Bellevue, WA, 1997.

Satinover, Jeffrey, M.D., *Cracking the Bible Code*. Nova York: William Morrow, 1997. [*A Verdade por trás do Código da Bíblia*, publicado pela Editora Pensamento, SP, 1998.]

Dong, Paul, e Thomas E. Raffill, *China's Super Psychics*. Nova York: Marlowe & Co., 1997.

Geller, Uri, *Uri Geller, My Story*. Nova York: Praeger Press, 1975 (esgotado).

Through the Eyes of a Child, conjunto de dois vídeos da Lightworks (www.lightworksav.com).

MODELO PARA MONTAR UMA ESTRELA TETRAÉDRICA

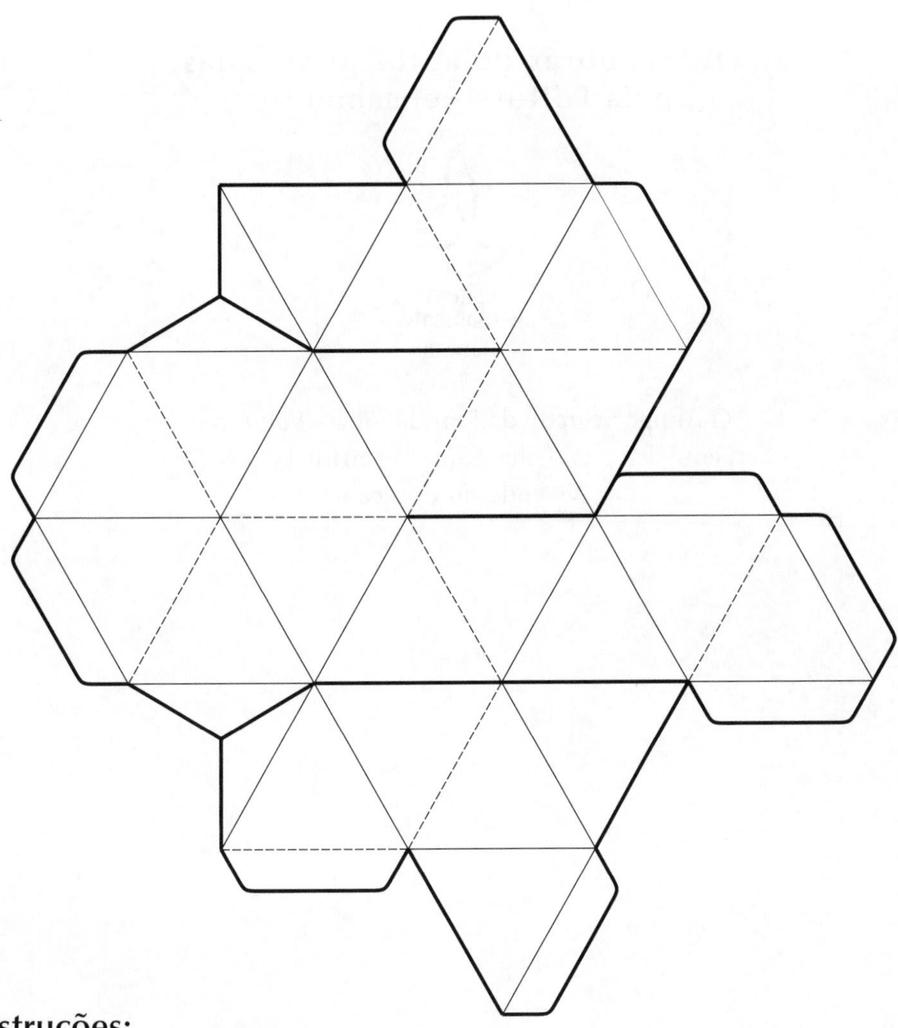

Instruções:

1. Recorte todo o contorno.
2. Recorte todas as linhas em negrito.
3. Vinque as linhas contínuas para trás.
4. Vinque as linhas pontilhadas para a frente.
5. Dobre os triângulos para baixo ao longo das linhas contínuas.
6. Dobre os triângulos para cima ao longo das linhas pontilhadas.
7. Cole ou prenda com fita isolante as abas para formar pequenos tetraedros.
8. Continue até obter uma estrela tetraédrica.

Observação: Esta atividade requer concentração, portanto não desanime. (Convém fazer várias cópias do modelo em vez de recortá-lo.)

Outras obras do autor publicadas pela Editora Pensamento:

O Antigo Segredo da Flor da Vida – Volume 1
Serpente de Luz – Uma Aurora Espiritual Após 2012
Vivendo no Coração